NAPOLEON HILL

QUEM PENSA ENRIQUECE

(THINK AND GROW RICH)

EDITORA FUNDAMENTO

2009, Editora Fundamento Ltda.
Reimpresso em 2013

Editor e edição de texto: Editora Fundamento
Arte da capa: Scrok.Com
Editoração eletrônica: Tricem – Comunicação e Design
CTP e impressão: Monalisa Editora Gráfica Ltda.
Tradução: Capelo Traduções e Versões Ltda. (Neuza Capelo)

Produzido originalmente por Classic Books

Dados Internacionais de Catalogação na Publicação (CIP)
(Câmara Brasileira do Livro, SP, Brasil)

Hill, Napoleon
Quem pensa enriquece / Napoleon Hill; [versão brasileira da editora] – 1. ed. – São Paulo, SP: Editora Fundamento Educacional Ltda., 2009.

Título original: Think and grow rich

1. Auto-ajuda 2. Felicidade 3. Motivação 4. Mudança de vida 5. Sucesso I. Título

08-11457 CDD-158.1

Índice para catálogo sistemático
1. Auto-ajuda: Desenvolvimento pessoal: Sucesso 158.1

Fundação Biblioteca Nacional

Depósito legal na Biblioteca Nacional, conforme Decreto n.º 1.825, de dezembro de 1907.

Impresso no Brasil

Telefone: (41) 3015 9700
E-mail: info@editorafundamento.com.br
Site: www.editorafundamento.com.br

Este livro foi impresso em papel pólen soft 80 g/m² e a capa em papel-cartão 250 g/m².

Quem pensa enriquece

Este livro ensina a famosa fórmula de Andrew Carnegie para ganhar dinheiro, baseada nos treze passos comprovados para a riqueza.

Foi organizado durante vinte e cinco anos de pesquisa, com a colaboração de mais de 500 pessoas que se destacaram por sua grande fortuna e comprovaram, pelos próprios feitos, que esta filosofia é eficaz.

De Napoleon Hill

Autor de
A Lei do Triunfo

Leonídia
J.P., 11/02/2014

(Retorno do Congresso SUPERA)

Sumário

Prefácio

Este livro mudou minha vida.

Eu tinha 17 anos e precisava dar um presente de aniversário para o namorado da minha irmã. Antes de embrulhar o livro que comprara, decidi ler um pouquinho e fiquei imediatamente hipnotizado pela filosofia ali contida.

Naquele momento, descobri que o sucesso não é acidental.

Enriquecer não era somente uma questão de sorte. O autor havia trabalhado durante vinte e cinco anos na elaboração minuciosa de um extraordinário plano que qualquer um poderia seguir para alcançar seus sonhos.

Fiquei tão impressionado pelo conteúdo que comprei um exemplar de *Quem pensa enriquece* e o reli muitas vezes nas últimas duas décadas.

O clássico de Napoleon Hill é uma obra-prima.

Embora eu possua mais de 800 livros sobre as realizações do ser humano, jamais encontrei algo tão criterioso e prático, tampouco mais motivador.

E não sou o único a pensar assim.

Muitas vezes, li a respeito de pessoas altamente bem-sucedidas – ou as conheci pessoalmente – que sempre consideraram este livro uma parte fundamental de sua preparação para a vida.

Nos próximos anos, sem dúvida, muitos outros milhões de leitores exaltarão seus méritos.

Com certeza, você tem em mãos uma ferramenta muito poderosa para alcançar as estrelas.

Se realmente fizer o que o sr. Hill sugere, você vai, de fato, liberar incríveis poderes e enriquecer a sua vida, não só financeiramente, mas até psicológica e espiritualmente.

Portanto, acomode-se, relaxe e aproveite a leitura desta maravilhosa edição de *Quem pensa enriquece.*

A sua vida jamais será a mesma.

Siimon Reynolds
Fundador do Photon Group

O AUTOR E O LIVRO

Napoleon Hill nasceu em uma família pobre, em 26 de outubro de 1883, em uma cabana de madeira de um só cômodo, nas montanhas Blue Ridge, no estado da Virgínia (EUA). Ainda menino, perdeu a mãe. No ano seguinte, seu pai se casou de novo, e a madrasta de Napoleon tornou-se a luz e a inspiração que o guiariam. Ele tinha 9 anos.

Ainda adolescente, por influência da madrasta, Hill passou a atuar como repórter, fornecendo notícias locais para cerca de uma dúzia de jornais, em todo o estado. Seu estilo original chamou a atenção de Robert L. Taylor, antigo governador do Tennessee e proprietário da *Bob Taylor's Magazine*, que o empregou para escrever "histórias de sucesso" sobre pessoas famosas.

A idéia de Hill era usar o dinheiro que ganhasse para pagar a matrícula na Faculdade de Direito da Universidade de Georgetown. E assim o fez. Em 1908, já estudando na universidade, recebeu do governador Taylor a primeira tarefa: entrevistar Andrew Carnegie.

A previsão era que a entrevista durasse três horas, mas Carnegie a estendeu por três dias e três noites, durante os quais manteve Hill hospedado em sua casa. Nesse período, convenceu o jovem repórter a organizar a primeira filosofia sobre realização individual, baseada nos princípios de sucesso que ele próprio havia usado para acumular sua vasta fortuna.

Para testar definitivamente a persistência de Hill, Carnegie levantou a questão diretamente, perguntando se o jovem estaria disposto, com sua ajuda, a levar a cabo a tarefa de organizar essa filosofia, o que provavelmente lhe tomaria uns vinte anos.

Hill tinha várias razões para justificar uma resposta negativa. Faltavam-lhe formação, tempo, dinheiro, conhecimentos e, além de tudo isso, ele sequer sabia o significado da palavra "filosofia"! Enquanto pensava em um modo gentil de recusar o convite e agradecer a Carnegie pela confiança, duvidava de que este realmente fosse alguém que merecesse a fama de ótimo juiz da natureza humana.

Contudo, alguma coisa dentro de Hill dizia:

– Vá em frente. Diga que pode fazê-lo. Fale logo!

Hill não sabia, mas Carnegie lhe concedera sessenta segundos para pensar. Em vinte e nove segundos, Hill respondeu:

– SIM, sr. Carnegie, eu aceito a missão, e pode ter a certeza de que vou até o fim!

Embora os dois já sejam falecidos, este livro é a prova viva do bom senso de Carnegie e da promessa de Hill.

Prefácio do autor

Em todos os capítulos deste livro, foi mencionado o segredo para ganhar dinheiro que fez as fortunas de cerca de 500 pessoas excepcionalmente ricas, a quem analisei cuidadosamente durante um longo período.

Andrew Carnegie chamou minha atenção para o segredo, há mais de um quarto de século. O velho escocês, hábil e gentil, lançou-o sem maiores cuidados em minha mente quando eu era apenas um rapaz. Então, voltou para sua cadeira, com um brilho travesso nos olhos, e ficou observando atentamente, a ver se eu tinha miolos suficientes para entender plenamente a importância do que ele me havia dito.

Quando percebeu que eu tinha captado a idéia, perguntou-me se gostaria de passar vinte anos ou mais preparando-me para apresentar um segredo a homens e mulheres de todo o mundo que, sem ele, poderiam atravessar a vida sentindo-se fracassados. Eu disse que o faria e, com a cooperação do sr. Carnegie, mantive a promessa.

Este livro contém o segredo testado por milhares de pessoas, em quase todos os setores da vida. Foi idéia de Carnegie levar a fórmula mágica que lhe havia proporcionado uma fortuna estupenda até aqueles que não têm tempo para investigar como as pessoas ganham dinheiro; ele esperava que eu conseguisse testar e demonstrar a eficácia da fórmula por meio da experiência de homens e mulheres, cada um em sua profissão. Ele acreditava que a fórmula devia ser ensinada em todas as escolas públicas e faculdades, pois, adequadamente transmitida, ela revolucionaria todo o sistema educacional, a ponto de reduzir a menos da metade o tempo passado na escola.

Sua experiência com Charles M. Schwab e outros jovens convenceu Carnegie de que muito do que é ensinado nas escolas não tem qualquer serventia quando se trata de ganhar a vida ou acumular bens. Ele chegou a essa conclusão após ter admitido em sua empresa um jovem atrás do outro, muitos deles de baixa escolaridade, treinando-os no uso da fórmula e conseguindo que desenvolvessem uma rara capacidade de liderança. Além disso, o treinamento fez fortunas para aqueles que seguiram suas instruções.

No capítulo sobre Fé, você vai ler a surpreendente história da organização da gigantesca United States Steel Corporation, concebida e administrada por um dos rapazes treinados por Carnegie, comprovando que sua fórmula funciona para todos os que estiverem prontos para ela. Essa aplicação única do segredo por parte deste jovem rapaz – Charles M. Schwab – proporcionou-lhe uma imensa fortuna em ambos os aspectos: dinheiro e oportunidade. Falando sem rodeios, valeu-lhe 600 milhões de dólares. Tais fatos – notórios para quase todos que conheciam Carnegie – dão uma boa idéia do que a leitura deste livro pode trazer, desde que você saiba o que quer.

Mesmo antes de decorridos os vinte anos em que foi testado na prática, o segredo foi revelado para mais de cem mil homens e mulheres, que o usaram em benefício próprio, como Carnegie planejara. Alguns fizeram fortuna. Outros o empregaram, com êxito, para harmonizar seus lares. Um homem usou tão bem o segredo que conseguiu um rendimento de até 75 mil dólares por ano.

Arthur Nash, alfaiate de Cincinnati, usou como cobaia para testar a fórmula sua empresa quase falida. O negócio ganhou vida nova, fez a fortuna dos proprietários e continua crescendo, embora Nash já tenha falecido. A experiência foi tão especial que os jornais e revistas abriram espaço para elogiar seu sucesso.

O segredo foi transmitido a Stuart Austin Wier, de Dallas, Texas. Ele estava pronto – tão pronto que desistiu da profissão que tinha e foi estudar Direito. Terá ele obtido êxito? Veremos quando conhecermos sua história.

Contei o segredo a Jennings Randolph no dia de sua formatura. Ele o colocou em prática com tal sucesso que cumpre o terceiro mandato como membro do Congresso e tem grande possibilidade de continuar a usá-lo até chegar à Casa Branca.

Trabalhei como gerente de propaganda na LaSalle Extension University quando a instituição era apenas pouco mais que um nome. Lá, tive o privilégio de ver o reitor, J. G. Chapline, usar a fórmula com tanta eficácia que fez da LaSalle uma das melhores universidades a oferecer cursos de extensão do país.

O segredo a que me refiro é mencionado cerca de cem vezes nas páginas deste livro. Não foi diretamente nomeado, porque parece funcionar melhor quando é apenas deixado à vista, para que aqueles que estão prontos e buscando por ele possam pegá-lo. Foi por isso que o sr. Carnegie o passou para mim tão simplesmente, sem lhe dar um nome específico.

Quem estiver pronto para colocar o segredo em ação vai reconhecê-lo, no mínimo, uma vez em cada capítulo. Gostaria de ter o prazer de contar-lhe o que é, mas isso privaria você dos muitos benefícios que receberá se fizer a descoberta por conta própria.

Enquanto eu preparava este livro, meu filho, que cursava então o último período da faculdade, pegou os originais do capítulo 2, os leu e descobriu o segredo. Ele usou de forma tão efetiva a informação que foi convidado a assumir um cargo de responsabilidade, com um salário inicial maior do que a remuneração média de profissionais experientes. Sua história é brevemente descrita no capítulo 2 e talvez faça você deixar a desconfiança de lado e convencer-se de que o livro não promete demais. Além disso, se em algum momento faltar-lhe coragem, se as dificuldades lhe roubarem a energia, se você tiver tentado e falhado, se doenças ou deficiências físicas parecerem empecilhos, a história da descoberta e do uso da fórmula Carnegie por parte de meu filho poderá comprovar que ela é o oásis que você buscava em meio ao deserto das esperanças perdidas.

Esse segredo foi extensamente usado pelo presidente Woodrow Wilson, durante a Guerra Mundial. Ele foi transmitido a cada soldado, cuidadosamente integrado ao treinamento recebido antes da partida para a frente de batalha. O próprio presidente relatou ter sido esse um fator importante para o levantamento de fundos necessários à guerra.

Há mais de vinte anos, Manuel L. Quezon (então comissário residente das Ilhas Filipinas) sentiu-se inspirado pelo segredo a lutar pela liberdade de seu povo. Ele conquistou a liberdade para as Filipinas e foi o primeiro presidente do estado livre.

O segredo tem algo de peculiar: as pessoas que o adquiriram e usaram uma vez foram literalmente arrebatadas pelo sucesso, sem maiores esforços, e nunca mais o fracasso as atingiu! Se duvida disso, estude os nomes daqueles que o empregaram, verifique os relatos e convença-se.

Nada é de graça!

Não se pode tomar posse do segredo a que me refiro sem pagar por ele, embora o preço esteja bem abaixo de seu real valor. E aqueles que não estiverem decididos a encontrá-lo não o terão, por mais que queiram pagar por ele. O segredo não pode ser dado nem vendido, por uma razão muito simples: ele tem duas partes; aqueles que estão prontos para recebê-lo já possuem uma delas.

O segredo serve igualmente bem a todos os que estão preparados para ele. O nível de instrução nada tem a ver com isso. Muito antes que eu nascesse, o segredo chegou a Thomas A. Edison, e ele o usou de forma tão inteligente que se tornou o principal inventor do mundo, embora tivesse freqüentado a escola por apenas três meses.

O segredo foi passado para um sócio de Edison. Ele soube usá-lo com tanta eficiência que, embora ganhasse na época 12 mil dólares por ano, conseguiu acumular uma grande fortuna, aposentando-se ainda jovem. Sua história aparece no começo do primeiro capítulo. Ela deve convencer você de que a riqueza não está além do seu alcance; de que você pode ser o que deseja; e de que dinheiro, fama, reconhecimento e felicidade podem chegar às mãos de todos os que estiverem prontos e determinados a conquistar essas bênçãos.

Como sei de tudo isso? A resposta chegará a você antes do fim do livro, em qualquer ponto entre a primeira e a última página.

Em vinte anos de pesquisa, que iniciei a pedido do sr. Carnegie, analisei centenas de pessoas – figuras bastante conhecidas –, muitas das quais admitiram haver acumulado suas vastas fortunas com a ajuda do segredo de Carnegie. Entre elas, estavam:

Henry Ford
William Wrigley Jr.
John Wanamaker
James J. Hill
George S. Parker
E. M. Statler
William Jennings Bryan
Dr. David Starr Jordan
J. Odgen Armour
Charles M. Schwab
Harris F. Williams
Dr. Frank Gunsaulus

Henry L. Doherty
Cyrus H. K. Curtis
George Eastman
Theodore Roosevelt
John W. Davis
Elbert Hubbard
Wilbur Wright
Dr. Alexander Graham Bell
Cel. Robert A. Dollar
Edward A. Filene
Edwin C. Barnes
Arthur Brisbane
Woodrow Wilson
William Howard Taft
Luther Burbank
Edward W. Bok
Frank A. Munsey
Elbert H. Gary
Daniel Willard
King Gillette
Ralph A. Weeks
Juiz Daniel T. Wright
John D. Rockefeller
Thomas A. Edison
Frank A. Vanderlip
F. W. Woolworth
John H. Patterson
Julius Rosenwald
Stuart Austin Wier
Dr. Frank Crane
George M. Alexander
J. G. Chappline
Hon. Jennings Randolph
Arthur Nash
Clarence Darrow

Esses nomes representam somente uma parcela das centenas de pessoas conhecidas cujas realizações financeiras ou em outros setores provaram: aqueles que compreendem e aplicam o segredo de Carnegie destacam-se positivamente. Jamais conheci alguém que, aplicando o segredo, não tivesse alcançado um sucesso digno de nota, no campo de sua escolha. Nem soube de qualquer pessoa que se destacasse ou acumulasse riquezas de qualquer natureza sem dominar o segredo. Esses dois fatos me levam à conclusão de que o segredo é mais importante como parte do conhecimento essencial para a autodeterminação do que qualquer outra informação recebida por meio do que, popularmente, conhecemos como "educação".

O que é educação, afinal? Essa pergunta foi respondida completa e detalhadamente.

Muitos dos homens citados tinham pouquíssima escolaridade. John Wanamaker comentou que o conhecimento que possuía fora adquirido mais ou menos da mesma maneira como uma locomotiva moderna se abastece de água: em movimento. Henry Ford não chegou sequer a cursar o ensino médio. Não pretendo minimizar o valor do estudo, mas expressar minha profunda crença no fato de que aqueles que dominarem e aplicarem o segredo serão bem-sucedidos, acumularão riquezas e estarão aptos a negociar com a vida em seus próprios termos, ainda que lhes falte educação formal.

Em algum momento durante a leitura, o segredo de que falo saltará da página para apresentar-se nitidamente diante de você. Se estiver pronto para isso, você o reconhecerá! Quer receba o sinal no primeiro ou no último capítulo, pare por um momento e comemore, porque esse será o momento da virada, um marco em sua vida.

No primeiro capítulo, você vai conhecer a história de um querido amigo que admitiu francamente ter visto o sinal místico e cujas realizações profissionais são indícios visíveis de que sua vida deu uma virada. Ao ler essa e outras histórias, lembre-se de que aquelas pessoas, como todos nós, também enfrentam problemas. Elas também têm de ganhar a vida; também querem esperança, coragem, satisfação e serenidade; e também procuram segurança material que lhes permita aproveitar a liberdade do corpo e do espírito.

No decorrer da leitura, não esqueça que o livro trata de fatos, e não de ficção. Seu propósito é transmitir uma grande verdade universal, com a qual todos aqueles que estiverem prontos aprenderão não só o que fazer, mas também como fazer, recebendo também o estímulo necessário para começar.

Antes que você inicie a leitura do primeiro capítulo, posso fazer uma sugestão? Preste atenção a uma pista para o reconhecimento do segredo de Carnegie: toda realização e toda riqueza começam com uma idéia! Se você se preparou para receber o segredo, já possui metade dele e reconhecerá prontamente a outra metade no momento em que ela surgir na sua mente.

O autor

O QUE VOCÊ MAIS DESEJA?

DINHEIRO, FAMA, PODER, SATISFAÇÃO, PERSONALIDADE, PAZ DE ESPÍRITO, FELICIDADE?

Os Treze Passos para a Riqueza descritos neste livro oferecem a mais breve e confiável filosofia de realização individual jamais apresentada, em beneficio de quem estiver procurando uma meta definida na vida.

Antes de começar a leitura, é bom que você entenda que este livro não foi escrito para divertir. É impossível absorver seu conteúdo adequadamente em uma semana ou um mês.

Após ler o livro atentamente, o dr. Miller Reese Hutchison, consultor em engenharia bastante conceituado e sócio por longo tempo de Thomas A. Edison, disse:

"Isto não é um romance. Trata-se de um livro sobre realização individual que procede diretamente das experiências de centenas dos mais bem-sucedidos indivíduos da América. Deve ser estudado, absorvido, e é preciso que se medite sobre ele. Não leia mais de um capítulo por noite. Sublinhe as frases que lhe causarem forte impressão. Mais tarde, volte a essas linhas marcadas, para relê-las. Um verdadeiro estudioso não vai meramente ler este livro; vai absorver o conteúdo e empregá-lo como se fosse seu. Este livro deveria ser adotado por todas as escolas de ensino médio, sendo essencial a aplicação de um teste final sobre o assunto, para a conclusão do curso. Esta filosofia não tomará o lugar das matérias ensinadas nos colégios, mas capacitará os alunos a organizar e aplicar o conhecimento adquirido, convertendo-o em serviço útil, sem perda de tempo."

O dr. John R. Turner, diretor da Universidade da Cidade de Nova York, depois de ler o livro, declarou ao autor:

"O melhor exemplo da solidez dessa filosofia é o seu próprio filho, Blair, cuja história dramática você descreveu no capítulo sobre o Desejo."

O dr. Turner faz referência ao filho do autor que, nascido com uma deficiência auditiva, além de não ter se tornado um surdo-mudo, transformou essa desvantagem numa qualidade sem preço, aplicando a filosofia aqui descrita. Depois de ler a história, no segundo capítulo do livro, você perceberá que está prestes a conhecer uma filosofia que pode ser transformada em riqueza material ou atrair instantaneamente serenidade, compreensão, harmonia espiritual e, em algumas circunstâncias, como no caso do filho do autor, ajudar a superar deficiências físicas sérias.

Por haver analisado pessoalmente a trajetória de centenas de indivíduos bem-sucedidos, o autor descobriu que todos eles cultivavam o hábito de trocar idéias, por meio do que comumente chamamos de conferências. Quando tinham problemas a resolver, sentavam-se juntos e falavam livremente até descobrir, pela combinação de idéias, um plano que servisse a seus propósitos.

A MELHOR FORMA DE APROVEITAR ESTE LIVRO

Este livro será mais útil se você puser em prática o princípio da Mente Mestra nele descrito. Isso pode ser feito (muitos o fazem, com sucesso) pela formação de um grupo de estudos composto por um determinado número de pessoas entre as quais haja amizade e harmonia. O grupo deve encontrar-se a intervalos regulares, de preferência uma vez por semana. O procedimento consiste em ler um capítulo do livro a cada reunião, seguindo-se uma discussão livre de que todos participam. Cada membro deve fazer anotações, escrevendo todas as suas idéias inspiradas pela discussão. É importante que cada indivíduo leia e analise cuidadosamente cada capítulo vários dias antes da reunião, para poder fazer parte dela. A leitura diante do grupo deve ser feita por alguém que leia bem e saiba colocar cor e sentimento, isto é, vida, nas palavras.

Seguindo esse plano, cada leitor tirará destas páginas não somente a soma total do melhor conhecimento organizado das experiências de centenas de homens bem-sucedidos, mas também – e, de longe, o mais importante de tudo – terá acesso a novas fontes de conhecimento em sua própria mente, além de adquirir um saber de valor inestimável, provindo de todas as outras pessoas presentes.

Seguindo o plano com persistência, é quase certo que você descubra e tome para si a fórmula secreta que levou Andrew Carnegie a acumular sua enorme fortuna, conforme menciona o autor na introdução.

ELOGIOS FEITOS AO TRABALHO DO AUTOR POR GRANDES LÍDERES NORTE-AMERICANOS

A criação de *Quem pensa enriquece* levou vinte e cinco anos. É o mais novo livro de Napoleon Hill, baseado na filosofia do famoso *A lei do triunfo*. Seu trabalho e seus escritos foram elogiados por grandes líderes dos setores de finanças, educação, política e governo.

SUPREMA CORTE DOS ESTADOS UNIDOS – WASHINGTON, D.C.

"Prezado sr. Hill:

Tive, agora, a oportunidade de terminar de ler o seu livro *A lei do triunfo* e desejo expressar minha apreciação pelo seu esplêndido trabalho na organização dessa filosofia.

Seria de grande ajuda se todo político no país assimilasse e aplicasse os 17 princípios nos quais suas lições se baseiam. Eles contêm material excelente que todo líder, em todas as fases da vida, deveria compreender.

Sinto-me feliz pelo privilégio de prestar-lhe uma pequena ajuda na organização desse esplêndido curso de filosofia do 'senso comum'.

Atenciosamente,

– Ex-Presidente da Suprema Corte dos Estados Unidos"

REI DAS LOJAS DE CINCO E DEZ CENTS

"Aplicando muitas das 17 leis fundamentais da filosofia do triunfo, construímos uma grande cadeia de lojas bem-sucedidas. Acredito que não seria exagero dizer que o Woolworth Building poderia ser chamado, merecidamente, de monumento à solidez desses princípios."

– F. W. Woolworth

UM GRANDE MAGNATA DA NAVEGAÇÃO A VAPOR

"Sinto-me imensamente grato pelo privilégio de ter lido seu *A lei do triunfo*. Se eu tivesse tido acesso a essa filosofia há cinqüenta anos, suponho que teria realizado tudo o que realizei em menos da metade do tempo. Espero, sinceramente, que o mundo a descubra e o recompense por isso."

– Robert Dollar

FAMOSO LÍDER TRABALHISTA AMERICANO

"O conhecimento da filosofia da lei do triunfo é o equivalente a uma apólice de seguro contra o fracasso."

– Samuel Gompers

UM EX-PRESIDENTE DOS ESTADOS UNIDOS

"Como poderia deixar de cumprimentá-lo por sua persistência? Qualquer um que se dedique a algo durante tanto tempo [...] deve fazer, necessariamente, descobertas de grande valor para os outros. Estou profundamente impressionado por sua interpretação dos princípios da Mente Mestra, tão claramente descritos."

– Woodrow Wilson

UM COMERCIANTE DE GRANDE INFLUÊNCIA

"Sei que os seus 17 fundamentos para o sucesso são eficazes, porque os aplico em meus negócios há mais de trinta anos."

– John Wanamaker

O MAIOR FABRICANTE DE CÂMERAS DO MUNDO

"Sei que está fazendo um mundo de coisas boas com o seu A lei do triunfo. Não me preocupo em estipular um valor monetário para esse treinamento porque traz a seu leitor qualidades que não podem ser avaliadas somente pelo dinheiro."

– George Eastman

UM EMPRESÁRIO FAMOSO NACIONALMENTE

"Devo tudo que consegui à aplicação de seus 17 princípios fundamentais da lei do triunfo. É uma honra ter sido o seu primeiro aluno."

– WM. Wrigley, Jr.

Introdução

O homem que "pensou" sua parceria com Thomas A. Edison

"Pensamentos são criaturas" – e criaturas poderosas quando se misturam com propósitos definidos, persistência e um desejo ardente de que tudo se traduza em riquezas ou em outros bens materiais.

Há pouco mais de trinta anos, Edwin C. Barnes descobriu quanto é verdadeira a noção de que as pessoas, quando pensam, enriquecem. Ele não chegou a essa conclusão de uma hora para outra. Foi aos poucos, a partir de um desejo ardente de formar uma parceria com o grande Thomas Edison.

O desejo de Barnes tinha uma característica principal: era claramente definido. Ele queria trabalhar **com** Edison, não **para** ele. Observe cuidadosamente a descrição de como ele procedeu para que seu desejo se transformasse em realidade e compreenderá melhor os 13 princípios que levam à riqueza.

A primeira vez que esse desejo, ou impulso de pensamento, passou-lhe pela cabeça, ele não se sentiu em condições de agir. Duas dificuldades se interpunham em seu caminho: não conhecia Edison e não tinha dinheiro bastante para pagar a passagem de trem até Orange, em Nova Jersey.

Essas dificuldades seriam suficientes para desencorajar a maioria dos homens. Mas aquele não era um desejo como outro qualquer! Barnes estava tão determinado a encontrar um meio de levar adiante sua vontade que não se deu por vencido e decidiu viajar como "bagagem": foi para West Orange em um trem de carga.

Chegando ao laboratório de Thomas Edison, anunciou que estava ali para entrar no mundo dos negócios como parceiro do inventor. Edison relatou, anos mais tarde, ao falar desse primeiro encontro:

"Lá estava ele, parado na minha frente, mais parecendo um andarilho, embora houvesse algo em seu rosto que transmitia determinação de conseguir o que fora buscar. Eu tinha aprendido, durante anos de convívio com as pessoas, que, quando um homem deseja alguma coisa tão obstinadamente, a ponto de arriscar todo o seu futuro em um lance único para consegui-la, é porque está seguro da vitória. Dei-lhe a oportunidade que pediu porque percebi sua determinação de tentar até alcançar êxito. O que aconteceu depois serviu para provar que eu estava certo."

O próprio Edison declarou que as palavras de Barnes, naquela ocasião, foram infinitamente menos importantes do que suas idéias. A aparência do jovem em nada o ajudava. O que levou Thomas Edison a aceitá-lo em seu laboratório foi o que o rapaz pensava.

Se a importância dessa declaração pudesse ser captada neste momento por todos os leitores deste livro, os próximos capítulos não seriam necessários.

Mas Barnes não conseguiu a sociedade com Edison logo na primeira entrevista. No início, trabalhou em troca de um salário irrisório, executando tarefas que, para o "mestre", não tinham a menor importância, mas que para o "aspirante" eram importantíssimas, pois lhe davam a oportunidade de exibir sua "mercadoria" de modo que o "sócio" em perspectiva pudesse vê-la.

Meses se passaram. Aparentemente, nada acontecia para tornar realidade a ambicionada meta que Barnes havia estabelecido como seu principal propósito definido. Alguma coisa importante, porém, ocorria em sua mente: ele intensificava continuamente o desejo de se tornar sócio nos negócios de Edison.

Psicólogos afirmaram com razão que "quando alguém está verdadeiramente preparado para uma situação, ela acaba acontecendo."

Barnes estava pronto para uma parceria com Edison. Mais do que isso, ele estava determinado a permanecer pronto até conseguir seu intento.

Ele não disse para si mesmo: "Ah, de que adianta? Talvez eu devesse mudar de idéia e tentar um emprego de vendedor." O que afirmou foi: "Vim aqui para me associar a Edison e vou conseguir, nem que leve o resto da vida!" Ele falava sério! Como os seres humanos teriam histórias diferentes para contar se adotassem um propósito definido e o mantivessem até que se tornasse uma verdadeira idéia fixa!

Talvez o jovem Barnes não soubesse disso naquele momento, mas sua tenaz determinação e a persistência em concentrar-se em um único desejo estavam destinadas a derrotar toda e qualquer oposição, trazendo-lhe a oportunidade que buscava.

Quando a ocasião surgiu, foi de forma inusitada e vinda de onde Barnes jamais poderia imaginar. Este é um dos truques da oportunidade: ela tem o hábito de disfarçar-se, entrando sorrateiramente pela porta dos fundos e, às vezes, tomando a aparência de uma desventura ou derrota temporária. Talvez seja por isso que muitos deixam de reconhecê-la.

Edison acabara de aperfeiçoar um novo equipamento para escritório, conhecido na época como a Edison Dictating Machine (ditafone). Os vendedores não se entusiasmaram com a máquina e não acreditaram que pudesse ser vendida com facilidade. Barnes viu aí sua oportunidade. Ela chegara silenciosamente, escondida em uma máquina de aparência estranha que não interessava a ninguém, a não ser a ele e ao inventor.

> ESTE É UM DOS TRUQUES DA OPORTUNIDADE: ELA TEM O HÁBITO DE DISFARÇAR-SE.

Barnes sabia que conseguiria vender o ditafone. Sugeriu isso a Edison e, prontamente, conseguiu uma chance. E realmente vendeu a máquina – na verdade, com tal sucesso que Edison lhe ofereceu um contrato de comercialização e distribuição para todo o país. Dessa associação, nasceu o slogan: "Feito por Edison e instalado por Barnes".

A aliança comercial entre eles funcionou por mais de trinta anos. Por causa dela, Barnes ficou rico, mas também fez algo infinitamente maior: provou que alguém pode realmente "pensar e enriquecer".

É impossível saber quanto o desejo original de Barnes rendeu-lhe em dinheiro. Talvez 2 ou 3 milhões de dólares, mas, seja qual for a quantia, parece insignificante se comparada ao maior bem que adquiriu: o conhecimento preciso de que um impulso intangível de pensamento pode ser transformado em sua contrapartida física por meio da aplicação de princípios conhecidos.

Barnes, literalmente, pensou em si mesmo numa sociedade com o grande Edison! Ele se viu fazendo fortuna. Nada tinha para começar, exceto a capacidade de saber o que queria e a determinação de manter esse desejo até conseguir realizá-lo.

Barnes não possuía dinheiro. Tinha pouca instrução e nenhuma amizade com pessoas influentes. Mas não lhe faltavam iniciativa, fé e vontade de vencer. Com essas forças intangíveis, ele se tornou o homem número 1 para o maior inventor que o mundo já conheceu.

Agora, vamos ver uma situação diferente e conhecer um homem que tinha incontáveis evidências tangíveis de riqueza, mas que as perdeu porque parou a menos de um metro da meta que buscava.

A MENOS DE UM METRO DO OURO

O hábito de abandonar tudo quando se é atingido por uma derrota temporária é uma das causas mais comuns de fracasso. Todo mundo comete tal erro, uma vez ou outra.

Na época da corrida para o Oeste, um tio de R. U. Darby foi tomado pela "febre do ouro" e partiu, decidido a cavar e enriquecer. Ele nunca ouvira dizer que o cérebro humano já produziu mais ouro do que foi extraído do solo. Demarcou um pedaço de terra e, munido de picareta e pá, entregou-se ao trabalho. Seriam tempos difíceis, mas sua "febre de ouro" era indiscutível.

Após semanas de trabalho, foi recompensado pela descoberta do brilhante minério. Precisava de máquinas para trazer o ouro à superfície. Sem chamar muita atenção, escondeu a entrada da mina, voltou para casa, em Williamsburg, Maryland, e contou à família e a alguns vizinhos sobre o seu "achado". Eles se juntaram e conseguiram dinheiro suficiente para a compra e o transporte da maquinaria necessária. Então, tio e sobrinho – Darby – voltaram à mina.

O primeiro vagão de minério foi extraído e enviado a uma fundição. Os resultados comprovaram que aquela era uma das mais ricas minas do Colorado! Mais alguns vagões, e todas as dívidas seriam pagas. Viria então o grande sucesso financeiro.

À medida que a perfuração se aprofundava, as esperanças de Darby e de seu tio chegavam às alturas! Foi quando algo aconteceu. O veio de ouro desapareceu. Chegaram ao fim do arco-íris e o pote de ouro não estava mais lá! Perfuraram desesperadamente, tentando reencontrar o filão – tudo em vão.

Finalmente, decidiram desistir.

Venderam a maquinaria para um comerciante de ferro-velho por algumas centenas de dólares e tomaram o trem para casa. Mas aquele comerciante de ferro-velho não era nada bobo! Chamou um engenheiro de minas para avaliar o local da escavação e fazer alguns cálculos. O engenheiro explicou que o projeto havia falhado porque os proprietários não tinham familiaridade com as linhas da falha geológica, que são fraturas na continuidade de uma formação rochosa causadas por deslocamentos da terra. Os cálculos mostraram que o veio seria encontrado a menos de um metro de onde os Darby haviam parado de perfurar! E ele estava exatamente lá!

O proprietário do ferro-velho tirou da mina milhões de dólares em minério porque foi sábio o bastante para procurar o conselho de um especialista antes de desistir.

A maior parte da quantia arrecadada para a compra da maquinaria fora levantada graças aos esforços do jovem R. U. Darby, emprestada por parentes e vizinhos que acreditaram nele. Embora tenha levado anos, o rapaz fez questão de pagar cada dólar.

Tempos mais tarde, Darby recuperou e multiplicou o que havia perdido quando descobriu que desejo pode ser transformado em ouro. A descoberta veio depois que começou a vender apólices de seguro.

Lembrando que havia perdido uma imensa fortuna por desistir a menos de um metro do ouro, Darby aproveitou a experiência no novo trabalho, dizendo simplesmente a si mesmo: "Parei a menos de um metro do ouro, mas nunca vou desistir se as pessoas responderem negativamente à minha oferta de um seguro."

Darby passou a fazer parte de um pequeno grupo – menos de 50 homens – que vendia, anualmente, mais de 1 milhão de dólares em seguros de vida. A razão de sua "persistência" foi a lição que aprendeu com a "desistência" nos negócios de mineração.

Ninguém está livre de, antes de alcançar o sucesso, sofrer derrotas temporárias e, talvez, até fracassos. Nesses casos, a reação mais comum é desistir; é o que a maioria faz.

Mais de 500 homens, entre os mais bem-sucedidos dos Estados Unidos, disseram que seu maior sucesso chegou logo depois de uma derrota. O fracasso é um embusteiro astucioso, com um aguçado senso de ironia. Sente grande prazer em fazer tropeçar quem está a um passo do sucesso.

UMA LIÇÃO DE PERSISTÊNCIA PELO PREÇO DE 50 CENTAVOS

Pouco depois de Darby receber seu diploma da "escola da vida" e decidir aproveitar a experiência adquirida no negócio de mineração, teve a boa sorte de estar presente na ocasião em que lhe foi provado que nem sempre um não é uma negativa.

Em certa tarde, ele ajudava o tio a moer trigo num antigo moinho. O tio administrava uma grande fazenda, na qual viviam alguns colonos negros. A porta se abriu lentamente, e uma menina negra, filha de um colono, entrou e ficou quietinha perto da entrada.

O tio levantou o olhar, viu a criança e resmungou rudemente:

– O que você quer?

Com ar humilde, a criança respondeu:

– Minha mãe mandou pedir 50 centavos.

– Não vou mandar dinheiro nenhum – ele respondeu. – E agora volte para casa.

– Sim, sinhô – disse a menina, mas não se moveu.

O tio de Darby retomou o trabalho. Ele estava tão concentrado que não notou que a criança continuava ali. Pouco depois, percebendo a garota de pé no mesmo lugar, gritou:

– Não lhe disse que fosse para casa? Vá agora se não quiser levar uma chicotada!

– Sim, sinhô – a garotinha disse mais uma vez, mas não se mexeu nem um centímetro.

O homem jogou no chão o saco de grãos que ia colocar no depósito alimentador do moinho, pegou uma vara e foi em direção à criança com uma expressão nada amigável na cara.

Darby prendeu a respiração. Tinha certeza de que estava prestes a testemunhar um assassinato. Conhecia o temperamento feroz do tio e sabia que, naquela parte do país, crianças negras não deviam desafiar pessoas brancas.

Quando o homem chegou perto da menina, ela rapidamente deu um passo à frente, olhou nos olhos dele e gritou a plenos pulmões, com sua vozinha aguda:

– Minha mãe precisa de 50 centavos!

O tio de Darby parou, olhou fixamente para a criança e então, devagar, largou a vara no chão, enfiou a mão no bolso, tirou uma moeda de 50 centavos e deu a ela.

A menina pegou o dinheiro e, lentamente, recuou em direção à porta, sem tirar os olhos do homem que acabara de vencer. Depois que ela se foi, ele se sentou sobre um caixote e ficou olhando pela janela absorto por mais de dez minutos, tentando entender a derrota que sofrera.

Darby também pensava sobre o acontecido. Era a primeira vez que via uma criança negra dominar deliberadamente uma pessoa branca e adulta. Como conseguira? O que havia ocorrido com seu tio para que perdesse a ferocidade, agindo com a doçura de um cordeirinho? Que estranho poder aquela criança tinha usado para comandar alguém maior que ela? Essas e outras perguntas semelhantes ocorreram-lhe de súbito. A resposta, porém, só veio anos mais tarde, quando me contou essa história.

Estranhamente, essa experiência incomum me foi contada naquele moinho velho e empoeirado, no mesmo lugar onde o tio de Darby fora vencido. Estranhamente, também, eu havia dedicado quase um quarto de século ao estudo daquele poder que permitiu a uma criança negra, frágil e sem instrução impor-se a um homem inteligente.

Ao fim do relato, Darby perguntou:

– Qual é a sua conclusão? Que estranho poder essa criança usou para desarmar meu tio tão completamente?

A resposta cabal a essa pergunta está nos princípios descritos neste livro. Contém detalhes e instruções suficientes para capacitar qualquer um a compreender e aplicar a mesma força que a garotinha utilizou sem saber.

Mantenha a mente alerta e compreenderá, exatamente, o estranho poder que veio em socorro daquela criança; no próximo capítulo, você vai ter uma breve visão de tal poder. Em algum ponto deste livro, uma idéia vai estimular a sua capacidade de percepção, colocando esse mesmo poder irresistível às suas ordens, para o seu benefício. A percepção desse poder talvez lhe chegue no primeiro capítulo ou surja na sua mente em um dos outros. Pode vir em forma de uma simples idéia. Ou pode vir em forma de um plano ou de um propósito. Pode, ainda, remeter você a experiências passadas de fracasso ou derrota, trazendo alguma lição que lhe permita recuperar o que perdeu.

Depois que descrevi para Darby o poder que a garotinha negra, sem saber, tinha usado, ele logo lembrou sua experiência de trinta anos como vendedor de seguros de vida e reconheceu, francamente, que seu sucesso nesse campo era devido em grande parte à lição que havia aprendido com a criança. E continuou, dizendo:

– Toda vez que um cliente em potencial tentava me afastar, sem comprar, eu via aquela criança no velho moinho, firme, os grandes olhos brilhando desafiadoramente, e dizia para mim mesmo que tinha de fazer aquela venda. Minhas melhores vendas foram feitas depois de ouvir um não.

Darby se lembrou também do erro cometido ao desistir a menos de um metro do ouro, mas disse:

– Aquela experiência foi uma bênção disfarçada. Ensinou-me a manter a persistência, por mais difícil que seja o caminho, uma lição que eu precisava aprender antes de obter sucesso no que quer que fosse.

As histórias de Darby e de seu tio – a da mina de ouro e a da menina negra – serão lidas por centenas de vendedores de seguros de vida. Para eles, quero frisar que Darby deve àquelas duas experiências sua excelente marca de mais de 1 milhão de dólares em seguros vendidos por ano.

A vida é estranha e, freqüentemente, imponderável! Tanto os sucessos como os fracassos têm suas raízes em experiências simples. As situações vividas por Darby foram bastante comuns, no entanto continham a resposta para seu destino. Por isso, foram tão importantes (para ele) quanto a própria vida. Darby só aproveitou as duas experiências porque as analisou e tirou delas uma lição. E quanto ao indivíduo que não tem tempo nem inclinação para estudar o fracasso e buscar o conhecimento que pode levá-lo ao sucesso? Onde e como aprenderá a arte de converter a derrota em degraus para a oportunidade?

Este livro foi escrito em resposta a essas perguntas e às suas ponderações sobre as singularidades da vida. Ele inclui a descrição de 13 princípios, mas lembre-se: as respostas que você procura podem ser encontradas na sua própria mente, por meio de uma idéia, de um plano ou de um propósito que pode brotar a qualquer momento durante a leitura.

Uma boa idéia é tudo de que se precisa para alcançar o sucesso. Os princípios descritos neste livro encerram o que há de melhor e mais prático no que diz respeito aos caminhos e meios para criar idéias úteis.

Antes de prosseguir na abordagem da descrição desses princípios, acredito que você tenha direito a receber esta importante indicação: a riqueza, quando chega, vem tão rapidamente e com tal abundância que nos perguntamos onde se escondia durante os tempos difíceis. Essa é uma declaração espantosa, ainda mais se levarmos em consideração a crença popular de que a riqueza só vem para aqueles que trabalham arduamente e por muito tempo.

Quando começar a pensar e enriquecer, você vai observar que a riqueza se inicia por uma disposição da mente, com propósitos definidos e pouco ou nenhum esforço. O importante é saber como conseguir essa disposição mental que atrai a riqueza. Passei vinte e cinco anos pesquisando, analisando mais de 25 mil histórias, porque eu também queria saber "como as pessoas enriquecem".

> Tanto os sucessos como os fracassos têm suas raízes em experiências simples.

Sem essa pesquisa, este livro não existiria.

Agora, preste atenção a este fato: nos Estados Unidos, a depressão econômica começou em 1929 e continuou, em um tempo recorde de destruição, até pouco depois de Roosevelt assumir a presidência. Então, foi declinando até acabar. Da mesma forma que, no teatro, o eletricista aumenta as luzes gradualmente, até que a escuridão se transforme em luz, o medo na cabeça das pessoas foi desaparecendo, até transformar-se em fé.

Observe atentamente: tão logo você domine os princípios desta filosofia e comece a seguir as instruções para aplicá-los, a sua posição financeira vai melhorar, e tudo o que tocar se transformará em mais um recurso para o seu benefício. Impossível? De jeito nenhum!

Uma das principais fraquezas da humanidade é sua usual identificação com a palavra "impossível". Conhecem-se todas as regras que não dão certo. Conhecem-se todas as coisas que não podem ser feitas. Este livro foi escrito para aqueles que querem conhecer as regras seguidas pelas pessoas bem-sucedidas e para aqueles que estão dispostos a apostar tudo nelas.

Há muitos anos, comprei um ótimo dicionário. A primeira coisa que fiz foi procurar nele a palavra "impossível", para cuidadosamente recortá-la e jogá-la fora. Não é má idéia você fazer o mesmo!

O sucesso chega para aqueles que se permitem tornar-se conscientes do sucesso.

O fracasso chega para aqueles que se permitem tornar-se conscientes do fracasso.

O objetivo deste livro é ajudar aqueles que buscam aprender a arte de trocar em sua mente a consciência do fracasso pela consciência do sucesso.

Outra fraqueza encontrada freqüentemente nas pessoas é o hábito de medir tudo e todos pelas próprias opiniões e crenças. Talvez alguns, ao lerem essas palavras, ainda não acreditem que alguém possa pensar e enriquecer. Eles não conseguem pensar em termos de riqueza, porque seus hábitos mentais estão imersos em pobreza, carência, miséria, fracasso e derrota.

Esses indivíduos desafortunados fazem-me lembrar um proeminente chinês que chegou aos Estados Unidos para ser educado nos padrões norte-americanos e começou a freqüentar a Universidade de Chicago. Um dia, o reitor Harper encontrou o jovem oriental no campus e, parando para conversar com ele por alguns minutos, perguntou-lhe o que mais o havia impressionado no povo norte-americano.

– O formato dos olhos. Vocês têm os olhos estranhamente inclinados!

O que dizemos nós, ocidentais, a respeito dos chineses?

Nós nos recusamos a crer no que não entendemos. Tolamente acreditamos que as nossas limitações são a exata medida das limitações. Naturalmente, diremos que os olhos do outro estão "fora da linha de inclinação" se não forem iguais aos nossos.

> A RIQUEZA SE INICIA POR UMA DISPOSIÇÃO DA MENTE, COM PROPÓSITOS DEFINIDOS E POUCO OU NENHUM ESFORÇO.

Milhões de pessoas apreciam as realizações de Henry Ford e o invejam por sua grande fortuna, ou sua sorte, ou seu gênio, ou seja lá a que atribuam sua riqueza. Talvez uma entre 100 mil pessoas saiba o segredo de seu sucesso, porém os que o sabem são muito discretos ou preferem não comentar, em razão da sua simplicidade. Um exemplo explica perfeitamente o "segredo".

Há muitos anos, quando Ford decidiu produzir o hoje famoso motor V-8, escolheu construir uma máquina com o modelo inteiro de oito cilindros num só bloco e instruiu seus engenheiros a elaborarem o design do projeto. O modelo foi desenhado, mas todos os engenheiros, sem exceção, consideravam simplesmente impossível moldar um motor monobloco de oito cilindros movido a gasolina.

Ford insistiu:

– Dêem um jeito.

– Mas é impossível! – responderam os engenheiros.

– Pois insistam. E continuem a trabalhar até conseguir. Levem o tempo que for preciso – ordenou Ford.

Os engenheiros não tiveram outro jeito, a não ser atender às ordens do chefe, já que pretendiam permanecer na equipe de Ford. Seis meses se passaram, e nada aconteceu. Outros seis meses se foram, e nada ainda. Os engenheiros tentaram todas as soluções imagináveis para seguirem as ordens, mas nada funcionava: "Impossível"!

Ao fim de um ano, Ford se reuniu com os engenheiros e novamente foi informado de que não haviam encontrado meios de cumprir as ordens.

– Não parem – disse Ford. – Eu quero e vou conseguir.

Eles fizeram o que o chefe mandou e, de repente, como num passe de mágica, o segredo foi descoberto.

a determinação de Ford venceu mais uma vez!

Talvez o relato não contenha todos os detalhes da história, mas, no geral, foi isso mesmo que aconteceu. Você que deseja pensar e enriquecer, deduza o segredo dos milhões de Ford, se puder. Não é preciso procurar muito longe.

Henry Ford foi bem-sucedido porque entendeu e aplicou os princípios do sucesso. Um deles é o desejo: saber o que se quer. Lembre-se dessa história de Ford enquanto lê o resto do livro e marque as linhas onde o segredo dessa façanha estupenda é descrito. Se fizer isso, se conseguir apontar os princípios que fizeram de Henry Ford um homem rico, você poderá igualar suas realizações em qualquer setor a que se dedique.

Você é "mestre do seu destino, capitão da sua alma" porque...

Quando o poeta inglês William Henley escreveu os proféticos versos "Eu sou o Mestre do meu Destino, Eu sou o Capitão da minha Alma", deveria ter-nos informado que somos os mestres do nosso destino, os capitães da nossa alma, porque temos o poder de controlar nossos pensamentos.

Ele deveria ter explicado que o espaço no qual esta pequena Terra flutua, onde nos movemos e existimos, é uma forma de energia que se movimenta numa vibração média extraordinariamente alta, e que este espaço é preenchido por uma forma de poder universal que se adapta à natureza dos nossos pensamentos e nos influencia, por meios naturais, a transformá-los em seus equivalentes materiais.

Se o poeta nos tivesse dito essa grande verdade, saberíamos por que somos mestres do nosso destino, capitães da nossa alma. Ele deveria ter-nos contado, com grande ênfase, que esse poder não procura diferenciar os pensamentos destrutivos dos pensamentos construtivos e que ele tanto nos impele a traduzir em realidade física pensamentos de pobreza quanto nos influencia a agir com base em pensamentos de riqueza.

Ele deveria ter-nos revelado que, antes que seja possível acumular bens em grande abundância, precisamos magnetizar nossas mentes com o desejo intenso de riqueza e nos tornar "conscientes do dinheiro", até que o desejo nos leve à criação de planos definidos para conseguir o que queremos.

Todavia, sendo um poeta, e não um filósofo, Henley se contentou em declarar de maneira lírica uma grande verdade, deixando àqueles que o seguiram a interpretação do significado filosófico de suas palavras.

Pouco a pouco, a verdade se revela, até mostrar-se segura de que os princípios descritos neste livro possuem o segredo do controle sobre nosso destino econômico.

Estamos, então, prontos para examinar o primeiro desses princípios. Mantenha um espírito receptivo e lembre-se de que não se trata de uma invenção de um só indivíduo, mas da experiência de vida de mais de 500 pessoas que, na verdade, acumularam bens em enorme quantidade: gente que começou na pobreza, sem grande instrução formal. Os princípios deram resultado para essas pessoas. Você pode colocá-los em ação para o seu próprio benefício.

Não é difícil, você vai ver.

Antes de começar a ler o próximo capítulo, quero que saiba que nele existem informações reais que poderão facilmente mudar por completo o seu destino financeiro, da mesma forma que trouxeram mudanças de grandes proporções às duas pessoas citadas.

Quero que saiba também que meu relacionamento com essas duas pessoas é de tal natureza que eu não poderia falsear os fatos, ainda que quisesse. Uma delas é meu melhor amigo há quase vinte e cinco anos e a outra é o meu filho. O incrível êxito que obtiveram, generosamente creditado ao princípio descrito no próximo capítulo, mais do que justifica essa referência pessoal.

Há muitos anos, fiz o discurso de formatura na Faculdade de Salem, na Virgínia Ocidental. Enfatizei tanto o princípio descrito no próximo capítulo que um dos formandos se apropriou definitivamente dele, usando-o como parte de sua filosofia. O rapaz veio a ser congressista e elemento importante do governo. Pouco antes que este livro seguisse para a editora, ele me escreveu uma carta, na qual manifestava tão claramente sua opinião sobre o princípio abordado no próximo capítulo que decidi publicá-la à guisa de introdução. Assim, você pode ter uma idéia das recompensas que estão por vir.

"Meu caro Napoleon:

O mandato no Congresso fez-me ver os problemas de homens e mulheres. Assim, escrevo-lhe para oferecer uma sugestão que pode ser de grande ajuda a milhares de pessoas dignas.

Peço desculpas, mas preciso declarar que esta sugestão, se aceita, significará vários anos de trabalho e responsabilidade para você. Ainda assim, sinto-me encorajado a fazê-la, porque sei do seu grande desejo de ajudar.

Em 1922, você fez o discurso de formatura na Faculdade de Salem, e eu fazia parte da turma de formandos. Naquele discurso, você pôs em minha cabeça uma idéia que foi responsável pela oportunidade que tenho agora de servir ao povo do meu estado e que será responsável, em grande parte, por qualquer sucesso que eu venha a obter no futuro.

A sugestão é no sentido de que você transforme em livro o conteúdo do discurso, fornecendo assim ao povo americano a oportunidade de aproveitar os seus muitos anos de experiência e convívio com as pessoas que, por sua grandeza, fizeram dos Estados Unidos a mais rica nação do mundo.

Lembro, como se fosse ontem, a maravilhosa descrição que fez do método pelo qual Henry Ford conseguiu atingir o auge, com tão pouco estudo, sem dinheiro e sem amigos influentes. Decidi, naquele momento, mesmo antes que o seu discurso chegasse ao fim, que encontraria meu lugar, por mais dificuldades que tivesse de ultrapassar.

Milhares de jovens se formarão este ano e nos próximos anos, todos à espera de uma mensagem prática de incentivo, como a que recebi de você. Desejarão saber para onde se dirigir, o que fazer para começar a vida. Você pode fazer isso, tantas foram as pessoas cujos problemas ajudou a resolver.

Se houver a possibilidade de tornar ainda melhor o serviço que estará prestando, sugiro que inclua em cada livro um exemplar do seu mapa de análise pessoal, de forma que cada leitor possa beneficiar-se de uma auto-análise que o faça perceber, como você me mostrou anos atrás, exatamente o que impede seu caminho para o sucesso.

Um serviço como esse, dando aos leitores do seu livro um quadro completo e imparcial de suas falhas e virtudes, significaria para eles a diferença entre sucesso e fracasso: um serviço que não tem preço.

Milhões de pessoas estão agora enfrentando o problema de se recuperarem dos anos de depressão econômica, e falo por experiência própria quando digo que essas pessoas determinadas lhe agradeceriam pela oportunidade de contarem seus problemas e de receberem suas sugestões.

Você conhece os problemas daqueles que precisam recomeçar. Existem milhares de pessoas hoje, nos Estados Unidos, que gostariam de saber como converter idéias em dinheiro – gente que precisa começar do nada e recuperar suas perdas. Se existe alguém que pode ajudá-las, esse alguém é você.

Caso publique o livro, gostaria de receber o primeiro exemplar. Autografado.

Com meus melhores votos,
Cordialmente,
Jennings Randolph"

CAPÍTULO 1

DESEJO

O COMEÇO DE TODAS AS REALIZAÇÕES
O PRIMEIRO PASSO EM DIREÇÃO À RIQUEZA

Quando, há mais de trinta anos, Edwin C. Barnes desceu do trem de carga em Orange, Nova Jersey, podia parecer um vagabundo, mas seus pensamentos eram os de um rei!

Enquanto fazia o percurso entre a estação de trem e o escritório de Thomas A. Edison, sua mente trabalhava. Ele se via pedindo a Edison uma oportunidade para levar adiante sua idéia fixa: o desejo ardente de tornar-se sócio na empresa do grande inventor.

O que Barnes levava consigo não era uma esperança! Não era uma simples vontade! Era um desejo intenso e pulsante, que transcendia qualquer coisa. Era definitivo!

O desejo que levou Barnes a aproximar-se de Edison já o acompanhava há muito tempo – um desejo dominante. No começo, pode ter sido – e provavelmente foi – somente uma vontade, mas não naquele momento.

Durante anos, muitas vezes Edwin C. Barnes e Edison ficaram frente a frente no mesmo escritório onde se encontraram pela primeira vez. A essa altura, porém, o desejo se transformara em realidade. Os dois eram sócios. O maior sonho da vida de Barnes acontecera. Muitos o invejaram, creditando suas conquistas a um golpe de sorte; só viam os dias de triunfo, sem se darem ao trabalho de investigar a causa do sucesso.

Barnes obteve êxito porque escolheu uma meta definida e nela concentrou toda a energia, todo o poder, todo o esforço. Ele não se tornou sócio de Edison no dia em que chegou. Contentou-se em começar pelas tarefas menos interessantes, até que se apresentasse uma oportunidade para avançar, um passo que fosse, em direção à sua almejada meta.

Cinco anos se passaram antes que a oportunidade aparecesse. Durante todo esse tempo, não lhe deram um só fiapo de esperança, não lhe fizeram qualquer promessa de que seu desejo seria atendido. Para todos, exceto para si mesmo, ele parecia ser apenas um dente nas engrenagens da empresa de Edison. Em sua mente, porém, ele era o sócio de Edison o tempo todo, desde o dia em que começara a trabalhar.

Essa é uma demonstração notável do poder de um desejo definido. Barnes conquistou sua meta porque, acima de qualquer outra coisa, queria ser sócio de Edison. Ele criou um plano para atingir esse propósito. E afastou quaisquer possibilidades de bater em retirada.

Ele se concentrou em seu desejo até que se tornasse uma idéia fixa – e, finalmente, um fato.

Quando foi para Orange, ele não disse: "Vou tentar convencer Edison a me dar um trabalho qualquer." Ele disse: "Vou ver Edison e mostrar que vim para ser seu sócio."

Ele não disse: "Vou trabalhar lá por alguns meses e, se não for promovido, desisto e procuro outro emprego." Ele disse: "Vou começar em qualquer função, fazendo tudo o que Edison mandar, mas em breve serei seu sócio."

Ele não disse: "Vou ficar atento a outras oportunidades, para o caso de não conseguir o que quero nas organizações de Edison." Ele disse: "Só existe uma coisa no mundo que estou determinado a conseguir, que é ser sócio de Thomas A. Edison em sua empresa. Vou afastar qualquer possibilidade de bater em retirada e apostar todo o meu futuro na minha capacidade de conseguir o que desejo."

Ele não deixou qualquer possibilidade de desistência. Era vencer ou morrer!

Essa é a história do sucesso de Barnes!

Há muito tempo, um grande guerreiro se viu diante de uma circunstância em que era necessário tomar uma decisão que garantisse a vitória no campo de batalha. Devia lançar seu exército contra um poderoso adversário, que contava com tropas muito mais numerosas. Embarcou seus homens em navios e velejou rumo ao país inimigo. Lá, desembarcou soldados e equipamentos e deu a ordem de queimar os navios em que tinham viajado. Dirigindo-se aos seus homens, antes da primeira batalha, disse:

– Vocês estão vendo os navios em chamas. Isso significa que só sairemos vivos daqui se vencermos! Agora, não temos escolha. É vencer ou morrer!

Eles venceram.

Quem quiser ter sucesso em uma empreitada precisa queimar os navios e cortar todas as possibilidades de bater em retirada. Somente assim conseguirá manter esse estado de espírito conhecido como desejo ardente de vencer, essencial ao sucesso.

Na manhã seguinte ao grande incêndio de Chicago, um grupo de comerciantes reunido na State Street observava os restos enfumaçados do que antes haviam sido suas lojas. Precisavam decidir se tentariam reconstruir os prédios ou se deixariam a cidade, recomeçando em outra região mais promissora. Chegaram à decisão: todos deixariam Chicago – exceto um.

O comerciante que decidiu ficar e reconstruir a sua loja apontou para o que restara dela e disse:

– Senhores, neste mesmo lugar vou construir a maior loja do mundo, não importa quantas vezes ela pegue fogo.

Isso se passou há mais de cinqüenta anos. A loja foi reconstruída e está lá até hoje: um imponente monumento ao poder desse estado de espírito chamado desejo ardente. Teria sido mais fácil para Marshall Field fazer exatamente o que os demais comerciantes fizeram. Diante de condições adversas e um futuro sombrio, eles recuaram e foram para um local mais favorável.

Repare na diferença entre Marshall Field e os outros comerciantes, porque é a mesma que distingue Edwin C. Barnes de milhares de outros rapazes que trabalharam nas organizações de Thomas Edison. É a mesma diferença que identifica os vencedores dos perdedores.

Todo ser humano que atinge a idade de começar a entender para que serve o dinheiro quer tê-lo. Mas querer, somente, não traz riquezas. No entanto, desejar riquezas com um estado de espírito que se torne uma idéia fixa, planejar meios e modos definidos para conquistá-las e basear esses planos em uma persistência que não admita o fracasso – isso, sim, trará riquezas.

O método pelo qual o desejo de riquezas pode ser transformado em seu equivalente financeiro fundamenta-se em seis práticos e definidos passos:

PRIMEIRO. Fixe em sua mente a quantia exata que você deseja. Não basta dizer apenas: "Eu quero muito dinheiro." Determine qual o montante. (Existe uma razão psicológica para essa determinação, que será descrita em um dos próximos capítulos.)

SEGUNDO. Declare exatamente o que pretende dar em troca do dinheiro que receber. (Nada vem de graça.)

TERCEIRO. Estabeleça uma data definida na qual pretende *possuir* a importância desejada.

QUARTO. Elabore um plano detalhado para a realização do seu desejo e comece *imediatamente*, quer se considere ou não em condições de colocá-lo em *ação*.

QUINTO. Redija um documento declarando precisa e claramente a quantia que quer conseguir, determinando o prazo limite, especificando o que pretende dar em troca e descrevendo em detalhes o plano a ser posto em prática para juntar dinheiro.

SEXTO. Leia a declaração escrita em voz alta, duas vezes por dia: uma antes de deitar-se à noite e outra assim que se levantar pela manhã. Enquanto lê, acredite que já tem o dinheiro em seu poder. Veja e sinta a cena.

É fundamental seguir as instruções descritas nessas seis etapas. É especialmente importante observar e seguir as instruções da sexta etapa. Você talvez ache impossível "ver-se na posse do dinheiro" antes de tê-lo realmente. É aí que entra o desejo ardente. Se você desejar dinheiro tão intensamente a ponto de o desejo virar idéia fixa, não terá dificuldade em convencer-se de que irá consegui-lo. O objetivo é querer dinheiro com tal determinação que você se convença de que vai tê-lo.

Somente aqueles que se tornam "conscientes do dinheiro" chegam a acumular grandes fortunas. A "consciência do dinheiro" significa que a mente foi tão completamente tomada pelo desejo de riqueza que a pessoa consegue ver-se rica.

Aos não iniciados, aqueles que não conhecem o funcionamento da mente humana, essas instruções podem parecer impraticáveis. A todos que não reconhecem a força dos seis passos, pode ser de grande ajuda saber que essa informação foi recebida de Andrew Carnegie, que começou como operário em uma usina siderúrgica e conseguiu, apesar da origem humilde, fazer que esses princípios lhe proporcionassem a considerável fortuna de mais de 100 milhões de dólares.

Também é bom saber que os seis passos aqui recomendados foram cuidadosamente examinados por Thomas A. Edison, que neles colocou seu selo de aprovação, por serem não somente essenciais à acumulação de riquezas, mas necessários à realização de qualquer meta definida.

Os passos não requerem "trabalho árduo". Não pedem sacrifícios. Não exigem que nos tornemos ridículos ou crédulos. Para aplicá-los, não é preciso muito estudo. Todavia, a aplicação bem-sucedida desses seis passos necessita de imaginação suficiente, para que possamos ver e compreender que a tarefa de ganhar dinheiro não pode ser deixada por conta do acaso ou da sorte. Precisamos entender que todos os que acumularam grandes fortunas tiveram, primeiro, sonhos, esperanças, vontades, desejos e planos.

> TODOS OS QUE ACUMULARAM GRANDES FORTUNAS TIVERAM, PRIMEIRO, SONHOS, ESPERANÇAS, VONTADES, DESEJOS E PLANOS.

É importante enfatizar que as riquezas só chegam em grande quantidade quando as desejamos ardentemente e nos vemos na posse delas.

Desde os primórdios da civilização até o presente, todo grande líder foi um sonhador. O cristianismo é a maior força em potencial no mundo de hoje, porque seu fundador foi um intenso sonhador, com visão e imaginação suficientes para enxergar realidades em suas formas mental e espiritual antes que se materializassem.

Quem não vê grandes riquezas na imaginação jamais as verá no extrato bancário.

Nunca houve, na história da humanidade, melhores oportunidades para sonhadores capazes de agir do que as que existem agora. Os anos de colapso econômico nivelaram, substancialmente, todas as pessoas. Uma nova corrida está para começar. As apostas representam enormes fortunas que serão construídas nos próximos anos. As regras do jogo mudaram, porque agora vivemos em um mundo diferente, que favorece visivelmente as massas – aqueles que tiveram pouquíssima ou nenhuma oportunidade de crescer sob as condições existentes nos anos difíceis, quando o medo paralisou o crescimento e o desenvolvimento.

Nós que estamos nessa corrida pela riqueza precisamos saber que o mundo diferente no qual vivemos pede novas idéias, novas maneiras de atuar, novos líderes, novas invenções, novos métodos de ensino, novas estratégias de marketing, nova literatura, novos programas de rádio, novas soluções para o cinema. Por trás dessa demanda por coisas novas e melhores, há um elemento indispensável ao sucesso: a determinação de propósitos, a certeza do que se quer e um desejo ardente de realização.

Crises econômicas marcam a morte de uma era e o nascimento de outra. Esse mundo transformado requer sonhadores atuantes, capazes de transformar sonhos em ação. Os sonhadores atuantes sempre foram e serão os criadores da civilização.

Nós que desejamos acumular bens não podemos esquecer que os verdadeiros líderes do mundo foram indivíduos que buscaram e puseram em prática o intangível – forças invisíveis de oportunidades futuras –, convertendo essas forças (ou impulsos do pensamento) em arranha-céus, cidades, fábricas, aviões, automóveis e toda a sorte de facilidades que tornam a vida mais confortável.

Tolerância e receptividade são necessidades práticas para o sonhador de hoje. Aqueles que têm medo de novas idéias estão condenados ao fracasso antes mesmo de começar. Jamais houve um tempo mais favorável aos pioneiros do que o momento atual. É verdade que não há nenhum Oeste selvagem e fora-da-lei a ser conquistado, como no tempo das diligências; mas existe um vasto mundo empresarial, financeiro e industrial a ser remodelado e redirecionado segundo novas e melhores orientações.

Ao planejar adquirir a sua parte nas riquezas, não permita que desprezem o sonhador que existe em você. Para ganhar os grandes prêmios neste mundo diferente, você precisa captar o espírito dos grandes pioneiros do passado, cujos sonhos deram à civilização tudo o que ela tem de valor; o espírito que serve como seiva vital de cada país – a oportunidade para desenvolver e aproveitar nossos talentos.

Não esqueçamos que Colombo sonhou com um mundo desconhecido, apostou sua vida na existência dele e o descobriu!

Copérnico, o grande astrônomo, sonhou com uma multiplicidade de mundos e revelou-os! Ninguém o acusou de "visionário" depois que provou estar certo. Ao contrário: o mundo o reverenciou em seu túmulo, o que prova, mais uma vez, que o "sucesso não precisa de desculpas e o fracasso não permite desculpas".

Se o que quer fazer é certo, e você acredita nisso, vá em frente! Priorize o seu sonho, e caso sofra uma derrota temporária, não se importe com o que "os outros" disserem, porque "eles" talvez não saibam que todo fracasso traz consigo a semente de um sucesso equivalente.

Henry Ford, pobre e de pouca instrução, sonhou com uma carruagem sem cavalos, foi trabalhar com as ferramentas que tinha, sem esperar que a oportunidade o favorecesse, e hoje as provas de seu sonho circulam por toda a Terra. Ele fez girarem mais rodas do que qualquer outro homem, porque não teve medo de sustentar seus sonhos.

Thomas Edison sonhou com uma lâmpada que fosse operada eletricamente, pôs seu sonho em ação e, apesar de mais de dez mil fracassos, manteve esse sonho até fazer dele uma realidade. Sonhadores atuantes não desistem!

Whelan sonhou com uma cadeia de tabacarias, transformou seu sonho em ação, e hoje existem United Cigars Stores em todo o território dos Estados Unidos.

Lincoln sonhou com a libertação dos escravos negros, agiu e ainda viveu para ver a união entre o Norte e o Sul.

Os irmãos Wright sonharam com uma máquina voadora. Hoje, vemos nos quatro cantos do mundo a força de seu sonho.

Marconi sonhou com um sistema para utilizar as forças intangíveis do éter. A prova de que não foi em vão está em cada transmissão radiofônica no mundo. Ademais, o sonho de Marconi colocou lado a lado a mais humilde cabana e a mais suntuosa mansão. Tornou vizinhos todos os povos, de todas as nações da Terra. Agora, os governantes podem falar a todo o povo, ao mesmo tempo, a qualquer momento. No entanto, saiba que "amigos" de Marconi levaram-no à força para ser examinado num hospital para doentes mentais quando ele anunciou haver descoberto um princípio que permitia enviar mensagens através do ar, sem necessidade de fios, ou outro meio físico direto de comunicação. Os sonhadores de hoje recebem melhor tratamento.

O mundo se acostumou a descobertas. E mais: tende-se a recompensar o sonhador que traz ao mundo uma nova idéia.

"Toda grande realização foi, primeiramente e por algum tempo, apenas um sonho."

> TENDE-SE A RECOMPENSAR O SONHADOR QUE TRAZ AO MUNDO UMA NOVA IDÉIA.

"A árvore dorme dentro do fruto. O pássaro espera no ovo, e na mais alta visão da alma um anjo fica de guarda." O sonho é a semente da realidade.

Sonhadores do mundo, animem-se, apareçam e mexam-se! A sua estrela está subindo. As crises econômicas ensinam humildade, tolerância e compreensão e trazem a oportunidade que todos esperam.

O mundo está cheio de oportunidades que os sonhadores do passado jamais conheceram.

Um desejo ardente de ser e de fazer deve ser o ponto de onde partem os sonhadores. O sonho não nasce da indiferença, da preguiça nem da falta de ambição.

Os sonhadores deixaram de ser alvos de chacota ou desprezo. Se não acredita, vá ao Tennessee, nos Estados Unidos, e veja o que um presidente sonhador fez para controlar e aproveitar a força da água. Anos antes, tal sonho seria considerado loucura.

Se você se decepcionou, sofreu uma derrota, sentiu o coração dentro do peito ser esmagado até sangrar, tenha coragem, pois essas experiências são recursos de valor incomparável: elas fortalecem o espírito.

Lembre-se, também, de que todos os que obtiveram êxito na vida começaram de baixo e ultrapassaram enormes dificuldades até "chegar lá". Usualmente, na vida dos bem-sucedidos, a "virada" ocorreu em um momento de crise, durante o qual foram apresentados a seu "outro eu".

John Bunyan, depois de ter sido preso e severamente punido em razão de suas idéias sobre religião, escreveu O Peregrino – A Viagem do Cristão à Cidade Celestial, livro que se encontra entre os melhores de toda a literatura inglesa.

O. Henry, considerado um dos maiores contistas norte-americanos, descobriu o gênio adormecido em seu cérebro quando problemas do mundo dos negócios o levaram à cadeia em Columbus, Ohio. Forçado pela infelicidade a tomar conhecimento de seu "outro eu" e a usar a imaginação, ele descobriu que era um grande autor, e não um rejeitado, um criminoso miserável. Os caminhos da vida são estranhos e tortuosos, e mais estranhos ainda são os rumos da Inteligência Infinita, que força o indivíduo algumas vezes a passar por todo tipo de castigo, até descobrir no próprio cérebro a capacidade de criar idéias úteis, por meio da imaginação.

Thomas Edison, o maior inventor e cientista do mundo, foi um telegrafista "comum" e falhou inúmeras vezes antes de ser levado, finalmente, à descoberta do gênio adormecido em seu cérebro.

Charles Dickens começou colando etiquetas em potes de graxa. A tragédia de seu primeiro amor atingiu as profundezas de sua alma, fazendo dele um dos grandes autores do mundo. Essa tragédia produziu David Copperfield e depois uma sucessão de outros trabalhos, que tornaram o mundo melhor e mais rico para todos os leitores. Geralmente, as desilusões de amor têm o efeito de levar os homens à bebida e as mulheres à ruína; isso porque a maioria das pessoas nunca aprende a arte de transformar suas mais fortes emoções em sonhos de natureza construtiva.

Helen Keller ficou surda, muda e cega pouco depois do nascimento. Apesar das sérias deficiências, ela escreveu seu nome para sempre nas páginas da história dos grandes. Sua vida comprovou que ninguém é jamais derrotado até que aceite a derrota como realidade.

Robert Burns era um jovem camponês inculto, assolado pela pobreza, e podia ter sido apenas mais um beberrão. Mas fez o mundo ficar melhor, traduzindo lindos pensamentos em forma de poesia e, assim, arrancando espinhos e plantando rosas em seu lugar.

Booker T. Washington nasceu escravo e foi discriminado pela condição e pela cor. Por exercer a tolerância, ter sempre a mente aberta para todos os assuntos e ser um sonhador, deixou sua marca, para o bem de toda uma raça.

Beethoven era surdo, Milton era cego, mas seus nomes serão lembrados para sempre, pois eles sonharam e transformaram seus sonhos em pensamentos organizados.

Antes de passar ao próximo capítulo, acenda outra vez na sua mente o fogo da esperança, fé, coragem e tolerância. Com esses sentimentos e conhecimento suficiente dos princípios descritos, tudo mais que precisar virá a você, quando chegar o momento, se você estiver pronto. Deixemos Ralph Waldo Emerson, escritor e filósofo norte-americano, expor seu pensamento nestas palavras: "Cada provérbio, cada livro, cada máxima que sirva de auxílio e conforto certamente lhe chegará através de caminhos diretos ou tortuosos. E todo amigo de alma grandiosa e gentil o prenderá em seu abraço."

Há uma diferença entre desejar algo e estar pronto para recebê-lo. Ninguém recebe se não acredita. Precisa haver um estado de crença, e não de simples esperança ou vontade. Deixar a mente aberta é essencial para crer. Mentes fechadas não inspiram fé nem coragem.

Lembre-se de que é necessário o mesmo empenho tanto para "pensar grande", pedir abundância e prosperidade como para aceitar a miséria e a pobreza. Um grande poeta declarou essa verdade universal com muita propriedade nestes versos:

"Fiz com a Vida o trato de receber uma moeda,
E a Vida não me pagou mais,
Embora mais tarde eu pedisse,
Ao verificar o pouco que tinha.

Porque a Vida é um patrão justo
Que dá o que você pede.
Mas, uma vez acertado o pagamento,
É preciso suportar a tarefa.

Eu me contentei com um salário vil,
Só para descobrir, consternado,
Que a Vida me pagaria de boa vontade
O que eu tivesse pedido."

O DESEJO SUPERA A MÃE NATUREZA

Para encerrar adequadamente este capítulo, quero apresentar uma das pessoas mais incomuns que conheci. Eu o vi pela primeira vez há vinte e quatro anos, poucos minutos após seu nascimento. Ele veio ao mundo sem qualquer vestígio físico de orelhas, e o médico admitiu, quando pressionado a opinar, que a criança provavelmente jamais conseguiria ouvir nem falar.

Desafiei a opinião do médico. Tinha o direito de fazê-lo, pois era o pai do bebê. Naquele momento, tomei uma decisão que, no entanto, revelei apenas ao meu coração. Decidi que meu filho iria ouvir e falar. A natureza podia mandar-me uma criança sem orelhas, mas não podia obrigar-me a aceitar a realidade daquela situação.

Em minha mente, sabia que meu filho iria ouvir e falar. Como? Tinha a certeza de haver um caminho que, de um jeito ou de outro, eu encontraria. Pensei nas palavras do imortal Emerson: "O curso de todas as coisas nos ensina a fé. Só precisamos aprender. Existe um guia para cada um de nós e, ouvindo humildemente, reconheceremos a palavra certa."

A palavra certa? desejo! Mais do que qualquer outra coisa, eu desejava que meu filho não fosse um surdo-mudo. E nunca abri mão desse desejo, nem por um segundo.

Muitos anos antes, eu havia escrito: "As únicas limitações são aquelas que estabelecemos em nossa mente." Pela primeira vez, me perguntava se aquela seria uma afirmação verdadeira. Deitado na cama, diante de mim, estava um recém-nascido sem os recursos naturais necessários à audição. Ainda que pudesse ouvir e falar, algo lhe faltaria para sempre. Certamente, não se tratava de uma limitação que ele tivesse imposto a si próprio.

O que eu poderia fazer a respeito? De alguma forma encontraria um jeito de transplantar para a mente daquela criança o meu desejo ardente, de tal modo que o som chegaria a seu cérebro sem a ajuda de ouvidos.

Tão logo a criança fosse crescida o bastante para cooperar, eu encheria sua mente com o desejo ardente de ouvir, para que a natureza, por seus próprios métodos, transformasse isso em realidade física.

Guardei os pensamentos para mim, sem fazer comentários. Todos os dias, renovava minha promessa: meu filho não seria surdo-mudo.

À medida que o menino crescia e começava a notar as coisas ao seu redor, tivemos a impressão de que conseguia ouvir minimamente. Quando atingiu a idade em que as crianças usualmente começam a falar, ele não o fez, mas suas atitudes demonstravam que estávamos certos: ele percebia alguns sons. Era tudo o que eu precisava saber! Estava convicto de que, se podia ouvir, embora pouco, meu filho conseguiria desenvolver a audição. Então, algo aconteceu que me encheu de esperanças, vindo de um lugar inteiramente inesperado.

Compramos um toca-discos. Quando ouviu música pela primeira vez, o menino entrou em êxtase e logo se apropriou do aparelho. Em pouco tempo, havia desenvolvido uma preferência por algumas músicas, entre elas, *It's a long way to Tipperary*. Certa vez, fez tocar o disco por quase duas horas, em que ficou de pé diante do aparelho, com os dentes cravados na beira da caixa de som. Só alguns anos mais tarde compreendemos o significado desse hábito desenvolvido por ele, porque na época ainda não tínhamos ouvido falar do princípio da "condução óssea" do som.

Pouco tempo depois de meu filho ter se apropriado do toca-discos, descobri que ele me ouvia com razoável clareza quando eu falava com os meus lábios tocando o seu osso mastóide, ou na direção da base de seu cérebro. Essas descobertas me deram os meios necessários para que eu começasse a realizar o desejo ardente de ajudar meu filho a desenvolver a audição e a fala. Nessa época, ele arriscava falar certas palavras. A perspectiva estava longe de ser animadora, mas o desejo apoiado pela fé não conhece a palavra "impossível".

Certo de que ele podia ouvir com clareza o som da minha voz, comecei imediatamente a transferir para sua mente o desejo de ouvir e falar. Logo descobri que o menino gostava que eu lhe contasse histórias na hora de dormir; assim, pus mãos à obra, criando histórias destinadas a desenvolver nele a autoconfiança, a imaginação e um intenso desejo de ouvir e ser normal.

Havia, especialmente, uma história que eu enfatizava, dando-lhe novas e dramáticas cores a cada vez que a contava. Com isso, tentava plantar na mente da criança o pensamento de que sua deficiência não era uma desvantagem, mas um recurso de grande valor. Apesar de todas as filosofias que eu havia estudado indicarem claramente que cada adversidade traz consigo a semente de uma vantagem equivalente, preciso confessar que não fazia a menor idéia de como tal deficiência poderia tornar-se um fator positivo. No entanto, continuei minha prática de integrar essa filosofia às histórias da hora de dormir, esperando que um dia ele mesmo encontrasse um meio de tirar proveito de sua deficiência.

A razão me dizia francamente que não havia compensação adequada para a falta de ouvidos e do aparelho natural de audição. Mas o desejo apoiado na fé superou a razão e inspirou-me a continuar.

Analisando a experiência, posso ver agora que a fé depositada em mim pelo meu filho teve muito a ver com o impressionante resultado. Ele jamais questionou o que eu lhe dizia. Eu o convenci de que possuía uma nítida vantagem sobre os irmãos mais velhos, vantagem esta que se manifestaria de diversas maneiras. Os professores, por exemplo, observando que ele não tinha orelhas, lhe dariam especial atenção e o tratariam com extraordinária gentileza. E foi o que aconteceu. A mãe dele tratou disso, visitando os professores e solicitando mais cuidado com aquele aluno. Também o convenci de que, quando tivesse idade para vender jornais, ele teria uma grande vantagem sobre o irmão – então vendedor de jornais –, já que as pessoas lhe pagariam mais ao ver que a falta de orelhas não o impedia de ser um garoto inteligente e esforçado.

Notamos que, gradualmente, a audição do menino melhorava. Além do mais, a deficiência não fizera dele um tímido. Mais ou menos aos 7 anos, ele nos deu a primeira prova de que a estratégia de trabalhar sua mente começava a dar frutos: insistia em vender jornais, mas a mãe não concordava; achava perigoso deixá-lo sair à rua sozinho.

Ele, então, decidiu resolver a questão. Uma tarde em que ficou em casa com os empregados, pulou a janela da cozinha, alcançando o quintal, e foi à luta. Pediu 6 centavos emprestados ao sapateiro da vizinhança, comprou jornais, vendeu-os, reinvestiu o dinheiro e, durante a tarde inteira, repetiu a operação. Após fazer as contas e pagar ao "banqueiro" o dinheiro que havia tomado emprestado, teve um lucro líquido de 42 centavos. Quando chegamos em casa naquela noite, nós o encontramos dormindo em sua cama, com o dinheiro bem apertado na mão.

Então, a mãe abriu-lhe a mão, pegou as moedas e chorou. Chorar pela primeira vitória do filho parecia tão inadequado! Minha reação foi inversa. Ri alegremente, porque soube que o esforço para plantar na mente daquele menino uma atitude de autoconfiança fora bem-sucedido.

Sua mãe viu um pequeno menino surdo que, em seu primeiro empreendimento, tinha ido para as ruas sozinho e arriscado a vida para ganhar dinheiro. Eu vi um pequeno negociante corajoso, empreendedor, ambicioso e autoconfiante, cuja fé em si mesmo havia subido 100%, já que entrara no mundo dos negócios por conta própria e vencera. O resultado me agradou, porque percebi nele aptidões que o acompanhariam pela vida afora. O futuro confirmaria isso. Quando seu irmão mais velho queria alguma coisa, deitava-se no chão, esperneava, chorava – e conseguia. Quando o "pequeno menino surdo" queria alguma coisa, planejava um meio para ganhar dinheiro e comprava o objeto desejado com recursos próprios. E ele ainda faz isso!

Na verdade, meu filho me ensinou que deficiências podem ser aceitas como obstáculos e usadas como desculpas, ou consideradas degraus a serem galgados rumo a uma meta estabelecida.

O menininho surdo cursou o ensino fundamental, o ensino médio e a faculdade sem ouvir os professores, a menos que falassem perto dele e bem alto. Nunca freqüentou escolas especiais.

> DEFICIÊNCIAS PODEM SER USADAS COMO DESCULPAS, OU CONSIDERADAS DEGRAUS A SEREM GALGADOS RUMO A UMA META ESTABELECIDA.

Não permitimos que ele aprendesse a linguagem dos sinais. Estávamos determinados a fazê-lo levar uma vida normal, com outras crianças, e mantivemos essa decisão, embora nos tenha custado acalorados debates com a diretoria das escolas.

Quando cursava o ensino médio, tentou usar um aparelho elétrico para surdez. Não deu certo, pois meu filho havia nascido sem qualquer vestígio de sistema auditivo natural. Tal condição foi descoberta pelo dr. J. Gordon Wilson, de Chicago, durante uma cirurgia na cabeça a que o menino se submeteu aos 6 anos.

Na última semana de aulas na faculdade (dezesseis anos depois da operação), aconteceu um fato que marcou definitivamente sua vida. Pelo que parecia puro acaso, ele recebeu outro aparelho elétrico para surdez, ainda em teste. Tendo em vista o desapontamento anterior, hesitou em aceitar. Finalmente, sem muito interesse, pegou o aparelho, colocou-o no ouvido, ligou a bateria e pronto! Como num passe de mágica, seu constante desejo de ouvir normalmente tornou-se realidade! Pela primeira vez na vida, ele ouvia praticamente tão bem quanto qualquer um. "Deus opera misteriosamente suas maravilhas."

Deslumbrado pelo mundo diferente que o novo aparelho lhe apresentou, ele correu ao telefone, ligou para a mãe e ouviu perfeitamente a voz dela! No dia seguinte, ouvia claramente as vozes dos professores, pela primeira vez na vida, sem que precisassem gritar ou chegar perto! Ouviu o rádio. Ouviu o cinema falado. Afinal, podia conversar livremente com outras pessoas sem que tivessem necessidade de falar alto. Tinha entrado em um mundo diferente. Com nosso desejo persistente, havíamos nos recusado a aceitar o engano da natureza e a induzimos a corrigir-se, por intermédio dos meios práticos disponíveis.

O desejo tinha começado a pagar dividendos, mas a vitória não estava completa. O rapaz ainda teria de encontrar um meio prático e definido para converter sua deficiência em uma vantagem equivalente.

Talvez sem entender plenamente o significado do que havia conseguido, mas entusiasmado com a descoberta do novo mundo dos sons, ele escreveu uma carta para o fabricante do aparelho, descrevendo em detalhes sua experiência. Alguma coisa na carta, algo que talvez não estivesse escrito nas linhas, mas entre elas, fez que a companhia o convidasse a ir a Nova York. Chegando lá, foi levado a conhecer a fábrica e, enquanto contava ao engenheiro chefe sobre a mudança operada em seu mundo, uma intuição, uma idéia ou uma inspiração – chame como quiser – surgiu em sua mente. Foi esse impulso de pensamento que converteu sua deficiência em vantagem destinada a pagar dividendos em forma de dinheiro e felicidade a milhares de pessoas por muito tempo.

O ponto central daquele impulso de pensamento era o seguinte: ocorreu-lhe que ele poderia ajudar milhões de pessoas surdas que atravessam a vida sem o benefício de um aparelho de surdez, caso pudesse achar um meio de contar sua história. Naquele exato momento, decidiu devotar o resto de sua vida a ajudar deficientes auditivos.

Durante um mês, ele pesquisou intensamente, analisando todo o sistema de marketing da fábrica de aparelhos de surdez, e criou meios de comunicar-se com os deficientes auditivos do mundo inteiro, de modo a partilhar com eles seu "mundo diferente", recentemente descoberto. Ele elaborou um planejamento de dois anos, baseado em suas conclusões. Quando apresentou o plano à companhia, foi-lhe imediatamente oferecido um cargo, para que conseguisse levar o plano adiante.

Ao começar o trabalho, nem sonhava estar destinado a levar esperança e alívio a milhares de deficientes auditivos que, sem sua ajuda, estariam condenados para sempre ao silêncio.

Pouco depois de tornar-se sócio do fabricante de aparelhos, ele me convidou a assistir a uma aula oferecida pela empresa, para ensinar deficientes auditivos a ouvir e a falar. Apesar de desconhecer o método, fui à aula. Eu me sentia um tanto cético, porém tinha esperanças de não estar perdendo tempo. O que vi me levou a entender melhor o que eu havia feito para despertar e manter vivo na mente do meu filho o desejo de ouvir normalmente. Vi deficientes aprendendo a ouvir e a falar por meio do mesmo princípio que eu usara, mais de vinte anos antes, para livrar meu filho do silêncio.

Assim, por uma estranha volta da roda do destino, Blair e eu estávamos destinados a auxiliar aqueles que ainda nem haviam nascido, por sermos os dois únicos seres humanos, que eu saiba, a estabelecer definitivamente o fato de que uma deficiência poderia ser corrigida a ponto de permitir uma vida normal. Se havia sido possível para um, seria possível para outros.

Não tenho dúvidas de que Blair teria sido um surdo-mudo por toda a vida se sua mãe e eu não tivéssemos moldado sua mente como o fizemos. O próprio médico que fez o parto disse, confidencialmente, que a criança poderia nunca ouvir ou falar. Há pouco tempo, o dr. Irving Voorhees, um notável especialista em casos semelhantes, examinou Blair muito cuidadosamente. Ficou espantado ao verificar como meu filho ouve e fala bem, pois segundo ele o exame indicava que "teoricamente, o rapaz não seria capaz de ouvir de forma alguma". Mas ele ouve, apesar de os raios X demonstrarem que não existe qualquer abertura no crânio que permita a ligação entre som e cérebro.

Quando implantei na mente do meu filho o desejo de ouvir, falar e viver como uma pessoa comum, esse impulso foi acompanhado de uma estranha influência que fez a natureza construir uma ponte sobre o abismo de silêncio, ligando o cérebro ao mundo exterior por meios que nem os mais capacitados especialistas foram capazes de interpretar. Seria sacrilégio conjeturar a respeito desse milagre da natureza e imperdoável deixar de contar ao mundo tudo o que sei sobre a humilde parte que me cabe nessa estranha experiência. É meu dever e um privilégio dizer que acredito, e não sem motivos, que nada é impossível àquele que apóia seu desejo numa fé inabalável.

Na verdade, um desejo ardente possui meios estranhos de se transformar em seu equivalente material. Blair desejou ouvir normalmente; e conseguiu! Nasceu com uma deficiência que poderia facilmente levar alguém com um desejo menos definido às ruas com uma canequinha na mão. No entanto, o que seria uma desvantagem serviu de meio para a prestação de um serviço a milhares de deficientes auditivos, além de garantir-lhe um emprego útil e uma remuneração adequada para o resto da vida.

As "mentirinhas brancas" que coloquei em sua mente quando ele era criança, levando-o a acreditar que sua deficiência se tornaria uma vantagem, foram justificadas. Na verdade, não há nada, certo ou errado, que a crença e o desejo ardente, juntos, não possam realizar. Eles estão aí, à disposição de todos.

Em toda a minha experiência no trato com homens e mulheres com problemas pessoais, jamais encontrei um caso que demonstrasse mais significativamente o poder do desejo. Às vezes, autores cometem o erro de escrever sobre assuntos a respeito dos quais possuem apenas um conhecimento elementar ou superficial. Tive a sorte e o privilégio de usar a deficiência do meu filho para testar a eficácia do poder do desejo. Talvez tenha sido providencial o que aconteceu, pois certamente ninguém está mais preparado do que ele para servir de exemplo do poder do desejo posto à prova. Se até a Mãe Natureza vergou-se diante da força do desejo, parece-lhe lógico que seres simplesmente humanos possam derrotar um desejo ardente?

O poder da mente humana é estranho e imponderável! Não entendemos o método pelo qual a mente utiliza cada circunstância, cada indivíduo, cada objeto a seu alcance, como meio de transformar o desejo em sua contrapartida física. Quem sabe, um dia, a ciência descubra esse segredo.

Plantei na mente do meu filho o desejo de ouvir e falar, como uma pessoa comum ouve e fala. Esse desejo tornou-se realidade. Plantei em sua mente o desejo de converter sua maior deficiência em sua maior vantagem. Esse desejo foi realizado. O *modus operandi* pelo qual um resultado espantoso foi alcançado não é difícil de descrever. São três fatos bem definidos: primeiro, misturei a fé com o desejo de ouvir normalmente e passei isso para o meu filho; segundo, comuniquei-lhe o meu desejo de todas as formas possíveis e imagináveis, em um esforço contínuo e persistente, durante vários anos. terceiro, ele acreditou em mim!

Quando eu terminava este capítulo, chegou-me a notícia da morte de madame Schuman-Heink. Um parágrafo curto no texto da notícia apontava o estupendo sucesso como cantora dessa mulher especial. Transcrevi o parágrafo, porque nele se vê que ela chegou ao sucesso exatamente pelo desejo.

No início da carreira, madame Schuman-Heink visitou o diretor da Vienna Court Opera para que lhe testasse a voz. Mas o teste não aconteceu. Depois de um rápido olhar na jovem sem graça e pobremente vestida, o diretor exclamou de modo nada gentil:

– Com essa cara e sem nenhuma personalidade, como pode esperar ser bem-sucedida em ópera? Minha jovem, desista da idéia. Compre uma máquina de costura e vá trabalhar. Você nunca será uma cantora.

"Nunca" é tempo demais! O diretor da Vienna Court Opera entendia muito da técnica do canto, mas sabia pouco sobre o poder do desejo quando ele se torna idéia fixa. Se soubesse mais sobre esse poder, não teria cometido o engano de condenar um gênio sem dar-lhe uma oportunidade.

Há alguns anos, um dos meus sócios ficou doente. Como piorava a cada dia, foi encaminhado a um hospital para ser operado. Quando ia ser levado para a sala de cirurgia, olhei-o e pensei: "Como alguém tão magro e abatido como ele conseguirá enfrentar com sucesso uma operação tão séria?" O cirurgião avisou que havia pouca chance – ou quase nenhuma – de vê-lo novamente com vida. Mas essa era a opinião do médico, não a do paciente. Antes de entrar na sala, ele murmurou baixinho:

– Não se preocupe, chefe, eu estarei fora daqui em poucos dias.

A enfermeira olhou para mim com pena. Mas o paciente realmente saiu são e salvo. Depois que tudo acabou, o médico disse:

– Ele foi salvo pelo desejo de viver. Nunca teria sobrevivido se tivesse aceitado a possibilidade da morte.

Creio na força do desejo apoiado pela fé porque vi esse poder levar homens de origem muito humilde a posições de poder e riqueza; eu o vi livrar vítimas das garras da morte; eu o vi servir de meio para que indivíduos recomeçassem após terem sido derrotados das mais diversas formas; eu o vi dar ao meu filho uma vida normal, feliz e bem-sucedida, apesar de a natureza o ter trazido ao mundo sem os ouvidos.

Como pode alguém despertar e usar o poder do desejo? A resposta está neste capítulo e nos capítulos seguintes. Esta mensagem chegou ao mundo ao fim da mais longa e, talvez, mais devastadora crise econômica que os Estados Unidos já conheceram. Seria razoável supor que chamasse a atenção, principalmente, daqueles que perderam fortunas, de outros que ficaram sem emprego e de muitos que precisaram reorganizar seus planos e recomeçar. A todos esses, gostaria de transmitir a idéia de que toda realização, qualquer que seja sua natureza ou seu objetivo, precisa começar com um desejo ardente e intenso por algo definido.

> A NATUREZA INTEGRA AO IMPULSO DE UM FORTE DESEJO AQUELE "ALGO MAIS" QUE NÃO RECONHECE A PALAVRA "IMPOSSÍVEL".

Por intermédio de algum estranho e poderoso princípio de "química mental" nunca revelado, a natureza integra ao impulso de um forte "desejo aquele "algo mais" que não reconhece a palavra "impossível" e não aceita o fracasso."

CAPÍTULO 2

FÉ

VISUALIZAÇÃO DO DESEJO E CERTEZA DA REALIZAÇÃO O SEGUNDO PASSO EM DIREÇÃO À RIQUEZA

A fé é o alquimista da mente. Quando a fé se junta à vibração do pensamento, o subconsciente logo se apossa da combinação, transformando-a em seu equivalente espiritual, que é então transmitido para a Inteligência Infinita, como no caso da prece.

Entre as emoções positivas, as mais poderosas são a fé, o amor e o sexo. Quando as três se combinam, produzem o efeito de "colorir" a vibração do pensamento, de maneira que chegue de imediato ao subconsciente, onde é transformada em seu equivalente espiritual, sendo essa a única forma de se obter uma resposta da Inteligência Infinita.

O amor e a fé são psíquicos – relacionados ao lado espiritual do homem. O sexo é puramente biológico e relacionado somente ao físico. A mistura ou combinação dessas três emoções abre uma linha direta de comunicação entre a mente finita e pensante do homem e a Inteligência Infinita.

COMO DESENVOLVER A FÉ

"A fé é um estado de espírito que pode ser induzido ou criado pela afirmação ou repetição de instruções ao subconsciente, empregando-se o princípio da auto-sugestão." Essa frase oferece uma boa explicação para a importância do princípio da auto-sugestão na transmutação do desejo em seu equivalente material ou monetário.

À guisa de ilustração, considere o propósito para o qual, supostamente, você está lendo este livro. O objetivo imediato é, decerto, adquirir a habilidade de transformar o intangível impulso mental do desejo em sua contrapartida material, ou seja, dinheiro. Seguindo as instruções apresentadas nos capítulos sobre auto-sugestão e subconsciente, você pode convencer o seu subconsciente da sua certeza de que receberá aquilo que está pedindo. O subconsciente, então, agirá com base nessa crença, devolvendo-a em forma de fé, seguida de planos definidos para a realização do seu objetivo.

É extremamente difícil descrever o método para desenvolver a fé quando ela ainda não existe; é quase tão difícil quanto descrever a cor vermelha para um cego que nunca viu cores e não dispõe de qualquer elemento para estabelecer a comparação. A fé é um estado de espírito que pode ser desenvolvido pela vontade depois que você domina os 13 princípios, pois se desenvolve voluntariamente pela aplicação e pelo uso desses princípios.

O único método conhecido de desenvolvimento voluntário da fé é a repetição afirmativa de ordens ao subconsciente.

Talvez o significado fique mais claro a partir desta explicação de um famoso criminalista sobre como os homens se tornam criminosos: "Quando, pela primeira vez, o indivíduo entra em contato com o crime, ele o abomina. Se mantém o contato por algum tempo, acostuma-se e o suporta. Se continua em contato por mais tempo, acaba por aceitá-lo, sendo dominado por ele."

Isso equivale a dizer que qualquer impulso mental repetidamente transmitido ao subconsciente acaba por ser aceito e influenciado por ele, que então o traduz em seu equivalente material por meio dos processos mais práticos disponíveis.

Agora, veja esta afirmativa: "todos os pensamentos combinados a sentimentos e à fé começam imediatamente a transformar-se em seus equivalentes ou contrapartidas materiais."

As emoções, ou a porção "sentimental" dos pensamentos, são fatores que emprestam vitalidade e ação a esses pensamentos. Fé, amor e sexo, quando combinados a qualquer impulso mental, provocam uma ação maior do que qualquer um deles, isoladamente.

Não são somente os impulsos mentais misturados à fé que podem atingir e influenciar o subconsciente, mas também os que foram mesclados a qualquer emoção, seja ela positiva ou negativa.

A partir dessa afirmativa, você pode entender que o subconsciente dispõe da mesma agilidade para transformar em seu equivalente material tanto um impulso mental de natureza negativa ou destrutiva quanto o impulso mental de natureza positiva ou construtiva. Deve-se a isso o estranho fenômeno que milhões de pessoas experimentam e que chamam de "azar" ou "má sorte".

Existem milhões de indivíduos que se acreditam "condenados" à pobreza e ao fracasso por alguma estranha força sobre a qual crêem não ter controle. São eles os criadores da própria infelicidade, em razão dessa crença negativa que é captada pelo subconsciente e traduzida em seu equivalente material.

Este é o momento apropriado para reiterar que você pode transmitir ao seu subconsciente qualquer desejo que queira traduzir em seu equivalente material ou financeiro, mantendo-se num estado de expectativa ou crença de que essa transmutação realmente ocorrerá. A fé é o elemento que determina a ação do subconsciente. Não há nada que impeça você de "enganar" o seu subconsciente, dando-lhe instruções por meio da auto-sugestão - como eu enganei o subconsciente do meu filho.

> MILHÕES DE INDIVÍDUOS CRIAM A PRÓPRIA INFELICIDADE PORQUE TÊM UMA CRENÇA NEGATIVA QUE É CAPTADA PELO SUBCONSCIENTE.

Para fazer com que esse "estratagema" pareça mais real, sempre que você conversar com o seu subconsciente, proceda exatamente como se já possuísse o bem material que deseja.

Qualquer ordem transmitida ao subconsciente em um estado de crença ou fé – a certeza de que será obedecida – será por ele transformada em seu equivalente material, pelos meios mais práticos e diretos que estiverem disponíveis.

Certamente, você já possui material suficiente para estabelecer um ponto de partida para a experiência e a prática, por meio das quais poderá adquirir a capacidade de integrar a fé a qualquer ordem dada ao subconsciente. A perfeição vem com o exercício. Não basta ler as instruções.

Sendo verdade que se pode virar criminoso pela associação com o crime (e esse é um fato conhecido), é igualmente verdadeira a idéia de ser possível desenvolver a fé pela sugestão intencional ao subconsciente. A mente acaba por absorver a natureza das influências que a dominam. Compreenda essa verdade e saberá por que é essencial fazer das emoções positivas as forças dominantes da sua mente, eliminando as emoções negativas.

A mente tomada por emoções positivas torna-se um abrigo favorável para o estado de espírito conhecido como fé. A fé pode, à vontade, transmitir ao subconsciente instruções que são aceitas e rapidamente postas em ação.

A AUTO-SUGESTÃO PODE INDUZIR A FÉ

No decorrer dos tempos, os religiosos sempre aconselharam a humanidade a "ter fé" nisso ou naquilo, neste ou naquele dogma ou credo, mas não lograram dizer ao povo como conseguir; não explicaram que "a fé é um estado de espírito que pode ser induzido pela auto-sugestão".

Em linguagem acessível, vamos ver tudo o que sabemos sobre o princípio pelo qual a fé pode ser criada ou desenvolvida.

Tenha fé em você; fé no Infinito.

Antes de começar, vamos relembrar que:

Fé é o "eterno elixir" que dá vida, poder e ação ao impulso mental.

A frase anterior merece ser lida duas, três, quatro vezes e em voz alta!

Fé é o ponto de partida para toda acumulação de riqueza.

Fé é a base de todos os "milagres" e de todos os mistérios que não podem ser analisados pelas leis da ciência.

Fé é o único antídoto conhecido para o fracasso.

Fé é o elemento que, combinado à prece, abre um canal direto de comunicação com a Inteligência Infinita.

Fé é o elemento que transforma a vibração comum do pensamento, criada pela mente finita do homem, em seu equivalente espiritual.

Fé é o único instrumento por meio do qual as forças cósmicas da Inteligência Infinita podem ser atraídas e aproveitadas pelo homem.

Todas essas afirmativas podem ser provadas!

A prova, simples e facilmente demonstrável, está ligada ao princípio da auto-sugestão. Vamos, pois, concentrar nossa atenção na auto-sugestão – em que consiste e o que é capaz de realizar.

Sabe-se que todo indivíduo acaba acreditando no que repete para si mesmo, seja verdade ou mentira. Uma mentira repetida continuamente passa a ser aceita como verdade. Cada um é o que é por causa de seus pensamentos dominantes – aqueles que recebem permissão de ocupar a mente. Os pensamentos que alguém deliberadamente coloca na própria mente, alimenta e combina a uma ou mais emoções constituem as forças motivadoras que dirigem e controlam cada movimento, ato ou feito seu.

Preste atenção à importância desta verdade:

"Pensamentos combinados a quaisquer sentimentos ou emoções constituem uma força "magnética" que atrai, pelas vibrações do éter, outros pensamentos similares ou relacionados."

Portanto, um pensamento "magnetizado" com emoção pode ser comparado à semente que, quando plantada em solo fértil, germina, cresce e se multiplica muitas e muitas vezes, até transformar-se em milhões de incontáveis sementes da mesma espécie!

O éter é uma imensa massa cósmica de eternas forças de vibração. Constitui-se tanto de vibrações destrutivas quanto de vibrações construtivas. Carrega, sempre, vibrações de medo, pobreza, doença, fracasso, miséria, bem como vibrações de prosperidade, saúde, sucesso e felicidade – tão certo como carrega, por meio do rádio, o som de centenas de orquestrações musicais e centenas de vozes humanas, todas mantendo sua individualidade e suas formas de identificação.

A mente humana atrai continuamente as vibrações existentes na imensidão do éter que sejam capazes de unir-se em harmonia àquelas que a dominam. Qualquer pensamento, idéia, plano ou propósito guardado em nossa mente atrai das vibrações do éter um grande número de semelhantes, adiciona esses "aparentados" à própria força e cresce até tornar-se dominante, mestre motivador do indivíduo em cuja mente foi abrigado.

Agora, voltemos ao ponto de partida. Vamos ver como a semente original de uma idéia, plano ou propósito pode ser plantada na mente. É muito simples: pela repetição. Aí está o porquê de pedirmos que você registre por escrito o seu maior propósito ou alvo principal definido, preservando-o na memória e repetindo-o em alto e bom som, dia após dia, até que as vibrações sonoras alcancem o seu subconsciente.

Somos o que somos pelas vibrações dos pensamentos que escolhemos e registramos, através dos estímulos do nosso dia-a-dia.

Decida-se a afastar as influências de um ambiente infeliz e a manter a vida em ordem. Examinando as suas vantagens e desvantagens mentais, você descobrirá que a sua maior fraqueza é a falta de autoconfiança. Essa desvantagem pode ser superada, e a timidez pode ser transformada em coragem, com a ajuda do princípio da auto-sugestão. Esse princípio pode ser aplicado de maneira bem simples: basta escrever, memorizar e repetir os impulsos mentais positivos, até que se tornem parte do equipamento operacional do seu subconsciente.

A FÓRMULA DA AUTOCONFIANÇA

PRIMEIRO: Sei que possuo a capacidade para alcançar meu propósito definido na vida. Assim, exijo de mim uma ação persistente e contínua para atingi-lo e prometo, aqui e agora, começar a agir imediatamente.

SEGUNDO: Compreendo que os pensamentos dominantes da minha mente, a seu tempo, se manifestarão em forma de ação física, transformando-se gradualmente em realidade material. Assim, concentrarei meus pensamentos, por trinta minutos diariamente, na tarefa de pensar na pessoa que tenciono ser, criando uma clara imagem mental do resultado.

TERCEIRO: Sei que, pelo princípio da auto-sugestão, qualquer desejo que eu guardar com persistência em minha mente acabará por encontrar um meio prático de expressar-se, a fim de atingir o objetivo por ele apoiado. Assim, devotarei dez minutos do meu dia para exigir de mim o desenvolvimento da autoconfiança.

QUARTO: Escrevi claramente uma descrição do meu alvo principal definido na vida e nunca deixarei de tentar alcançá-lo, até desenvolver autoconfiança suficiente para isso.

QUINTO: Percebo com clareza que nenhum bem ou posição pode perdurar, a menos que seja construído sobre verdade e justiça. Assim, não participarei de transação que prejudique qualquer pessoa. Obterei êxito atraindo para mim as forças que quero usar e a cooperação de outras pessoas. Induzirei os outros a me servirem por meio do meu desejo de servi-los. Eliminarei hostilidade, inveja, ciúme, egoísmo e cinismo, desenvolvendo amor por toda a humanidade, porque sei que uma atitude negativa em relação aos outros jamais poderá trazer-me sucesso. Farei os outros acreditarem em mim, pois acreditarei neles e em mim.

Assinarei meu nome nesta fórmula, como garantia de preservá-la na memória e lê-la em voz alta uma vez por dia, com fé plena de que, gradualmente, influenciarei meus pensamentos e minhas ações, de maneira a tornar-me uma pessoa bem-sucedida e autoconfiante.

Por trás dessa fórmula há uma lei da natureza, ainda não explicada, que sempre confundiu os cientistas. Os psicólogos a chamaram de "auto-sugestão", e assim ficou.

Pouco importa o nome dado a essa lei. O importante é que ela funciona, para a glória e o sucesso da humanidade, desde que usada construtivamente. Por outro lado, se usada destrutivamente, funciona com a mesma eficácia. Nessa afirmação pode ser encontrada uma verdade muito importante: aqueles que sucumbem à derrota e acabam a vida na pobreza, na miséria e no sofrimento aplicaram negativamente o princípio da auto-sugestão. A causa está no fato de que todo impulso mental tem a tendência de tomar a forma de seu equivalente material.

O subconsciente (laboratório químico no qual todo impulso mental é combinado e preparado para transformar-se em realidade física) não faz distinção entre impulsos mentais construtivos e destrutivos. Ele funciona a partir do material com o qual é alimentado, por meio dos nossos impulsos mentais. O subconsciente transforma tão prontamente em realidade um pensamento provocado pelo medo, quanto outro gerado pela coragem ou pela fé.

Os anais da Medicina são ricos em ilustrações de casos de "suicídio por sugestão". Uma sugestão negativa, assim como qualquer outro meio letal, pode levar à morte. Em uma cidade do meio-oeste dos Estados Unidos, um bancário chamado Joseph Grant "tomou emprestada" uma grande soma em dinheiro do banco, sem o conhecimento dos diretores, e perdeu tudo no jogo. Certa tarde, o auditor foi verificar as contas. Grant deixou o banco, tomou um quarto num hotel local e, quando o acharam, três dias depois, estava deitado na cama, lamentando-se e gemendo, repetindo sem parar: "Meu Deus, isso vai me matar! Não posso suportar essa desgraça!" Em pouco tempo, estava morto. Os médicos diagnosticaram o caso como "suicídio mental".

Quando usada construtivamente, a eletricidade faz girar as engrenagens da indústria, prestando bons serviços; se mal-empregada, pode extinguir a vida. Com a lei da auto-sugestão, acontece o mesmo: conforme o entendimento e a aplicação, pode levar à paz e à prosperidade ou em direção ao vale da miséria, do fracasso e da morte.

Se você encher a mente de medo e duvidar de sua capacidade de utilizar as forças da Inteligência Infinita, a lei da auto-sugestão tomará esse espírito de descrédito, adotando-o como padrão que o subconsciente transformará em seu equivalente material.

Isso é tão certo quanto dois e dois são quatro!

Assim como o vento leva uma embarcação para o leste e outra para o oeste, a lei da auto-sugestão pode fazer você progredir ou regredir, conforme a disposição das velas do seu pensamento.

A lei da auto-sugestão, pela qual é possível alcançar níveis de realização surpreendentes, é bem descrita nestes versos:

"Se pensa que está derrotado, você estará,
Se pensa que não tem coragem, você não terá,
Se gosta de vencer, mas pensa que não pode,
É quase certo que não vencerá.

Se pensa que vai perder, você está perdido,
Porque, pelo que se vê,
O sucesso começa com a vontade –
Tudo depende do estado de espírito.

Se pensa ser inferior, você é,
É preciso pensar alto para subir,
É preciso estar seguro de si
Para ganhar um prêmio.

As batalhas da vida nem sempre são vencidas
Pelo mais forte ou pelo mais rápido.
Mas cedo ou tarde vencerá
Aquele que pensa que pode!"

Observe as palavras em destaque e vai captar exatamente o que o poeta quis dizer.

Em algum lugar dentro de você (talvez nas células do cérebro) repousa, adormecida, a semente da realização que, se estimulada e ativada, é capaz de levá-lo a alturas inimagináveis.

Assim como o virtuose consegue extrair os mais belos sons das cordas de um violino, você pode fazer o gênio que dorme em seu cérebro despertar e apontar-lhe o caminho do sucesso.

Até completar 40 anos, Abraham Lincoln foi um fracasso em tudo o que tentou. Foi um "joão-ninguém", até que uma experiência extraordinária ocorreu em sua vida, estimulando o gênio que trazia adormecido no coração e no cérebro e dando ao mundo um grande homem. Essa "experiência" misturou-se com emoções de tristeza e amor, chegando até ele por intermédio de Anne Rutledge, a única mulher que realmente amou.

É fato notório que a emoção do amor é parente próxima do estado de espírito que chamamos fé, porque o amor quase chega a transformar impulsos mentais em seus equivalentes espirituais. Durante o trabalho de pesquisa para este livro, com a análise das vidas e dos feitos de centenas de indivíduos que alcançaram realizações extraordinárias, ficou claro que, por trás de quase todos eles, havia o amor de uma mulher. A emoção do amor cria, no coração e no cérebro humanos, um campo favorável de atração magnética que causa um afluxo das mais elevadas e melhores vibrações em suspensão no espaço.

> EM ALGUM LUGAR DENTRO DE VOCÊ REPOUSA, ADORMECIDA, A SEMENTE DA REALIZAÇÃO.

Se deseja comprovar o poder da fé, estude as realizações de homens e mulheres que a empregaram. No topo da lista, vem o Nazareno. O cristianismo é a maior força a influenciar a mente dos homens. A base do cristianismo é a fé, não importa quantos possam ter deturpado ou interpretado equivocadamente o significado dessa grande força, tampouco quantos dogmas e crenças que não refletem sua doutrina tenham sido criados em seu nome.

A essência dos ensinamentos e das realizações de Cristo que podem ter sido interpretados como "milagres" era nada mais, nada menos que fé. Se existe o fenômeno chamado "milagre", ele é produto desse estado de espírito chamado fé! Alguns professores de religião e muitos dos que se dizem cristãos não compreendem nem praticam a fé.

Vamos considerar o poder da fé exercido por um homem conhecido em todo o mundo civilizado: Mahatma Gandhi, da Índia. Nesse homem, o mundo tem um dos mais incríveis exemplos das possibilidades da fé. Gandhi foi mais poderoso do que qualquer outro homem vivo de seu tempo, e isso sem contar com qualquer das armas que habitualmente acompanham o exercício do poder, tais como navios de guerra, soldados ou material bélico. Gandhi não possuía dinheiro, nem casa, nem roupas, mas tinha poder. Como isso era possível?

Gandhi conquistou o poder com base em sua compreensão do princípio da fé e em sua habilidade de transplantar essa fé para a mente de 200 milhões de pessoas.

Gandhi realizou, pela influência da fé, o que o mais forte poderio militar não conseguiu nem jamais conseguirá fazer com seus soldados e seu equipamento militar. Ele realizou o feito extraordinário de convencer 200 milhões de mentes a se unirem e agirem em harmonia, como se fossem uma só.

Que outra força sobre a face da Terra, a não ser a fé, conseguiria tanto?

Chegará o dia em que empregados e empregadores descobrirão as possibilidades da fé. Esse dia está nascendo. O mundo inteiro tem tido a oportunidade de testemunhar o que a falta de fé pode causar à economia.

Certamente, a civilização produziu um número suficiente de seres humanos inteligentes para fazerem uso da grande lição que a desaceleração da economia ensinou ao mundo. Nesse período, o mundo teve inúmeras provas de que o medo amplamente disseminado paralisa as engrenagens de indústrias e empresas. Dessa experiência, surgirão líderes nos meios empresarial e industrial que se beneficiarão do exemplo que Gandhi nos legou, aplicando aos negócios a mesma tática que ele utilizou para reunir o maior número de seguidores que o mundo já viu. Esses líderes brotarão entre os trabalhadores anônimos das usinas siderúrgicas, das minas de carvão, das fábricas de automóveis, em cidades grandes e pequenas.

O mundo dos negócios vai mudar, não tenha dúvida! Os métodos do passado, baseados na combinação econômica de força e medo, serão substituídos por melhores princípios de fé e cooperação. Trabalhadores receberão mais do que salários; aqueles que sustentam a empresa participarão dos lucros. Mas, primeiro, precisam ser mais dedicados e parar com conflitos e disputas. Precisam conquistar o direito à participação nos lucros!

Além do mais – e isso é o mais importante de tudo –, os líderes serão indivíduos capazes de compreender e aplicar os princípios de Mahatma Gandhi. Somente assim conseguirão despertar em seus seguidores o espírito de completa cooperação, que constitui o poder em sua forma mais elevada e duradoura.

Esta estupenda era tecnológica em que vivemos – e da qual estamos apenas emergindo – tomou a alma dos homens. Os líderes tratam os funcionários como peças de engrenagem; foram forçados a isso como resultado de negociações segundo as quais os empregados recebem sem dar, o que prejudica todos os envolvidos. A palavra de ordem no futuro será alegria e felicidade para o ser humano. E, quando esse estado de espírito for atingido, os resultados serão muito melhores do que aqueles do tempo em que o empregado não conseguia combinar fé, interesses pessoais e trabalho.

Devido à necessidade de fé e cooperação na administração de empresas e indústrias, será interessante e proveitoso analisarmos um evento que possibilita a perfeita compreensão do método pelo qual industriais e empresários acumularam grandes fortunas: dar antes de tentar receber.

O evento escolhido como exemplo data de 1900, quando a United States Steel Corporation foi formada. Ao ler a história, guarde estes fatos fundamentais e compreenderá como as idéias se converteram em enormes fortunas.

Primeiro: a enorme United States Steel Corporation nasceu na mente de Charles M. Schwab, sob a forma de uma idéia criada em sua imaginação! Segundo: ele acrescentou fé à idéia. Terceiro: formulou um plano para transformar a idéia em realidade material e financeira. Quarto: colocou o plano em ação, com o famoso discurso no University Club. Quinto: aplicou o plano com persistência, levando-o adiante, com base em uma decisão firme, até concretizá-lo. Sexto: seu desejo ardente preparou o caminho para o sucesso.

Se você faz parte daqueles que se perguntam como as grandes fortunas foram acumuladas, a história da criação da United States Steel Corporation tem muito a contar. Se ainda duvida de que as pessoas possam pensar e enriquecer, poderá ver claramente nesta história a aplicação de grande parte dos 13 princípios descritos neste livro.

Essa surpreendente descrição do poder de uma idéia foi relatada em cores vivas por John Lowell, no *New York World-Telegram*, que gentilmente permitiu a reprodução da matéria.

Um belo discurso de um bilhão de dólares, após o jantar

"Na noite de 12 de dezembro de 1900, quando cerca de 80 pessoas da elite financeira mundial encontraram-se no salão de banquetes do University Club, na Quinta Avenida, para homenagear um jovem vindo do Oeste, poucos convidados perceberam estar diante do mais importante episódio da história da indústria dos Estados Unidos.

J. Edward Simmons e Charles Stewart Smith, muito agradecidos pela hospitalidade com que foram recebidos por Charles M. Schwab na visita que haviam feito pouco tempo antes a Pittsburgh, organizaram um jantar para apresentar o 'homem do aço', de 38 anos, à nata da sociedade financeira do Leste. Não esperavam, porém, o impacto que ele causaria na reunião. Na verdade, Schwab havia sido prevenido pelos amigos de que o grupo de abastados de Nova York não se deixaria impressionar pela oratória e que, caso não quisesse entediar os Stillmans, Harrimans e Vanderbilts, seria melhor limitar-se a uns quinze ou vinte minutos de superficialidade e só.

Inclusive John Pierpont Morgan, sentado à direita de Schwab como pedia sua alta posição, pretendia honrar a mesa do banquete com sua presença apenas por um breve tempo. E, no que se refere a imprensa e público, o evento era de tão pouca importância que não lhe foi feita qualquer referência nos meios de comunicação.

Assim, os dois anfitriões e seus distintos convidados saborearam os habituais sete ou oito pratos. Houve pouca conversa, sobre assuntos cuidadosamente escolhidos. Entre os banqueiros e corretores presentes, poucos conheciam Schwab, cuja carreira florescera nos arredores do rio Monongahela. Porém, antes que terminasse a noite, todos – inclusive Morgan, o mago das finanças – ficariam impressionados, e a United States Steel Corporation, um bebê de 1 bilhão de dólares, seria concebido.

É pena que nenhum registro do discurso de Charlie Schwab no jantar tenha sido feito. Alguns pontos foram repetidos em outra ocasião, durante um encontro semelhante, dessa vez com banqueiros de Chicago. E ainda mais tarde, quando o governo entrou com uma ação para dissolver o truste do aço, ele deu, do banco das testemunhas, sua versão dos argumentos que estimularam Morgan a uma frenética atividade financeira.

É provável, no entanto, que tenha sido um discurso despretensioso, nada rebuscado (pois as sutilezas de linguagem nunca preocuparam Schwab), cheio de sátiras combinadas com graça e inteligência. Apesar disso, sua fala teve uma força e um efeito estimulantes sobre os 5 bilhões de capital estimado, representado pelos convivas. Depois de Schwab falar durante noventa minutos, enquanto os participantes da reunião se encontravam ainda sob o encanto de suas idéias, Morgan o levou para um canto discreto, onde se sentaram e, balançando as pernas do alto do assento desconfortável, conversaram por mais uma hora.

A mágica da personalidade de Schwab atuava à força máxima, mas o mais significativo e marcante foi o programa bem-elaborado e claramente definido apresentado por ele para a ampliação da Steel. Muitos tentaram fazer Morgan se interessar pela formação de um truste do aço, à maneira das associações de biscoitos, arames, açúcar, borracha, uísque, óleo ou goma de mascar. John W. Gates, sempre ousado, pressionou-o, mas Morgan não confiou nele. Os jovens Moore, Bill e Jim, corretores de ações de Chicago, responsáveis pela união de um truste de fósforos com uma empresa de biscoitos, também insistiram e falharam. Elbert H. Gary, o sisudo advogado, desejou promover o assunto, mas não era suficientemente bom para impressionar. Até a eloqüência de Schwab levar Morgan às alturas, de onde pôde visualizar os bons resultados do mais arrojado empreendimento financeiro já concebido, o projeto tinha sido considerado o sonho delirante de alguém em busca de dinheiro fácil.

O magnetismo financeiro que começou, na geração anterior, a atrair milhares de companhias pequenas e, às vezes, mal-administradas, para grandes e competitivas associações tornou-se atuante no mundo do aço pelos meios técnicos desse jovial pirata dos negócios, John W. Gates. Ele já havia formado a American Steel and Wire Company, resultado da fusão de uma cadeia de pequenas empresas, e criara junto com Morgan a Federal Steel Company. A National Tube e a American Bridge eram duas outras firmas de Morgan, e a Moore Brothers havia abandonado o negócio dos fósforos e dos biscoitos para formar o grupo 'americano' – setores de folha-de-flandres, de aros de aço, de chapas de aço – e a National Steel Company.

No entanto, essas associações eram insignificantes, se comparadas ao gigantesco truste vertical de Andrew Carnegie, com 53 sócios e proprietários. As empresas podiam associar-se à vontade, mas, ainda que operassem em bloco, não representariam qualquer ameaça à organização de Carnegie, e Morgan sabia disso.

O excêntrico velho escocês Carnegie também o sabia. Das magníficas alturas do castelo Skibo, ele havia percebido, primeiro com deleite e depois com ressentimento, as tentativas de inclusão das pequenas empresas de Morgan em seu negócio. Quando as tentativas começaram a tornar-se ousadas demais, a disposição de Carnegie traduziu-se em raiva e retaliação, e ele decidiu copiar cada uma das fábricas rivais. Até aí, não havia demonstrado interesse em arames, aros ou lâminas. Ao contrário: ficava satisfeito em vender para essas companhias o aço bruto e deixar que trabalhassem o material da forma que desejassem. Então, com Schwab e seu hábil tenente, planejou encostar os inimigos na parede.

Assim, no discurso de Charles M. Schwab, Morgan viu a resposta para seu problema de associação. Um truste sem Carnegie – o maior deles todos – não seria um truste de forma alguma; seria, como disse um escritor, um pudim de ameixas sem as ameixas.

O discurso de Schwab, na noite de 12 de dezembro de 1900, embora não fosse uma clara afirmativa, sugeria sem dúvida que a enorme empresa de Carnegie poderia unir-se às de Morgan. Ele falou sobre o futuro do aço no mundo, a reorganização para a eficiência, a especialização, a dissolução das fábricas malsucedidas, com a concentração de esforços naquelas em crescimento, o comércio de minério, a economia nos departamentos administrativo e operacional e a conquista de mercados estrangeiros.

Mais do que isso: disse aos especuladores presentes onde estavam os erros de sua habitual roubalheira. Seu propósito, ele concluiu, era criar monopólios, aumentar preços e obter gordos dividendos como prêmio. À sua maneira entusiástica, Schawb condenou o sistema. A falta de visão de tal política, disse aos ouvintes, ficava patente pelo aprisionamento do mercado em uma era em que tudo apontava para a expansão. Argumentou que o barateamento do custo do aço criaria um mercado em permanente expansão, com a descoberta de novos usos e a conquista de uma boa fatia do mercado mundial. Na verdade, embora não o soubesse, Schwab foi um apóstolo da moderna produção em massa.

Assim, o jantar no University Club chegou ao fim. Morgan foi para casa pensar nas otimistas previsões de Schwab. Este voltou a Pittsburgh para dirigir o negócio de aço para Wee Andra Carnegie, enquanto Gary e os demais retornaram ansiosos ao mercado de ações, à espera do próximo movimento.

Não foi preciso esperar muito. Morgan levou cerca de uma semana para digerir o grande número de razões que Schwab colocara diante dele. Quando teve certeza de que não resultaria dali uma indigestão financeira, chamou Schwab – e o achou um tanto retraído. Schwab disse que o sr. Carnegie poderia não gostar se descobrisse que o presidente de sua companhia flertava com o 'imperador' de Wall Street, a rua na qual o chefe prometera jamais pisar. Então, foi sugerido por John W. Gates, o intermediário, que se Schwab 'por acaso' estivesse no Bellevue Hotel, na Filadélfia, então J. P. Morgan poderia também estar lá 'por coincidência'. No entanto, quando Schwab chegou, Morgan estava inconvenientemente adoentado em casa, em Nova York. Assim, pressionado pelo convite do superior, Schwab foi a Nova York e apresentou-se ao financista.

Alguns historiadores econômicos acreditam que, do início ao fim da história, a cena foi dirigida por Andrew Carnegie; o jantar para Schwab, o famoso discurso, o encontro noturno no domingo entre Schwab e o 'rei do dinheiro' seriam eventos arranjados pelo astucioso escocês. A verdade é exatamente o oposto. Quando Schwab foi chamado para fechar o acordo, ele não sabia se 'o chefinho', como Andrew era chamado, estaria disposto a ouvir uma oferta de compra, especialmente em se tratando de um grupo que, segundo ele, não tinha um só 'santinho' entre seus integrantes. Mas Schwab foi para o encontro levando seis folhas escritas de próprio punho, cheias de números precisos que representavam o valor concreto e a potencial capacidade de ganhos de cada uma das siderúrgicas que ele considerava estrelas essenciais no novo firmamento do metal.

Quatro homens estudaram os números a noite toda. O chefe, claro, era Morgan, firme em sua crença no direito divino do dinheiro. Com ele estava seu aristocrático sócio, Robert Bacon, um cavalheiro e conhecedor do assunto. O terceiro era John W. Gates, a quem Morgan não levava a sério, considerando-o um jogador. O quarto era Schwab, que, na época, sabia mais sobre o processo de fazer e vender aço do que qualquer um. Durante a reunião, os números do homem de Pittsburgh não foram questionados em momento algum. Se ele dizia que uma companhia valia tanto, então valia tanto e não mais. Insistiu, também, que só fossem incluídas na operação as empresas indicadas por ele. Havia concebido uma corporação na qual não haveria duplicação, nem mesmo para satisfazer a ambição dos amigos que queriam descarregar suas companhias nos amplos ombros de Morgan. Assim, deixou de fora, deliberadamente, diversas grandes firmas sobre as quais os Walruses e Carpenters de Wall Street tinham pousado olhos cobiçosos.

O dia amanhecia. Morgan se levantou e endireitou as costas. Só uma pergunta não fora respondida:

– Você acha que pode persuadir Andrew Carnegie a vender? – perguntou.

– Posso tentar – respondeu Schwab.

– Se você conseguir que ele venda, eu me encarrego da questão – disse Morgan.

Até aí tudo bem. Mas será que Carnegie venderia? Quanto pediria? (Schwab pensava em algo em torno de 320 milhões de dólares). De que maneira ele receberia esse pagamento? Em ações ordinárias ou preferenciais?

Em títulos? Em dinheiro? Ninguém pode levantar um terço de bilhão de dólares em dinheiro.

Em janeiro, houve uma partida nos semicongelados campos de golfe de St. Andrews, em Winchester, que Andrew Carnegie disputou embrulhado em suéteres para suportar o frio, enquanto Charlie Schwab falava sem parar, como de hábito, para manter o espírito alerta. Todavia, nenhuma palavra sobre negócios foi mencionada até que a dupla sentou-se, no calor aconchegante do chalé de Carnegie. Então, usando a mesma persuasão com que havia hipnotizado 80 milionários no University Club, Schwab derramou as tentadoras promessas de aposentadoria no conforto dos milhões não declarados, para satisfazer os caprichos sociais do outro. Carnegie capitulou, escreveu um número numa folha de papel, entregou-a a Schwab e disse:

– Certo, é por esta quantia que venderemos.

A quantia era de aproximadamente 400 milhões de dólares, e ele chegou a tal cifra tomando como preço básico os 320 milhões mencionados por Schwab, mais 80 milhões que representavam o valor do aumento de capital dos dois anos anteriores.

Mais tarde, no convés de um transatlântico, o escocês disse a Morgan em tom lamentoso:

– Eu deveria ter pedido mais 100 milhões de dólares.

– Se tivesse pedido, teria conseguido – disse Morgan em tom animador.

Houve um certo alvoroço, é claro. Um correspondente britânico telegrafou, informando que a comunidade internacional do aço estava 'assustada' com a gigantesca associação. O reitor Hadley, de Yale, declarou que, a menos que os trustes fossem regulados, o país poderia esperar 'um imperador em Washington nos próximos vinte e cinco anos'. Porém o hábil manipulador de ações, Keene, colocou mãos à obra e empurrou as novas ações para o público com tanta disposição que todo o excesso – estimado em cerca de 600 milhões de dólares – foi absorvido num piscar de olhos. Dessa forma, Carnegie teve seus milhões, o grupo de Morgan ficou com 62 milhões de dólares 'pelo incômodo', e todos os 'rapazes' de Gates a Gary, receberam sua cota de milhões.

Schwab, aos 38 anos, teve sua recompensa: tornou-se presidente da nova corporação e permaneceu no controle até 1930."

A dramática história de *big business* que você acabou de ler foi incluída neste livro porque é uma perfeita demonstração do método pelo qual o desejo pode ser transformado em seu equivalente material!

Imagino que alguns leitores questionarão a declaração de que um mero e intangível desejo possa converter-se em seu equivalente material. Não se pode converter nada em alguma coisa! A resposta está na história da united states steel.

> A RIQUEZA COMEÇA EM FORMA DE PENSAMENTO!

Essa organização gigantesca foi criada na mente de um homem. O plano pelo qual a organização recebeu as usinas siderúrgicas que lhe deram estabilidade financeira foi criado na mente desse mesmo homem. Sua fé, seu desejo, sua imaginação, sua persistência foram os verdadeiros ingredientes que formaram a United States Steel. As siderúrgicas e o equipamento mecânico adquiridos pela corporação, depois que ela teve sua existência legalizada, foram secundários, mas uma análise cuidadosa mostrará o fato de que o valor estimado das propriedades adquiridas pela corporação aumentou mais ou menos em 600 milhões de dólares, simplesmente pela transação que as consolidou sob uma só administração.

Em outras palavras, a idéia de Charles M. Schwab, mais a fé com que ela foi transportada para as mentes de J. P. Morgan e dos outros, foi vendida com um lucro de aproximadamente 600 milhões de dólares. Não é propriamente uma soma insignificante para uma idéia!

O que aconteceu com alguns daqueles que pegaram sua parte no lucro de milhões de dólares resultante dessa transação é assunto que não nos preocupa no momento. O principal aspecto da extraordinária realização é que ela serve como prova inquestionável da importância da filosofia descrita neste livro, porque essa filosofia foi a base de toda a transação. Além disso, a viabilidade da filosofia ficou clara com a prosperidade da United States Steel Corporation, que se tornou uma das mais ricas e poderosas corporações dos Estados Unidos, empregando milhares de pessoas, desenvolvendo novos usos para o aço e abrindo novos mercados, provando assim que o lucro de 600 milhões de dólares, obtido com a idéia de Schwab, foi merecido.

A riqueza começa em forma de pensamento!

O volume da riqueza é limitado pela pessoa em cuja mente o pensamento é posto em ação. A fé remove as limitações! Lembre-se disso quando for negociar com a Vida o preço daquilo que você quer.

Lembre-se também de que o criador da United States Steel Corporation era praticamente desconhecido na época. Até dar à luz sua famosa idéia, ele era apenas o homem de confiança de Andrew Carnegie. Depois disso, galgou rapidamente uma posição de poder, fama e riqueza.

> NÃO EXISTEM LIMITAÇÕES
> PARA A MENTE,
> EXCETO AS QUE NÓS MESMOS
> RECONHECEMOS.
> POBREZA E RIQUEZA SÃO
> PRODUTOS DO PENSAMENTO.

CAPÍTULO 3

AUTO-SUGESTÃO

COMO INFLUENCIAR O SUBCONSCIENTE
O TERCEIRO PASSO EM DIREÇÃO À RIQUEZA

Auto-sugestão é um termo que se aplica a todas as sugestões e estímulos auto-administrados que chegam à mente por intermédio dos cinco sentidos. Pode-se dizer que auto-sugestão é o meio de comunicação entre a parte da mente onde o pensamento consciente acontece e a parte que serve como base de ação para o subconsciente.

Ao permitirmos que os pensamentos dominantes permaneçam em nossa mente consciente (sejam eles negativos ou positivos), o princípio da auto-sugestão alcança voluntariamente o subconsciente e o influencia.

Nenhum pensamento consegue penetrar no subconsciente sem a ajuda do princípio da auto-sugestão, exceto aqueles captados do éter. Em outras palavras: todas as impressões percebidas através dos cinco sentidos são interceptadas pela mente pensante consciente, podendo ser passadas ao subconsciente ou rejeitadas. A faculdade consciente serve, portanto, como anteparo ao subconsciente.

> NENHUM PENSAMENTO CONSEGUE PENETRAR NO SUBCONSCIENTE SEM A AJUDA DO PRINCÍPIO DA AUTO-SUGESTÃO.

A natureza fez o ser humano de modo que tivesse absoluto controle sobre o material que atinge o subconsciente através dos cinco sentidos. Nem sempre, porém, ele consegue exercer esse controle. Na maioria das ocasiões, de fato não o exerce, o que explica por que tanta gente atravessa a vida na pobreza.

Recorde o que foi dito sobre o subconsciente parecer-se com um trecho de jardim fértil, onde ervas daninhas crescerão em abundância caso lá não se plantem sementes mais desejáveis. A auto-sugestão é o meio de controle pelo qual um indivíduo pode deliberadamente alimentar seu subconsciente com pensamentos de natureza criativa ou negligenciá-lo, permitindo que idéias de natureza destrutiva encontrem o caminho desse rico jardim da mente.

No último dos seis passos descritos no capítulo sobre o Desejo, você recebeu a instrução de ler em voz alta, duas vezes por dia, diariamente, a descrição feita por escrito do seu desejo por dinheiro, vendo-se e sentindo-se já em posse do dinheiro. Ao seguir essas instruções, você comunica o objeto do seu desejo diretamente ao subconsciente, em um espírito de fé absoluta. Com a repetição desse procedimento, criam-se voluntariamente hábitos de pensamento favoráveis aos seus esforços de transformar o desejo em seu equivalente monetário.

Volte àqueles seis passos descritos no capítulo um e releia-os com muito cuidado antes de continuar. Então, leia cuidadosamente as quatro instruções para a organização do seu grupo de Mente Mestra, descritas no capítulo sobre Planejamento Organizado. Comparando esses dois conjuntos de instruções com o que foi dito sobre auto-sugestão, você com certeza verá que esse princípio faz parte de todas as diretrizes apresentadas.

> PALAVRAS DITAS SEM EMOÇÃO NÃO INFLUENCIAM O SUBCONSCIENTE.

No entanto, lembre-se de que, ao ler em voz alta a declaração do seu desejo (por meio da qual pretende desenvolver uma "conscientização do dinheiro"), a mera leitura das palavras não terá conseqüência alguma – a menos que junte emoção ou sentimento às palavras. Se você repetir milhões de vezes a famosa fórmula de Emil Coué – "Dia a dia, de todas as maneiras, estou cada vez melhor" – sem misturar emoção e fé às suas palavras, não alcançará os resultados desejados. O subconsciente reconhece somente os pensamentos combinados à emoção e ao sentimento e então age de acordo.

Tal fato tem tamanha importância que merece ser repetido em praticamente todos os capítulos. Sua não compreensão é o motivo principal para que a maioria das pessoas que tentam aplicar o princípio da auto-sugestão não consiga bons resultados.

Palavras ditas sem emoção não influenciam o subconsciente. Você só conseguirá resultados apreciáveis quando aprender a atingir o subconsciente com palavras ou pensamentos combinados à emoção e à crença.

Se, na primeira tentativa, não conseguir controlar e direcionar as suas emoções, não desista. Lembre-se de que nada vem de graça. A capacidade de atingir e influenciar o subconsciente tem um preço que é preciso pagar. Não é possível trapacear, mesmo que você queira. A persistência na aplicação dos princípios que descrevemos é o preço da capacidade de influenciar o seu subconsciente. Não adianta regatear. O preço é esse. Você, e somente você, precisa decidir se a recompensa pela qual está lutando (a "consciência do dinheiro") vale ou não o preço a ser pago.

> O SUBCONSCIENTE ACEITA QUAISQUER ORDENS QUE LHE SEJAM DADAS NUM ESPÍRITO DE FÉ ABSOLUTA.

Sabedoria e "esperteza", apenas, não atraem nem retêm dinheiro, exceto em raríssimas circunstâncias, quando a lei das probabilidades atua favoravelmente. O método aqui descrito para atrair dinheiro não depende da lei das probabilidades. Além do mais, não existem favoritos. Funciona tão bem para uma pessoa quanto para outra. Quando não dá certo, a responsabilidade é da pessoa, e não do método. Se você tentar e falhar, tente outra vez, e outra, e mais outra, até conseguir.

A sua habilidade na utilização do princípio da auto-sugestão dependerá largamente da sua capacidade de concentração em determinado desejo, até que este se torne uma idéia fixa.

Quando começar a seguir as instruções e os passos descritos no capítulo um, você vai precisar utilizar o princípio da concentração.

Veja estas sugestões para o uso eficaz da concentração. Ao cumprir o primeiro dos seis passos, que instrui a "fixar na mente a quantia exata de dinheiro que você deseja", mantenha os seus pensamentos nessa soma de dinheiro; concentre-se, fixe a atenção, de olhos fechados, até conseguir ver realmente o aspecto físico do dinheiro. Faça isso pelo menos uma vez por dia. À medida que for conseguindo fazer esses exercícios, siga as instruções dadas no capítulo sobre a fé e veja-se realmente na posse do dinheiro!

Este é um fato de suma importância – o subconsciente aceita quaisquer ordens que lhe sejam dadas num espírito de FÉ absoluta e age de acordo com elas, embora freqüentemente seja necessário repetir tais ordens *muitas e muitas vezes*, antes de serem interpretadas pelo subconsciente. Seguindo as ponderações anteriores, considere a possibilidade de aplicar um "truque" perfeitamente legítimo em seu subconsciente, fazendo-o acreditar, porque você acredita, que a quantia visualizada é necessária e que esse dinheiro está à espera de que você vá buscá-lo. O que o subconsciente tem a fazer é fornecer-lhe planos práticos para conseguir o dinheiro que é seu.

Confie à sua imaginação o pensamento demonstrado no parágrafo anterior e veja o que ela fará para criar planos práticos que irão atrair o dinheiro pela transmutação do desejo.

Não espere que lhe venha à mente um plano definido de troca de serviços ou bens pelo dinheiro que está visualizando, mas comece logo a ver-se na posse do dinheiro, exigindo e esperando, enquanto isso, que o subconsciente lhe forneça os planos necessários. Fique alerta e, quando esses planos aparecerem, coloque-os em ação imediatamente. Assim que surgirem, eles provavelmente "se acenderão" em sua mente por meio do sexto sentido, sob a forma de "inspiração". Essa inspiração pode ser considerada um "telegrama" direto ou uma mensagem da Inteligência Infinita. Trate-a com respeito e comece a agir tão logo a receba. Não proceder assim seria fatal para o seu sucesso.

No quarto passo, a instrução que você recebeu foi: "Criar um plano definido para realizar o desejo, começando a agir imediatamente." Siga essa instrução de acordo com o que foi descrito no parágrafo anterior. Não confie na razão quando conceber o plano para ganhar dinheiro pela transformação do desejo. A razão é imperfeita. Além do mais, a sua faculdade de raciocínio pode ser preguiçosa e, caso você dependa dela inteiramente, poderá vir a se desapontar.

Ao visualizar (com os olhos fechados) o dinheiro que pretende ganhar, veja-se prestando o serviço ou entregando o bem que tenciona dar em troca. Isso é importante!

SUMÁRIO DAS INSTRUÇÕES

O fato de você estar lendo este livro é uma indicação de que procura seriamente o conhecimento. Também é uma indicação de que deseja estudar o assunto. Se for este o caso, existe a possibilidade de aprender bastante, mas somente se assumir uma atitude de humildade. Caso siga algumas das instruções, mas se recuse a seguir outras, não vai dar certo! Para conseguir resultados satisfatórios, é preciso seguir todas as instruções, com espírito de fé.

As instruções dadas mais os seis passos do capítulo um serão agora resumidos e combinados com os princípios abordados neste capítulo:

PRIMEIRO. Vá para um lugar tranqüilo (de preferência na cama, à noite), onde não haja ruídos ou interrupções. Feche os olhos e repita em voz alta (para que possa ouvir as próprias palavras) o registro por escrito da quantia que pretende ganhar, o tempo limite para consegui-la e a descrição do serviço ou bem que tenciona oferecer em troca desse dinheiro. Enquanto segue essas instruções, veja-se já na posse do dinheiro.

Por exemplo: supondo que você tencione acumular o equivalente a 50 mil dólares em cinco anos, até 1º de janeiro, e que pretenda oferecer serviços pessoais no ramo de vendas em troca desse dinheiro, sua declaração escrita do propósito deve ser mais ou menos assim:

"No dia 1º de janeiro de 20["ano"], terei em meu poder o equivalente a 50 mil dólares, que me chegarão em quantias variadas, de tempos em tempos, até essa data.

Em troca desse dinheiro, oferecerei os serviços mais eficientes, em maior quantidade e de melhor qualidade de que sou capaz, no ramo de vendas de [descreva o serviço ou a mercadoria que pretende vender].

Acredito que terei esse dinheiro em meu poder. Minha fé é tão forte que consigo ver o dinheiro diante dos meus olhos. Posso tocá-lo com as minhas mãos. O dinheiro está aguardando para ser transferido para mim, no tempo e à medida em que eu entregar o serviço que pretendo prestar em troca. Aguardo um plano para ganhar esse dinheiro. Assim que tiver esse plano, vou segui-lo."

SEGUNDO. Repita esse programa pela manhã e à noite, até conseguir ver (na sua imaginação) o dinheiro que pretende ganhar.

TERCEIRO. Coloque uma cópia escrita da sua declaração onde possa vê-la, pela manhã e à noite, e a leia antes de dormir e assim que se levantar, até decorá-la.

Enquanto segue essas instruções, lembre-se de que está aplicando o princípio da auto-sugestão com o propósito de dar ordens ao seu subconsciente. Lembre-se, também, de que o seu subconsciente só aceita instruções acompanhadas de emoção e encaminhadas a ele com "sentimento". A fé é a mais forte e a mais produtiva das emoções. Siga o que o capítulo sobre a fé aconselha.

À primeira vista, tais instruções podem parecer abstratas. Não se deixe perturbar por isso. Siga-as, não importa quão imprecisas ou pouco práticas elas lhe pareçam a princípio. Siga essas instruções em espírito e em ações, e logo virá o tempo em que se revelará para você todo um novo universo de poder.

O ceticismo em relação a idéias novas é característico de todo ser humano. Mas, se você seguir o que está indicado, o seu ceticismo será em breve substituído pela crença, que por sua vez evoluirá para a fé absoluta. Então, você terá chegado ao ponto em que poderá dizer verdadeiramente: "Sou mestre do meu destino, capitão da minha alma!"

Muitos filósofos afirmaram que o indivíduo é o mestre de seu destino terreno, mas não disseram por que ele é o mestre. O motivo pelo qual o indivíduo pode ser o mestre de sua condição terrena, e especialmente de sua condição econômica, está muito bem-explicado neste capítulo. O ser humano pode tornar-se mestre de si mesmo e de seu ambiente porque tem o poder de influenciar o próprio subconsciente e, assim, receber a cooperação da Inteligência Infinita.

Você está lendo agora o capítulo que representa a peça fundamental da estrutura dessa filosofia. Essas instruções precisam ser bem entendidas e aplicadas com persistência, caso você queira obter sucesso na transformação do desejo em dinheiro.

A verdadeira façanha da transmutação de desejo em dinheiro envolve o uso da auto-sugestão como meio pelo qual se pode atingir e influenciar o subconsciente. Os demais princípios são simples ferramentas para aplicação da auto-sugestão. Mantenha essa idéia em mente e estará sempre consciente do importante papel desempenhado pelo princípio da auto-sugestão nos seus esforços para ganhar dinheiro por meio dos métodos descritos neste livro.

Siga as instruções como se fosse uma criança. Ponha nos seus esforços um pouco da fé de uma criança. Houve o maior cuidado, por parte do autor, para que não fosse incluída qualquer instrução pouco prática.

Depois de ler o livro inteiro, volte a este capítulo e siga em espírito e em atitude esta instrução:

Leia o capítulo inteiro em voz alta, uma vez a cada noite, até que se convença completamente de que o princípio da auto-sugestão é confiável e cumprirá tudo o que você pediu. Sublinhe as frases que lhe causarem uma impressão favorável.

Siga essas instruções ao pé da letra e estará abrindo o caminho para a completa compreensão e o controle dos princípios do sucesso.

Capítulo 4

Conhecimento especializado

Experiências e observações pessoais
O quarto passo em direção à riqueza

Existem dois tipos de conhecimento: geral e especializado. Quando se trata de ganhar dinheiro, pouco importam a quantidade e a qualidade do conhecimento geral. O corpo docente das grandes universidades reúne praticamente todas as formas de conhecimento geral acumulado pela civilização. No entanto, a maioria dos professores tem pouco ou nenhum dinheiro. São especializados no ensino do conhecimento, e não em sua organização e utilização.

O conhecimento só atrai dinheiro quando direcionado de forma organizada e inteligente, por meio de planos de ação práticos com um fim específico. O desconhecimento desse fato tem sido motivo de confusão para milhões de pessoas que acreditam falsamente que "conhecimento é poder". Nada disso! O conhecimento é apenas poder em potencial. Só se torna poder quando organizado em planos de ação definidos e dirigidos a uma meta específica.

Atualmente, esse "elo perdido" de todos os sistemas de educação conhecidos pela civilização pode ser encontrado na deficiência das instituições educacionais quanto a ensinar seus alunos a organizar e usar o conhecimento adquirido.

Muitos se enganam pensando que, por ter pouca escolaridade, Henry Ford não era um homem educado. Aqueles que cometem esse erro não conhecem a vida de Henry Ford, nem entendem o verdadeiro significado da palavra "educação" – de origem latina, de educo, que quer dizer "fazer crescer, revelar, desenvolver de dentro para fora."

Uma pessoa educada não é, necessariamente, alguém que tenha muito conhecimento geral ou especializado. Uma pessoa educada é aquela que desenvolveu as faculdades mentais de maneira a conseguir obter tudo o que deseja, ou quase, sem violar os direitos alheios. Henry Ford enquadra-se perfeitamente nessa definição.

Durante a Segunda Guerra Mundial, um jornal de Chicago publicou alguns editoriais nos quais, entre outras declarações, chamava Henry Ford de "pacifista ignorante". Ford se sentiu atingido e entrou com uma ação contra o jornal por calúnia e difamação. Quando a ação foi a julgamento, os advogados do jornal alegaram inocência e convocaram o próprio Ford ao banco das testemunhas, com o propósito de provar ao júri que se tratava de um ignorante. Várias perguntas lhe foram feitas, com a intenção de tornar evidente sua ignorância generalizada, ainda que possuísse o conhecimento relativo à fabricação de automóveis.

Entre as perguntas, estavam estas: "Quem foi Benedict Arnold?"; "Quantos soldados os britânicos enviaram aos Estados Unidos para reprimir a Rebelião de 1776?" A esta última, Ford respondeu:

– Ignoro o número exato de soldados enviados pelos britânicos, mas ouvi dizer que foi consideravelmente maior do que o número dos que voltaram.

Finalmente, cansado do interrogatório e irritado com uma pergunta especialmente ofensiva, inclinou-se, apontou o dedo para o advogado e disse:

– Vamos imaginar que eu quisesse responder à tolice que acabou de me perguntar, ou a qualquer um dos outros disparates que vem me perguntando. Deixe-me lembrá-lo de que tenho uma série de botões na minha mesa. Basta pressionar um deles para ter a meu lado pessoas capazes de me esclarecerem qualquer dúvida sobre o negócio ao qual venho dedicando meus maiores esforços. Agora, poderia ter a gentileza de me dizer por que eu deveria encher a cabeça com conhecimentos gerais, apenas para ser capaz de responder a perguntas, quando tenho pessoas em torno de mim que podem fornecer-me qualquer resposta que se faça necessária?

Certamente, havia uma lógica excelente nessa argumentação.

A resposta embaraçou o advogado. Todos no tribunal perceberam que aquela não era a resposta de um ignorante, mas a de um homem que tinha educação. Qualquer homem é educado quando sabe onde buscar o conhecimento de que precisa e como organizar esse conhecimento em planos de ação definidos. Com a assistência do seu grupo de Mente Mestra, Henry Ford tinha sob seu comando todo o conhecimento especializado que o capacitava a tornar-se um dos homens mais ricos dos Estados Unidos. Não era essencial que o conhecimento estivesse em sua mente. Certamente, a importância desse exemplo não escapará a qualquer um que tenha interesse em um livro como este e inteligência para lê-lo.

Antes de certificar-se da sua capacidade de transformar o desejo em seu equivalente monetário, é preciso que tenha o conhecimento especializado do serviço, da mercadoria ou da profissão que você tenciona oferecer em troca da fortuna. Se for preciso um conhecimento especializado superior ao que você teve capacidade ou interesse de adquirir, solicite a ajuda do seu grupo de Mente Mestra.

Andrew Carnegie declarou nada entender dos resultados técnicos dos negócios do aço, nem estar particularmente interessado em aprender. Ele foi buscar o conhecimento especializado necessário à fabricação e comercialização de seu produto nos componentes de seu grupo de mente mestra.

O acúmulo de grandes fortunas requer poder, e o poder é obtido pelo conhecimento especializado altamente organizado e direcionado de forma inteligente. Esse conhecimento, no entanto, não precisa necessariamente ser dominado pela pessoa que acumula a riqueza.

O ACÚMULO DE GRANDES FORTUNAS REQUER PODER.

O parágrafo anterior deve dar esperança e encorajar a todos que ambicionam acumular fortuna e não têm educação ou preparo bastante para garantir o conhecimento especializado necessário. Algumas pessoas atravessam a vida sofrendo de complexo de inferioridade por não se considerarem suficientemente educadas. Aquele que consegue organizar e liderar um grupo de indivíduos de Mentes Mestras com o conhecimento necessário à acumulação de dinheiro pode considerar-se tão capaz quanto qualquer membro do grupo. Se você se sente inferior por ter estudado pouco, lembre-se disso.

Thomas A. Edison freqüentou a escola apenas durante três meses em toda a sua vida. No entanto, não lhe faltou educação, tampouco morreu pobre.

Henry Ford não chegou a completar a 6ª série, mas se arranjou muito bem por conta própria em termos financeiros.

O conhecimento especializado está entre as formas de serviço mais abundantes e baratas. Se duvida, consulte a folha de pagamento de qualquer universidade!

VALE A PENA SABER COMO ADQUIRIR CONHECIMENTO

Em primeiro lugar, decida o tipo de conhecimento especializado de que precisa e o propósito a que se destina. O seu objetivo e a meta que você tem em mente determinam em grande parte o tipo de conhecimento necessário. Resolvida essa questão, a providência seguinte é conseguir informações precisas acerca de fontes confiáveis de conhecimento. As mais importantes são:

a) sua experiência e formação
b) experiências e informações disponíveis por meio da cooperação de outros (aliança com Mentes Mestras)
c) colégios e universidades
d) bibliotecas públicas (publicações e livros nos quais pode ser encontrado todo o conhecimento acumulado pela civilização)
e) cursos especiais de treinamento (cursos noturnos e de educação a distância)

O conhecimento adquirido deve ser organizado e colocado imediatamente em prática, com um propósito definido, de acordo com planos práticos já elaborados. O conhecimento só tem valor se for obtido por intermédio de sua aplicação, com vistas a um fim louvável. Eis aí uma das razões da pouca valorização dos títulos acadêmicos: eles representam nada mais do que conhecimento variado.

Se você pretende continuar a estudar, determine primeiro o propósito desse conhecimento adicional e depois procure fontes confiáveis em que possa obter tal tipo de informação.

Indivíduos bem-sucedidos em todas os setores nunca param de estudar, buscando aprender sempre mais sobre o que se relaciona a seu maior propósito, negócio ou profissão. Os malsucedidos freqüentemente cometem o erro de acreditar que o período de aquisição de conhecimentos termina com a formatura. Na verdade, as instituições de ensino fazem pouco mais do que simplesmente mostrar o caminho para a aquisição de conhecimento prático.

Este mundo transformado em que vivemos trouxe a necessidade de mudanças importantíssimas nas políticas educacionais. A ordem do dia é especialização! Essa afirmativa foi enfatizada por Robert P. Moore, encarregado de contratações da Universidade de Columbia. O texto encontra-se reproduzido a seguir.

Os especialistas mais procurados

"Os candidatos com algum tipo de especialização são particularmente requisitados pelos empregadores – graduados em administração de empresas, com treinamento em contabilidade e estatística, engenheiros de todas as áreas, jornalistas, arquitetos, químicos e também estudantes universitários do último ano que se destaquem em atuação e liderança.

Aquele que tem um bom desempenho em sua área, um bom relacionamento com todos os tipos de pessoas e formação adequada possui nítida vantagem sobre o profissional estritamente acadêmico. Alguns, em razão das suas amplas qualificações, recebem várias ofertas de trabalho, até seis ao mesmo tempo, às vezes."

Discordando da idéia de que o aluno de conceito "A" invariavelmente consegue os melhores empregos, Moore disse que a maioria das companhias não se preocupa apenas com os resultados acadêmicos, mas também com as atividades exercidas e a personalidade do candidato.

Um representante de uma grande indústria, líder no setor, ao escrever a Moore a respeito da possível contratação de alunos do último ano, disse:

"Estamos interessados principalmente em encontrar pessoas que consigam fazer progressos excepcionais na área de gerenciamento. Por isso, damos mais importância às qualidades de caráter, inteligência e personalidade do que à formação específica."

Proposta de estágio

Propondo um sistema de estágio de estudantes em escritórios, lojas e indústrias durante as férias de verão, Moore sugere que somente depois de dois ou três anos de universidade os alunos sejam convidados a escolher um curso definido.

"As instituições educacionais de ensino superior precisam encarar a realidade: atualmente, todas as ocupações e profissões exigem especialização", disse Moore, insistindo em que tais instituições assumam uma responsabilidade mais direta sobre a orientação vocacional.

Uma das mais confiáveis e práticas fontes de conhecimento à disposição de todos quantos precisem de conhecimento especializado são os cursos noturnos, encontrados na maioria das cidades grandes. O ensino a distância também oferece formação nas mais variadas áreas que possam fazer parte dos cursos de extensão. Duas vantagens de fazer um curso sem sair de casa são: a flexibilidade do programa e a facilidade de estudar durante o tempo livre. Outra estupenda vantagem dos estudos em casa, desde que o curso seja bem-escolhido, é o fato de a maior parte dos programas de ensino a distância oferecer a possibilidade de consulta, o que vem a ser uma ajuda inestimável para quem necessita de conhecimento especializado: o aluno pode esclarecer suas dúvidas, esteja onde estiver.

Tudo que se adquire sem esforço e sem custos é geralmente pouco valorizado. Talvez por isso muitos desperdicem a maravilhosa oportunidade oferecida pelas escolas públicas. A autodisciplina, resultante de um programa definido de estudo especializado, contrapõe-se ao desperdício da oportunidade de um conhecimento adquirido sem qualquer custo. As instituições que oferecem ensino a distância são altamente organizadas. Por cobrarem taxas relativamente baixas, são forçadas a insistir no pagamento imediato. Sabendo que tem de pagar pelo curso, qualquer que seja o seu desempenho, o aluno muito raramente abandona os estudos antes da conclusão. Talvez essas instituições ainda não se tenham dado conta de que seus departamentos de cobrança constituem a melhor forma de treinamento em decisão, agilidade, ação e hábito de completar as tarefas.

Aprendi isso por experiência própria, há mais de vinte e cinco anos. Matriculei-me num curso por correspondência em Propaganda. Depois de oito ou dez aulas, parei de estudar, mas a escola não parou de enviar a cobrança! Ademais, insistia no pagamento, quer mantivesse meus estudos ou não. Decidi que, tendo que pagar o curso (já que me comprometera legalmente), eu completaria as aulas e faria valer meu dinheiro. Na época, considerei injusto o sistema de cobrança da escola. Mais tarde, porém, compreendi ter sido aquela uma parte apreciável do meu treinamento – sem qualquer custo adicional. Forçado a pagar, fui em frente e completei o curso. Anos depois, o treinamento cumprido meio a contragosto em muito me ajudou a ganhar dinheiro.

Os Estados Unidos, por exemplo, contam com o que é considerado o melhor sistema de escolas públicas do mundo. Somas fabulosas são investidas em ótimos prédios e em transporte, para que os estudantes moradores de distritos rurais possam ter acesso às melhores escolas. Mas existe um inacreditável ponto fraco nesse maravilhoso sistema: é gratuito! O ser humano, por uma das suas mais estranhas peculiaridades, só valoriza o que tem preço. As escolas e bibliotecas públicas não impressionam o povo porque são de graça. Por isso, muita gente acha necessário um treinamento adicional antes de procurar emprego, ao terminar os estudos. Também é o principal motivo pelo qual os empregadores dão maior consideração aos empregados que fazem cursos a distância; pela experiência, concluíram que qualquer pessoa que se disponha a aproveitar parte de seu tempo livre para estudar em casa tem em si as qualidades do líder. Que não se veja aí um gesto caridoso de reconhecimento, mas uma decisão sensata no aspecto profissional por parte dos empregadores.

Só existe uma fraqueza nas pessoas para a qual não há remédio: total falta de ambição! Aqueles que reservam tempo livre para estudar em casa – assalariados, especialmente – raramente permanecem muito tempo na parte inferior da pirâmide. Sua atitude abre o caminho para a subida, removendo obstáculos e conquistando o interesse e a simpatia daqueles que têm o poder de colocá-los ao alcance da oportunidade.

O ensino a distância é especialmente adequado àqueles que trabalham o dia todo e sentem falta de um conhecimento especializado, mas não dispõem de tempo para voltar à escola. As mudanças nas condições econômicas tornaram necessário que milhares de pessoas buscassem novas fontes de renda. Para a maioria delas, a solução está na aquisição de conhecimento especializado. Muitos serão forçados a mudar inteiramente de ocupação. Quando percebe que uma certa linha de produtos não está vendendo, o comerciante a substitui por outra de maior aceitação. Quem vende serviços pessoais também precisa ser um comerciante eficiente: se não houver retorno, deve mudar para outra área, onde haja maiores oportunidades.

> SÓ EXISTE UMA FRAQUEZA PARA A QUAL NÃO HÁ REMÉDIO: FALTA DE AMBIÇÃO!

Stuart Austin Wier cursou Engenharia Civil e seguiu essa linha de trabalho até que as condições econômicas limitaram o mercado, tornando sua atividade pouco rentável. Depois de avaliar suas possibilidades, optou pela área da advocacia: voltou à faculdade e freqüentou cursos voltados para o direito empresarial. Embora a economia ainda não estivesse inteiramente recuperada, ele completou os estudos, foi aprovado pela Ordem dos Advogados e logo progrediu na profissão, em seu escritório de Dallas, no Texas; na verdade, teve até de recusar clientes.

Apenas para eliminar qualquer sombra de dúvida e antecipar-me às desculpas dos que dirão "não posso voltar a estudar porque tenho família para sustentar" ou "estou velho demais", acrescento a informação de que Wier tinha mais de 40 anos e era casado quando voltou à faculdade. Além disso, por ter selecionado cuidadosamente as matérias, ele completou em dois anos o curso que a maior parte dos alunos de Direito faz em quatro anos. Vale a pena saber como adquirir conhecimentos!

Aquele que pára de estudar simplesmente porque terminou um curso está para sempre e irremediavelmente condenado à mediocridade, qualquer que seja sua área de atuação. O caminho do sucesso é o caminho da aprendizagem contínua.

Vamos ponderar sobre uma circunstância específica.

Durante a depressão econômica nos Estados Unidos, um vendedor de mercearia perdeu o emprego. Como tivera algum contato com a contabilidade da loja, resolveu fazer um curso sobre o assunto. Em seguida, familiarizou-se com os mais modernos equipamentos de escritório e os recursos disponíveis para os contadores. Assim, iniciou um negócio próprio. Começando pelo dono da mercearia na qual havia trabalhado, ele fez contratos de serviços de contabilidade com mais de cem pequenos comerciantes, por uma modesta taxa mensal. A idéia foi tão bem-sucedida que ele logo sentiu necessidade de montar um escritório volante num pequeno caminhão de entregas, que equipou com os mais modernos recursos para atender os clientes. Em pouco tempo, possuía uma frota desses escritórios contábeis sobre rodas e empregava um grande número de assistentes, oferecendo aos pequenos comerciantes serviços de contabilidade de excelente qualidade a um preço módico.

Conhecimento especializado e imaginação foram os ingredientes desse único e bem-sucedido negócio. Logo o dono dos escritórios volantes pagou quase dez vezes mais Imposto de Renda do que o comerciante para quem havia trabalhado, demonstrando assim que o que parecia uma adversidade era na verdade uma bênção disfarçada.

E tudo começou com uma idéia!

A partir da idéia do vendedor desempregado, vou sugerir outra, de possibilidades ainda melhores em matéria de renda. E, além disso, capaz de ser útil aos que precisam muito do serviço.

Quando lhe foi sugerido trocar o comércio pela contabilidade, sua primeira reação foi: "Gosto da idéia, mas não saberia como transformá-la em dinheiro." Em outras palavras, queixava-se de que não saberia comercializar seu conhecimento em contabilidade depois que o tivesse adquirido.

Aquele era outro problema a ser resolvido. Com a ajuda de uma jovem datilógrafa que escrevia muito bem, foi preparado um belo livro em que se descreviam as vantagens do novo sistema contábil. As páginas, muito bem-arrumadas, foram coladas num álbum, que funcionou como um vendedor silencioso, contando tão bem a história que em breve o homem não conseguiria atender sozinho todos os clientes.

Existem milhares de pessoas que precisam dos serviços de um especialista em propaganda capaz de preparar um resumo atraente que ajude na divulgação de prestação de serviços pessoais. A renda anual agregada por esse tipo de serviço e os benefícios para os usuários podem facilmente exceder aqueles de uma agência de empregos.

A idéia aqui descrita nasceu da necessidade de atender a uma emergência, mas não serviu apenas a uma pessoa. A mulher que criou a idéia era muito imaginativa. Em sua recém-nascida idéia, ela viu a possibilidade de uma nova profissão, destinada a prestar valiosos serviços a milhares de pessoas que precisavam de orientação prática.

Estimulada a agir pelo sucesso instantâneo de seu primeiro plano de marketing para serviços pessoais, essa mulher ativa voltou-se em seguida para a solução de um problema similar enfrentado por seu filho, que acabara a faculdade, mas não encontrava mercado para seus serviços. O plano que elaborou para o filho foi o melhor exemplo de propaganda de serviços pessoais que já vi.

Quando o álbum ficou pronto, tinha cerca de 50 páginas lindamente datilografadas, com informações devidamente organizadas, relatando as habilidades naturais do rapaz, seu currículo escolar, as experiências pessoais e uma grande variedade de outras informações, longas demais para serem descritas aqui. O texto detalhava ainda o cargo pretendido, além de uma descrição minuciosa de todas as realizações que o exercício das funções lhe permitiria.

A preparação do álbum tomou várias semanas de trabalho, durante as quais a criadora mandou seu filho à biblioteca pública quase diariamente, em busca de dados que lhe permitissem articular o texto da melhor maneira possível. Também o fez visitar os concorrentes do potencial empregador, para conseguir informações sobre seus métodos de atuação; tais informações se mostraram valiosas para a descrição do cargo que o jovem pretendia ocupar. Quando o plano finalmente ficou pronto, incluía mais de meia dúzia de sugestões muito boas para uso e benefício da empresa. Foram todas aceitas.

Você talvez pergunte: "Tanto trabalho para conseguir um emprego?" A resposta vai direto ao ponto e é de importância crucial, porque lida com um assunto que afeta maciçamente milhões de homens e mulheres cuja única fonte de renda é a prestação de serviços.

A resposta é: "Fazer algo bem-feito nunca é trabalho! O plano preparado por aquela mulher em benefício do filho ajudou-o a conseguir o trabalho que buscava, na primeira entrevista, com um salário fixado por ele."

Além do mais – e isto também é importante –, o cargo não exigiu que começasse de baixo. Ele iniciou como executivo júnior, com salário condizente.

Você ainda pergunta por que tanto trabalho?

A apresentação planejada da proposta desse rapaz certamente serviu para poupar-lhe uns dez anos do tempo que levaria para chegar à posição de onde partiu, caso "tivesse começado de baixo e trabalhado para conseguir subir".

A idéia de começar de baixo e trabalhar para subir pode parecer segura, mas a principal objeção a ela é a seguinte: muitos dos que tentam seguir esse caminho jamais chegam a levantar suficientemente a cabeça para serem vistos pela oportunidade. Assim, permanecem onde estão. É importante lembrar também que o panorama visto de baixo não é dos mais animadores. A tendência é sufocar a ambição. Nós chamamos de "cair na rotina", isto é, aceitar o destino, pelo hábito de executar todos os dias as mesmas tarefas. É muito difícil abandonar um hábito arraigado. Eis aí outra razão que justifica a idéia de começar um ou dois degraus acima do ponto mais baixo. Fazendo assim, forma-se o hábito de olhar em torno, de observar como os outros seguem adiante, de perceber a oportunidade e abraçá-la sem hesitação.

Dan Halpin é um esplêndido exemplo do que quero dizer. Durante seus dias na faculdade, foi responsável pelo famoso time de futebol do Notre Dame, durante o Campeonato Nacional de 1930, sob a direção do falecido Knute Rockne.

Talvez o grande treinador de futebol o tenha inspirado a "pensar grande" e não confundir derrota temporária com fracasso, assim como Andrew Carnegie, o grande líder industrial, inspirou seus funcionários a estabelecer metas ambiciosas. Seja qual for o caso, o jovem Halpin terminou a faculdade num momento especialmente desfavorável, quando a crise econômica norte-americana havia feito escassearem os empregos. Assim, após uma passagem muito rápida pelos bancos de investimento e pela indústria cinematográfica, ele pegou a primeira função com certo potencial que conseguiu encontrar: vendedor de aparelhos auditivos elétricos, com comissão sobre as vendas. Qualquer um poderia começar nesse tipo de trabalho, e Halpin sabia disso, mas foi suficiente para lhe abrir as portas para uma oportunidade.

Por quase dois anos, continuou num emprego que não era de seu agrado e teria continuado assim, não fosse sua inquietação. Primeiro, conquistou a posição de gerente assistente de vendas. Esse único degrau galgado foi o bastante para colocá-lo acima da multidão, de onde podia enxergar maiores oportunidades e onde as oportunidades podiam vê-lo.

Foi tão bem-sucedido nas vendas que A. M. Andrews, presidente do Conselho Administrativo da Dictograph Products Company, uma empresa concorrente, quis saber mais sobre aquele tal Dan Halpin, que ameaçava sua posição no mercado. Halpin foi chamado à presença de Andrews. Quando a entrevista terminou, Halpin era o novo gerente de vendas, encarregado da Acousticon Division. Em seguida, para testar a capacidade do jovem, Andrews viajou para a Flórida, onde ficou por três meses, deixando Halpin se arranjar sozinho na nova função, para nadar ou afundar. Ele não afundou! O lema de Knute Rockne – "O mundo ama os vencedores e não tem tempo para os perdedores." – inspirou-o a dedicar-se tanto ao trabalho que foi eleito vice-presidente da empresa e gerente geral da Acousticon and Silent Radio Division, um cargo que qualquer funcionário se orgulharia de ocupar não antes de dez

> "O MUNDO AMA OS VENCEDORES E NÃO TEM TEMPO PARA OS PERDEDORES."

anos de leais esforços. Halpin conseguiu o resultado desejado em pouco mais de seis meses.

É difícil dizer qual dos dois, Andrew ou Halpin, é mais digno de elogios, já que ambos demonstraram possuir em abundância esta rara qualidade conhecida como imaginação. Andrews merece crédito por ter percebido no jovem Halpin um empreendedor de primeira ordem. Halpin merece crédito por ter se recusado a manter-se em um emprego que não queria. Este é um dos principais pontos que estou tentando enfatizar por meio de toda esta filosofia: galgamos as posições mais altas ou ficamos no fundo por causa de condições que podemos controlar, se quisermos.

Existe outro ponto que quero deixar claro: sucesso e fracasso são, em grande parte, resultados do hábito! Não tenho dúvida de que a íntima associação de Dan Halpin com o maior treinador de futebol norte-americano de todos os tempos plantou em sua mente o mesmo tipo de desejo de excelência que fez o time de futebol do *Notre Dame* alcançar fama mundial. Existe algo de verdade na idéia de que reverenciar um herói ajuda, desde que se reverencie um vencedor. Halpin me disse considerar Rockne um dos maiores líderes do mundo.

Minha crença na teoria de que associações profissionais são fatores vitais para o sucesso ou para o fracasso foi recentemente demonstrada quando meu filho Blair negociava uma colocação com Dan Halpin e este ofereceu-lhe um salário inicial correspondente à metade do que oferecera uma empresa concorrente. Fiz certa pressão para que Blair aceitasse trabalhar com Halpin, porque acredito que uma associação com alguém que se recusa a aceitar circunstâncias nas quais não se sente bem é uma oportunidade que não tem preço.

A base da pirâmide é um lugar monótono, sombrio e desvantajoso para qualquer um. Eis aí a razão pela qual me demorei tanto descrevendo como a lentidão do começo pode ser evitada com um bom planejamento. Por isso também dediquei tanto espaço ao relato da história da mulher que, inspirada pelo desejo de fazer um ótimo trabalho de planejamento, para que seu filho tivesse uma oportunidade favorável, acabou criando uma nova profissão.

Com a mudança de condições antecipada pelas transformações da economia, veio a necessidade de novas e melhores técnicas de marketing de serviços pessoais. É difícil determinar por que ninguém havia ainda descoberto essa oportunidade sensacional, tendo em vista que mais dinheiro muda de mãos em troca de serviços pessoais do que por qualquer outro motivo. A soma paga mensalmente a pessoas que trabalham por salários ou remuneração é tão vultosa que fica em torno de centenas de milhões de dólares, e a distribuição anual chega a bilhões.

Talvez alguns possam achar nessa idéia brevemente exposta o núcleo de riquezas que desejam! Idéias muito menos interessantes foram a semente da qual brotaram grandes fortunas. A idéia de Woolworth de criar lojas que vendiam produtos a 5 e 10 centavos, por exemplo, é bem mais simples, mas gerou fortuna para seu criador.

Aqueles que enxergarem a oportunidade por trás dessa sugestão encontrarão uma ajuda valiosa no capítulo sobre Planejamento Organizado. Ao mesmo tempo, um eficiente profissional de marketing fará bons negócios onde houver gente à procura de melhores mercados para serviços pessoais. A aplicação do princípio da Mente Mestra pode garantir a alguns, com o talento apropriado e a disposição de formar alianças, uma atividade rapidamente rentável. Um dos participantes do grupo precisaria escrever bem e ter aptidão para anunciar e vender, outro deveria ser excelente digitador e redator, e outro ainda teria de ser alguém com bom faro para os negócios de primeira classe, que faria o mundo tomar conhecimento dos serviços oferecidos. Se uma só pessoa possuir todas essas habilidades, pode levar o negócio sozinha, até que o excesso de trabalho a obrigue a contratar mais funcionários.

A mulher que preparou o plano de venda de serviços pessoais para o filho passou a receber pedidos de elaboração de planos similares para outros que desejavam fazer o marketing de seus serviços, melhorando assim a renda. Ela formou uma equipe de especialistas em datilografia, arte e redação que tinha a capacidade de dar a cada caso uma roupagem interessante, de modo que os serviços do cliente passassem a ser muito mais bem-remunerados. Sua confiança na própria capacidade era tal que ela aceitava como parte do pagamento uma porcentagem sobre o aumento do faturamento do cliente.

Não devemos supor que seu plano consista simplesmente em uma técnica de vendas inteligente, com a qual ela auxiliava os clientes a receber mais pelos mesmos serviços que prestavam anteriormente por preço menor. Ela se preocupava com os interesses do comprador e também com os do vendedor de serviços pessoais; assim, preparava o plano de modo que o empregador tivesse um retorno integral sobre o dinheiro que pagava a mais.

O método pelo qual atingia esse impressionante resultado é um segredo profissional que ela não revelava a ninguém, exceto aos seus clientes.

Se você tem imaginação e procura uma maneira mais lucrativa de prestar seus serviços pessoais, essa sugestão pode ser o estímulo que faltava. Uma idéia é capaz de gerar uma renda bem maior do que ganha a "média" dos médicos, advogados ou engenheiros, cuja formação exigiu vários anos de estudo. A idéia é vendável para aqueles que procuram novas colocações em praticamente todas as carreiras que exijam capacidades executivas ou administrativas e para os que desejam um aumento de salário em seus cargos atuais.

Não existe preço fixo para boas idéias!

Por trás de toda boa idéia existe um conhecimento especializado. Infelizmente para aqueles que não encontram fartura de riquezas, o conhecimento especializado é mais abundante e mais facilmente adquirido do que as idéias. Graças a essa verdade incontestável, existe uma demanda generalizada – e crescente – de indivíduos capazes de ajudar outros a venderem vantajosamente seus serviços pessoais. Capacidade quer dizer imaginação, a qualidade única necessária à combinação de conhecimento especializado com idéias, sob a forma de planejamento organizado, a fim de descobrir riquezas.

Se você tem imaginação, este capítulo pode trazer-lhe de presente uma idéia suficientemente boa para dar início às riquezas que deseja. Lembre-se: a idéia é o principal. O conhecimento especializado pode ser encontrado ali na esquina – em qualquer esquina!

CAPÍTULO 5

IMAGINAÇÃO

A OFICINA DA MENTE
O QUINTO PASSO EM DIREÇÃO À RIQUEZA

A imaginação é, literalmente, a oficina na qual são elaborados os planos criados pelo ser humano. O impulso e o desejo tomam feitio, forma e ação por intermédio da faculdade imaginativa da mente.Diz-se que o ser humano é capaz de criar tudo que possa imaginar.

De todas as eras da civilização, esta é a mais favorável ao desenvolvimento da imaginação, por ser um tempo de rápidas mudanças. A todo momento, nossa imaginação é estimulada.

Nesses últimos cinqüenta anos, utilizando suas faculdades imaginativas, o homem aprendeu a conhecer e aproveitar as forças da natureza como jamais havia feito em toda a história da humanidade: ao conquistar o ar, superou os próprios pássaros; fez do espaço um meio de comunicação instantânea com qualquer parte do mundo; estudou – e pesou – o Sol a distância e identificou, com a ajuda da imaginação, os elementos que o compõem; descobriu no próprio cérebro uma estação transmissora e receptora das vibrações do pensamento e começa a aprender como aproveitar na prática essa descoberta. Agora, com meios de transporte cada vez mais velozes, é possível tomar café em Nova York e almoçar em São Francisco.

Dentro dos limites do bom senso, a única limitação do ser humano está no desenvolvimento e no uso de sua imaginação. Ele ainda não alcançou o auge do aproveitamento de sua faculdade imaginativa. Simplesmente descobriu que tem imaginação e começa a utilizá-la de forma muito elementar.

DUAS FORMAS DE IMAGINAÇÃO

A faculdade imaginativa funciona de duas maneiras. Uma é conhecida como "imaginação sintética" e a outra como "imaginação criativa".

IMAGINAÇÃO SINTÉTICA: Por meio dessa faculdade, pode-se dispor em novas combinações antigos conceitos, idéias ou planos. Essa faculdade não cria; apenas trabalha sobre o material acumulado pela experiência, educação e observação. É a faculdade mais usada pelo inventor, com exceção do gênio, que, quando não pode resolver seu problema por meio da imaginação sintética, recorre à imaginação criativa.

IMAGINAÇÃO CRIATIVA: Pela faculdade da imaginação criativa, a mente finita do ser humano estabelece comunicação direta com a Inteligência Infinita. É a faculdade pela qual são recebidos os pressentimentos e as inspirações. É por meio dessa faculdade que idéias novas ou fundamentais são legadas ao homem.

> OS GRANDES LÍDERES DEVEM SEU SUCESSO À UTILIZAÇÃO DA IMAGINAÇÃO CRIATIVA.

É também por meio da imaginação criativa que recebemos as vibrações das mentes de outras pessoas. É ela que permite a uma pessoa se comunicar ou entrar em sintonia com o subconsciente de outra.

Essa imaginação trabalha automaticamente, da forma descrita nas próximas páginas. A faculdade criativa funciona somente quando a mente consciente está vibrando a uma freqüência extremamente rápida, como quando estimulada pela emoção de um forte desejo.

Essa faculdade criativa torna-se mais alerta, mais receptiva às vibrações das fontes mencionadas, à medida que vai se desenvolvendo pelo uso. Essa afirmação é importante! Pense bem sobre ela antes de prosseguir.

Ao seguir esses princípios, não se esqueça de que a história de como converter desejo em dinheiro não cabe em uma só sentença. A história só estará completa quando todos os princípios forem dominados, assimilados e postos em prática.

Os grandes líderes de comércio, indústria e finanças, bem como os grandes artistas, músicos, poetas e escritores devem seu sucesso à utilização da imaginação criativa.

Ambas as faculdades da imaginação, a sintética e a criativa, tornam-se mais aguçadas com o exercício, exatamente como qualquer músculo ou órgão do corpo também se desenvolve pelo uso.

O desejo é apenas um pensamento, um impulso. É impreciso e efêmero, abstrato e sem valor – até transformar-se em sua contrapartida física. Embora a imaginação sintética seja mais solicitada durante a transformação do impulso do desejo em dinheiro, saiba que podem surgir circunstâncias e situações que exijam também o emprego da imaginação criativa.

A sua faculdade imaginativa pode estar enfraquecida por falta de uso. Basta usá-la, e logo terá recuperado a agilidade. A imaginação nunca morre, ainda que fique inativa por muito tempo.

Por enquanto, concentre a atenção no desenvolvimento da sua imaginação sintética, pois ela será a mais solicitada durante o processo de conversão de desejo em dinheiro.

A transformação do impulso intangível do desejo na realidade tangível do dinheiro requer um planejamento, que deve ser elaborado com a ajuda da imaginação, principalmente em seu aspecto sintético.

Depois de ler o livro todo, volte a este capítulo e comece imediatamente a usar a imaginação para desenvolver um plano que leve à transformação do seu desejo em dinheiro. Em quase todos os capítulos, há instruções detalhadas para a elaboração de planos. Escolha as que melhor se aplicam às suas necessidades e registre o seu plano por escrito. Feito isso, você terá dado uma forma definida e concreta ao seu desejo intangível. Leia a frase anterior mais uma vez, em voz alta e bem devagar, lembrando que, ao dar forma escrita à declaração do seu desejo e ao plano para sua realização, você na realidade deu o primeiro de uma série de passos que lhe permitirão converter um pensamento em sua contrapartida material.

A Terra na qual vivemos, os seres humanos e tudo que existe são resultado de uma mudança evolutiva, através da qual porções microscópicas de matéria foram organizadas e arrumadas de forma ordenada.

Acima de tudo – e esta afirmativa é de vital importância – esta Terra, bem como cada um dos bilhões de células do nosso corpo e cada átomo de matéria, começaram como uma forma intangível de energia.

O desejo é um impulso do pensamento! Impulsos do pensamento são formas de energia. Quando você começa, por impulso do pensamento, a desejar ganhar dinheiro, está colocando a seu serviço a mesma "matéria" que a natureza usou ao criar a Terra e todas as formas materiais do universo, inclusive o corpo e o cérebro, nos quais os impulsos do pensamento atuam.

Até onde a ciência foi capaz de determinar, o Universo inteiro consiste de apenas dois elementos: matéria e energia.

Pela combinação de energia com matéria, foi criado tudo o que é perceptível ao ser humano, desde a maior estrela que brilha nos céus até o próprio homem.

Neste momento, o seu propósito é utilizar com proveito o método adotado pela natureza. Você tenta (sincera e seriamente, espero) adaptar-se às leis da natureza, esforçando-se para converter desejo em seu equivalente material ou financeiro. Você pode! Outros já conseguiram!

É possível construir uma fortuna com base em leis imutáveis. Antes, porém, é preciso familiarizar-se com essas leis e aprender a usá-las. Com a repetição, por todos os ângulos possíveis, do teor dessas leis e a descrição de seus princípios, o autor espera revelar o segredo por meio do qual grandes fortunas foram conquistadas. Por mais estranho e paradoxal que isso possa parecer, o "segredo" não é um segredo. A própria natureza o anuncia na Terra, nas estrelas, nos planetas que vemos, nos elementos acima e em torno de nós, em cada folha de grama e em cada forma de vida conhecida. A natureza anuncia esse "segredo" por meio da biologia, quando transforma uma célula tão minúscula que pode perder-se na ponta de um alfinete no ser humano que, neste instante, lê estas palavras. Certamente, a conversão do desejo em seu equivalente material não é um milagre maior!

Não desanime caso não compreenda plenamente tudo o que está sendo dito. A menos que venha se dedicando há longo tempo ao estudo da mente, não esperamos que assimile logo na primeira leitura o conteúdo deste capítulo.

Com o tempo, você fará progressos.

Os princípios mencionados a seguir abrirão caminho para o entendimento da imaginação. À primeira leitura, assimile o que for possível. Quando ler novamente e meditar sobre a filosofia neles contida, você descobrirá que algo aconteceu, tornando o texto mais claro e ampliando a sua compreensão. Acima de tudo, não desista nem interrompa o seu estudo desses princípios até que tenha lido o livro no mínimo três vezes, porque então você não vai mais querer parar.

COMO UTILIZAR A IMAGINAÇÃO DE MANEIRA PRÁTICA

Idéias são o ponto de partida de todas as fortunas. Idéias são produtos da imaginação. Vamos ver algumas idéias que deram origem a enormes fortunas; talvez estes exemplos transmitam informações definitivas a respeito do método pelo qual a imaginação pode ser usada para acumular riqueza.

O TACHO ENCANTADO

Há cinqüenta anos, um velho médico que atendia na área rural subiu em sua carroça e dirigiu-se para o centro da cidadezinha mais próxima. Lá chegando, amarrou o cavalo e entrou silenciosamente na farmácia pela porta dos fundos. Por algum tempo, ele e o jovem farmacêutico trataram de negócios.

Aquela negociação estava destinada a render fortunas a muita gente e a proporcionar um grande benefício ao sul dos Estados Unidos.

Por mais de uma hora, o velho médico e o jovem farmacêutico conversaram em voz baixa atrás do balcão. Então, o médico saiu, foi até a carroça, pegou um tacho grande e antigo e uma enorme colher de pau (para mexer o conteúdo do tacho) e os deixou nos fundos da loja.

O farmacêutico examinou a vasilha e, em seguida, enfiou a mão no bolso interno do paletó, tirando um maço de notas que entregou ao médico. O maço continha exatamente 500 dólares – todas as suas economias!

O médico pegou uma folha de papel na qual havia uma fórmula secreta. As palavras naquele papelzinho valiam uma fortuna – mas não para o médico! Aquelas palavras mágicas fariam o tacho ferver, mas nenhum dos dois envolvidos imaginava as fabulosas fortunas que sairiam dele.

O velho médico ficou contente em vender o equipamento por 500 dólares. O dinheiro pagaria suas dívidas e lhe daria paz de espírito. O farmacêutico corria um grande risco apostando todas as suas economias num simples pedacinho de papel e num tacho velho! Ele jamais poderia sonhar que seu investimento faria transbordar ouro de um tacho, superando o milagre da lâmpada de Aladim.

O que o farmacêutico realmente comprou foi uma idéia! O Velho Tacho, a colher de pau e a mensagem secreta anotada na folha de papel eram elementos secundários. O estranho sucesso daquele tacho começou a acontecer depois que seu novo dono misturou às instruções secretas um ingrediente que o médico desconhecia.

Leia esta história atentamente e teste a sua imaginação! Veja se descobre o que o rapaz adicionou à mensagem secreta, fazendo que o ouro transbordasse do tacho. Lembre-se de que não se trata de uma história das Mil e Uma Noites. Você tem aqui um relato de fatos – talvez mais estranhos do que a ficção –, mas que começaram sob a forma de uma idéia.

Vamos ver as grandes fortunas que essa idéia produziu. Ela rende até hoje enormes fortunas àqueles que distribuem a milhões de pessoas pelo mundo afora o conteúdo do tacho.

O Velho Tacho é hoje um dos maiores consumidores de açúcar do mundo, oferecendo por isso colocação permanente a milhares de empregados no cultivo da cana, no refino e na venda do açúcar.

O Velho Tacho consome anualmente milhões de garrafas, garantindo emprego para um grande número de trabalhadores da indústria do vidro.

O Velho Tacho emprega um exército de funcionários de escritórios e de agências de publicidade e trouxe fama e fortuna a um sem-número de artistas que criaram peças magníficas para promover o produto.

O Velho Tacho converteu uma pequena cidade na capital dos negócios do sul dos Estados Unidos, beneficiando direta ou indiretamente todos os empreendimentos e todos os moradores.

A idéia beneficia todos os países civilizados do mundo, derramando um contínuo fluxo de ouro sobre todos os que entram em contato com ela.

O ouro do Velho Tacho construiu e mantém um dos mais conceituados colégios do sul dos Estados Unidos, onde milhares de jovens recebem o treinamento essencial para o sucesso.

O Velho Tacho tem histórias maravilhosas para contar. Durante a depressão econômica, quando fábricas, bancos e casas comerciais fechavam aos milhares, o dono do Tacho Encantado resistiu, garantindo emprego a um exército de pessoas em todo o mundo e distribuindo porções extras de ouro àqueles que havia muito tempo acreditavam na idéia.

Se o produto daquele Velho Tacho de cobre pudesse falar, contaria emocionantes histórias em todas as línguas. Histórias de amor, de negócios, de profissionais diariamente estimulados por ele.

O autor está seguro de pelo menos uma dessas histórias, porque fez parte dela, e tudo começou não muito longe do exato ponto em que o farmacêutico comprara o Velho Tacho. Foi lá que o autor conheceu sua mulher, e foi ela que lhe contou a história do Tacho Encantado. Era o produto daquele tacho que bebiam quando ele pediu a ela que o aceitasse "para os bons e os maus momentos".

Agora, ficou claro que o conteúdo do Tacho Encantado é uma bebida mundialmente conhecida. Assim, é justo que o autor confesse ter encontrado naquela cidade não apenas uma esposa, mas a própria bebida que lhe proporcionou sem interferências um estímulo ao pensamento, favorecendo o repouso da mente, tão necessário para que um escritor faça melhor seu trabalho.

A partir de hoje, seja você quem for, onde quer que viva e qualquer que seja a sua ocupação, quando vir as palavras "Coca-Cola", lembre-se de que esse vasto império de riqueza e influência nasceu de uma idéia e de que o misterioso ingrediente misturado pelo farmacêutico – Asa Candler – à fórmula secreta foi... imaginação!

Pare e pense nisso por um momento.

Lembre-se também de que os 13 passos para a riqueza descritos neste livro foram os meios pelos quais a influência da Coca-Cola estendeu-se a cada metrópole, cidade, vilarejo – a todos os cantos do mundo – e que qualquer idéia que você possa criar, tão válida e útil quanto a da Coca-Cola, tem a possibilidade de repetir o sucesso estupendo dessa maneira universalmente conhecida de matar a sede.

É verdade. Idéias são forças, e seu raio de ação é o próprio mundo.

O QUE EU FARIA SE TIVESSE 1 MILHÃO DE DÓLARES

Esta história comprova a verdade encerrada neste velho ditado: "Onde existe vontade, existe um caminho." Ela me foi contada pelo conceituado educador e religioso, o falecido Frank W. Gunsaulus, que começou sua carreira de pregador na área rural ao sul de Chicago.

Enquanto cursava a faculdade, Gunsaulus observou muitas falhas no sistema educacional – falhas essas que acreditava poder corrigir se ocupasse algum cargo de direção. Seu maior desejo era dirigir uma instituição educacional na qual os jovens alunos pudessem "aprender fazendo".

Decidiu-se então a organizar um novo colégio, onde pudesse pôr em prática suas idéias, livre dos métodos ortodoxos de educação.

Para tanto, precisava de 1 milhão de dólares! O que ele faria para conseguir uma quantia tão vultosa? Essa pergunta absorvia a maior parte dos pensamentos do jovem e ousado religioso.

Mas não parecia haver qualquer progresso.

Toda noite, Gunsaulus se deitava na cama com esse pensamento. E levantava-se com ele toda manhã. Pensava no assunto em todos os lugares, revirava-o em sua cabeça – uma verdadeira idéia fixa. Um milhão de dólares é um bocado de dinheiro. Ele admitia o fato, mas também reconhecia como verdade que a única limitação seria aquela imposta por sua mente.

Sendo filósofo e pregador, Gunsaulus concluiu, como fazem todos os bem-sucedidos na vida, que a determinação de propósito é o ponto do qual devemos partir. Ele sabia também que a determinação de propósito assume vida e poder quando apoiada por um desejo ardente de transformar o objetivo em seu equivalente material.

Apesar de estar consciente de todas essas grandes verdades, ele ainda não sabia como conseguir 1 milhão de dólares. O procedimento natural seria desistir, dizendo: "Ah, minha idéia é boa, mas não há nada a fazer, porque nunca terei 1 milhão de dólares." A maioria das pessoas teria feito isso, mas não Gunsaulus. O que disse e fez foi de tal importância que reproduzo aqui suas palavras:

"Numa tarde de sábado, estava em meu quarto, pensando nos meios de levantar o dinheiro para prosseguir com meus planos. Por quase dois anos eu vinha pensando, mas nada tinha feito além de pensar!"

Era tempo de agir!

Naquele momento, decidi que conseguiria em uma semana o sonhado milhão de dólares. Como? Não estava preocupado com isso. O mais importante era a decisão de obter o dinheiro dentro de um prazo específico, e naquele momento fui tomado por uma estranha sensação de segurança, algo que nunca havia experimentado. Dentro de mim, alguma coisa parecia dizer: "Por que não tomou essa decisão há mais tempo? O dinheiro estava esperando por você!"

As coisas começaram a acontecer rapidamente. Liguei para os jornais e anunciei que faria um sermão, na manhã seguinte, sobre o tema "O que eu faria se tivesse um milhão de dólares".

Comecei imediatamente a trabalhar no sermão, mas devo dizer francamente que a tarefa não foi difícil, porque havia quase dois anos vinha preparando o que dizer. O espírito por trás do sermão era parte de mim!

Bem antes da meia-noite, tinha terminado de escrever e fui dormir com um sentimento de confiança, pois já podia ver-me possuidor do milhão de dólares.

Na manhã seguinte, levantei cedo e, ainda no banheiro, li o sermão e me ajoelhei em oração, pedindo que minhas palavras chamassem a atenção de alguém com condições de oferecer o dinheiro de que eu precisava.

Enquanto rezava, tive novamente aquela certeza de que o dinheiro estava a caminho. Na ansiedade em que me encontrava, porém, saí sem levar o sermão e só percebi o esquecimento no púlpito, quando já me preparava para começar a falar.

Era tarde demais para voltar e buscar minhas anotações, e foi uma bênção que acontecesse assim! Meu subconsciente forneceu o material de que eu necessitava. Quando me levantei para começar o sermão, fechei os olhos e falei dos meus sonhos, com todo o coração e toda a alma. Eu não me dirigi apenas aos fiéis, imaginei estar falando também com Deus. E disse o que faria com 1 milhão de dólares se essa quantia me viesse às mãos. Descrevi o plano que tinha em mente: uma grande instituição educacional, onde os jovens aprenderiam na prática e, ao mesmo tempo, desenvolveriam a mente.

Quando terminei e sentei-me, um homem se levantou do banco que ocupava, na antepenúltima fila, e encaminhou-se para o púlpito. Eu me perguntei o que ele iria fazer. Ao chegar junto ao púlpito, estendeu-me a mão e disse: "Reverendo, gostei do seu sermão. Acredito que o senhor poderia fazer tudo o que disse que faria se tivesse 1 milhão de dólares. Para provar que creio no senhor e no seu sermão, se vier ao meu escritório amanhã pela manhã, eu lhe darei o milhão de dólares. Meu nome é Phillip D. Armour."

O jovem Gunsaulus foi ao escritório do sr. Armour, que lhe passou às mãos o milhão de dólares. Com esse dinheiro, ele fundou o Armour Institute of Technology.

Era uma quantia que a maioria dos religiosos passa a vida inteira sem jamais ver. No entanto, o impulso do pensamento por trás do dinheiro foi criado em uma fração de minuto na mente do jovem pregador. O milhão de dólares necessário surgiu como resultado de uma idéia. Por trás dela, havia um desejo que o jovem Gunsaulus vinha acalentando havia quase dois anos.

Observe este fato importante: ele conseguiu o dinheiro no prazo de trinta e seis horas após ter tomado, em sua mente, a decisão definitiva e ter elaborado um plano!

Não havia nada de novo ou diferente no pensamento vago e na frágil esperança do jovem Gunsaulus em conseguir 1 milhão de dólares. Outros antes dele, e muitos desde então, tiveram pensamentos parecidos. Mas houve algo de muito especial e diferente naquele sábado memorável, quando tomou a decisão, afastou a incerteza e disse determinado: "eu terei esse dinheiro dentro de uma semana!"

Parece que Deus se coloca ao lado do homem que sabe exatamente o que quer se ele está determinado a conseguir exatamente aquilo!

Além do mais, o princípio pelo qual Gunsaulus conseguiu seu milhão de dólares ainda vive! E está à sua disposição! Essa lei universal é tão executável hoje quanto era quando o jovem pregador fez uso dela com tão bons resultados. Este livro descreve, em detalhes, os 13 passos dessa grande lei e sugere como usá-los.

Observe que Asa Candler e o dr. Frank Gunsaulus tinham uma característica em comum. Ambos conheciam esta verdade surpreendente: as idéias podem ser transformadas em dinheiro pelo poder de um propósito e de planos definidos.

> A RIQUEZA VEM EM RESPOSTA A PEDIDOS CATEGÓRICOS, E NÃO POR ACASO OU SORTE.

Se você é dos que acreditam que basta trabalhar arduamente e agir com honestidade para conseguir riquezas, afaste esse pensamento! Não é verdade! Quando as riquezas chegam em grande quantidade, nunca são fruto de trabalho árduo! A riqueza vem em resposta a pedidos categóricos, baseados na aplicação de princípios definidos, e não por acaso ou sorte.

Falando de maneira geral, uma idéia é um impulso de pensamento que impele à ação, por meio de um apelo à imaginação. Todos os bons vendedores sabem que, quando a mercadoria não vende, é possível vender idéias. Os vendedores comuns não conhecem esse fato e, por isso, são comuns.

Um editor que vendia livros a preços baixos fez uma descoberta que vale muito para quem é do ramo. Ele percebeu que muitas pessoas compram livros pelo título, e não pelo conteúdo. Bastou simplesmente mudar o nome de um livro que não estava indo muito bem, e as vendas ultrapassaram 1 milhão de exemplares. O conteúdo do livro não foi alterado de forma alguma. Ele apenas trocou a capa com o título que não vendia e colocou uma nova, com outro título de maior apelo popular.

Por mais simples que isso possa parecer, foi uma idéia! Foi imaginação!

Não existe um preço-padrão para idéias. Quem faz o preço é o criador da idéia e, se for esperto, consegue receber o que pediu.

A indústria cinematográfica fez um grande número de milionários. A maioria deles é formada por pessoas que não criam – mas – têm imaginação para reconhecer uma boa idéia quando a encontram.

O meio radiofônico é outro celeiro de milionários, já que falta lá gente imaginativa. Vai ganhar dinheiro quem descobrir ou criar novos e mais úteis programas de rádio, que possibilitem um melhor aproveitamento por parte dos ouvintes.

O patrocinador! Essa pobre vítima, que paga atualmente pelo "entretenimento", em breve tomará consciência das idéias, pedindo algo em troca do dinheiro investido. Aquele que conseguir atrair o patrocinador e oferecer programas de utilidade pública vai enriquecer no setor.

Cantores e apresentadores que hoje poluem o ar com piadinhas e risinhos tolos cederão lugar a verdadeiros artistas, que interpretarão programas cuidadosamente planejados para divertir e servir à mente dos ouvintes.

Eis aí um campo de ótimas oportunidades, pedindo socorro e protestando pela maneira como vem sendo mal trabalhado por falta de imaginação. Acima de tudo, o rádio precisa de novas idéias!

Se esse novo campo de oportunidades interessa a você, talvez possa beneficiar-se da seguinte sugestão: os programas de rádio mais bem-sucedidos serão aqueles voltados para a formação de audiências "compradoras", e não de audiências "ouvintes". Em poucas palavras, o criador de programas de rádio terá de encontrar meios de converter "ouvintes" em "compradores", ajustando as atrações de modo a exercer influência sobre o público.

Os patrocinadores estão ficando cansados de comprar conversas superficiais baseadas em declarações inconsistentes. Eles querem, e logo estarão exigindo, provas de que os programas humorísticos fazem milhões de pessoas rirem com gosto, mas os comediantes também podem vender mercadorias!

Outro aspecto que deve ser compreendido pelos que pensam em entrar nesse campo de oportunidades é que os anúncios veiculados pelo rádio devem ser produzidos por publicitários que dêem às peças um tratamento completamente diferente daquele adequado à propaganda impressa. Os antigos locutores aprenderam a Ver idéias; com as novas técnicas de publicidade aplicadas ao meio radiofônico, o profissional precisa interpretar um texto escrito em termos de som! O autor precisou de um ano de trabalho e muitos milhares de dólares para aprender isso.

O rádio, no momento, está mais ou menos onde estava o cinema quando Mary Pickford e seus cachinhos apareceram na tela pela primeira vez. Há muito espaço no rádio para quem sabe produzir ou reconhecer idéias.

Se esses comentários sobre as possibilidades do rádio não lhe despertaram idéias, é melhor esquecer. A sua oportunidade reside em outro campo. Se os comentários mexeram com você, ainda que de leve, então vá em frente, pois poderá achar a idéia de que precisa para desenvolver uma carreira.

Se você não tem experiência em rádio, não desanime. Andrew Carnegie sabia muito pouco sobre siderurgia – ele mesmo me disse isso –, mas empregou dois dos princípios descritos neste livro, e o negócio do aço rendeu-lhe uma fortuna.

A história de praticamente todas as grandes fortunas começa no dia em que o criador e o vendedor de idéias se juntam e trabalham em harmonia. Carnegie se cercou de gente capaz de tudo o que ele não podia fazer: indivíduos que criaram idéias e as colocaram em prática, gerando uma riqueza fabulosa para Carnegie e para eles mesmos.

Milhões de pessoas atravessam a vida esperando por "oportunidades" favoráveis. Talvez um golpe de sorte possa fazer surgir uma oportunidade, mas o mais seguro é não depender do acaso. Foi uma "chance" favorável que me deu a maior oportunidade da minha vida – entretanto – tive de dedicar a essa oportunidade vinte e cinco anos de esforços determinados antes que se tornasse uma vantagem.

A "oportunidade" consistiu na minha boa sorte em encontrar e receber a cooperação de Andrew Carnegie. Naquela ocasião, Carnegie plantou em minha mente a idéia de organizar os princípios de realização em uma filosofia do sucesso. Milhares de pessoas aproveitaram as descobertas feitas em vinte e cinco anos de pesquisas, e inúmeras fortunas foram acumuladas pela aplicação daquela filosofia. O começo foi simples. Tratava-se de uma idéia que qualquer um poderia ter desenvolvido.

A oportunidade favorável chegou por intermédio de Carnegie, mas o que dizer da determinação, da definição de propósitos, do desejo de alcançar o objetivo e do esforço contínuo durante vinte e cinco anos? Não foi um desejo comum que sobreviveu ao desapontamento, ao desencorajamento, à derrota temporária, à crítica e ao receio de estar perdendo tempo. Foi um desejo ardente! Uma idéia fixa!

Quando Carnegie implantou a idéia na minha mente, ele a induziu, alimentou e cuidou, para que permanecesse viva. Gradualmente, ela se tornou um gigante poderoso a me induzir, alimentar e guiar. Idéias são assim. Primeiro você lhes dá vida, ação e rumo; depois, elas tomam o poder e afastam toda a oposição.

Idéias são forças intangíveis, mas têm mais poder que o cérebro físico que as fez nascer. Elas continuam a existir mesmo depois do desaparecimento do cérebro que as criou. Veja o exemplo da cristandade. Tudo começou com uma simples idéia nascida do cérebro de Cristo. Sua doutrina mestra era: "Faça ao próximo o que deseja que lhe façam." Cristo voltou ao lugar de onde veio, mas sua idéia permanece. Algum dia, ela poderá crescer, adquirir vida própria, e então terá realizado o mais profundo desejo de cristo. A idéia vem se desenvolvendo há apenas 2 mil anos. Vamos dar-lhe tempo!

> O SUCESSO NÃO EXIGE EXPLICAÇÕES. O FRACASSO NÃO ACEITA DESCULPAS.

CAPÍTULO 6

PLANEJAMENTO ORGANIZADO

A MATERIALIZAÇÃO DO DESEJO EM AÇÃO
O SEXTO PASSO EM DIREÇÃO À RIQUEZA

Você aprendeu que tudo o que o homem cria ou alcança começa sob a forma de desejo. Esse desejo surge no primeiro estágio da sua jornada, do abstrato para o concreto, e é levado para a oficina da imaginação, onde planos para sua realização são criados e organizados.

No primeiro capítulo, você recebeu a instrução de utilizar seis passos definidos como primeira atitude para a transformação do desejo por dinheiro em seu equivalente monetário. Um desses passos é a formação de planos práticos e definidos, por intermédio dos quais essa transformação pode ser feita.

Agora, você verá como elaborar planos práticos:

a) Alie-se a um grupo de quantas pessoas achar necessárias à criação e execução dos seus planos para a acumulação de riquezas – fazendo uso do princípio da Mente Mestra, descrito em um dos próximos capítulos. (É absolutamente essencial seguir essas instruções. Não se descuide.)

b) Antes de formar a sua aliança para a Mente Mestra, decida que vantagens e benefícios *você* pode oferecer aos membros do grupo, em troca da cooperação deles. Ninguém trabalha indefinidamente sem alguma forma de compensação. Nenhuma pessoa inteligente irá, tampouco, solicitar ou esperar que alguém trabalhe sem a compensação adequada, embora ela nem sempre venha em forma de dinheiro.

c) Procure encontrar-se com os membros do seu grupo de Mente Mestra pelo menos duas vezes por semana ou mais freqüentemente, se possível, até chegarem juntos aos planos necessários à acumulação de dinheiro.

d) Mantenha-se em harmonia perfeita com cada um dos membros do seu grupo de Mente Mestra. Se houver desarmonia, pode esperar pelo fracasso. O princípio da Mente Mestra não funciona onde não prevalece a harmonia perfeita.

Lembre-se do seguinte:

PRIMEIRO. Você está assumindo uma empreitada da maior importância e, para ter certeza do sucesso, precisa de planos perfeitos.

SEGUNDO. Você deve contar com a experiência, a formação, a habilidade natural e a imaginação de outras mentes. Isso se harmoniza com os métodos seguidos por todos aqueles que acumularam grandes fortunas.

Ninguém possui experiência, formação, habilidade natural e conhecimento suficientes para atrair uma grande fortuna sem a cooperação de outras pessoas. No propósito de conquistar riquezas, todo plano adotado deve ser uma criação conjunta, sua e dos outros membros do seu grupo de Mente Mestra. Você pode fazer planos, inteiramente ou em parte, mas cuide para que esses planos sejam verificados e aprovados pelos membros da sua aliança da mente mestra.

Se o primeiro plano que adotar não der certo, substitua-o por outro; se esse novo plano falhar, busque outro ainda, e assim por diante, até encontrar um que funcione. É aí que a maioria das pessoas fracassa: por falta de persistência para criar novos planos em substituição aos que falharam.

O mais inteligente dos homens não pode obter sucesso na acumulação de dinheiro – nem em qualquer outra atividade – sem planos práticos e executáveis. Tenha em mente essa afirmativa e lembre, se o seu plano falhar, que uma derrota temporária não é um fracasso permanente. Pode significar somente que os seus planos não eram bons. Elabore outros. Recomece.

Thomas A. Edison "fracassou" dez mil vezes antes de aperfeiçoar a lâmpada elétrica incandescente – ou seja: sofreu dez mil derrotas temporárias antes que seus esforços fossem coroados de êxito.

A derrota temporária deve ter apenas um significado: a certeza de que existe alguma coisa errada com o seu plano. Milhões de pessoas atravessam a vida na miséria e na pobreza por falta de um bom projeto para conquistar riquezas.

Henry Ford fez fortuna não pela superioridade de sua mente, mas por ter adotado e seguido um plano que comprovou ser bom. Podemos apontar milhares de pessoas com melhor formação que a de Ford, mas que, no entanto, vivem na pobreza por falta do projeto certo para ganhar dinheiro.

A sua realização não pode ser maior que a qualidade dos seus planos. Parece um postulado, mas é verdade. Samuel Insull perdeu sua fortuna de mais de 100 milhões de dólares. A fortuna de Insull foi construída sobre bons planos, mas a depressão econômica o forçou a alterá-los, e a mudança trouxe uma "derrota temporária", porque os novos planos não eram bons. Insull, hoje idoso, talvez aceite como "fracasso" essa "derrota temporária"; mas, se sua experiência se transformar em fracasso, será por falta do ardor da persistência em reconstruir seus planos.

Ninguém está derrotado até que desista – em sua mente.

Essa afirmativa será repetida várias vezes, porque é muito fácil desistir ao primeiro sinal de revés.

James J. Hill foi derrotado temporariamente quando, pela primeira vez, tentou levantar o capital necessário à construção de uma ferrovia que ligasse o leste ao oeste dos Estados Unidos; no entanto, fez novos planos e transformou a derrota em vitória.

NINGUÉM ESTÁ DERROTADO ATÉ QUE DESISTA – EM SUA MENTE.

Henry Ford sofreu derrotas temporárias, não só no início da sua carreira de fabricante de automóveis, mas também como industrial bem-sucedido. Criou novos planos, porém, e marchou para a vitória financeira.

Quando observamos indivíduos que acumularam grandes fortunas, em geral vemos apenas seus triunfos, ignorando as derrotas temporárias que tiveram de ultrapassar antes de "chegarem lá".

Nenhum seguidor desta filosofia deve esperar acumular fortuna sem experimentar "derrotas temporárias". Quando isso acontecer, aceite como um sinal de que os planos não foram bem elaborados, refaça-os e retome o caminho em direção à sua meta. Não entre para o grupo dos que desistem facilmente, não seja um "perdedor".

Quem desiste nunca vence – e só vence quem nunca desiste. Escreva essa frase com letras graúdas num papel e deixe onde possa ver toda noite, antes de dormir, e toda manhã, ao levantar.

Ao formar o seu grupo de Mente Mestra, escolha aqueles que não se deixam abater pelas derrotas.

Algumas pessoas acreditam equivocadamente que só o dinheiro faz dinheiro. Não é verdade! O desejo, transformado em seu equivalente monetário pelos princípios aqui descritos, é o instrumento com o qual o dinheiro é "feito". O dinheiro em si nada mais é do que matéria inerte. Não pode mover-se, pensar ou falar, mas pode "ouvir" quando alguém o deseja e o chama!

Planejando a venda de serviços

O restante deste capítulo foi destinado à descrição do marketing de serviços pessoais. As informações servirão de ajuda prática para quem tiver qualquer tipo de serviço pessoal a oferecer e serão ainda mais úteis para aqueles que aspiram à liderança na profissão escolhida.

Um planejamento inteligente é essencial ao sucesso de qualquer empreendimento destinado a acumular riquezas. Aqueles que pretendem ganhar dinheiro vendendo serviços pessoais encontrarão aqui instruções detalhadas.

O fato de praticamente todas as grandes fortunas começarem pela compensação por serviços pessoais ou pela venda de idéias deve ser um bom estímulo. E o que mais poderia alguém sem posses oferecer em troca da riqueza, além de idéias e serviços pessoais?

De uma maneira geral, existem dois tipos de pessoas no mundo: líderes e seguidores. Como primeira providência, decida se pretende tornar-se líder na sua área, ou se prefere permanecer entre os seguidores. A diferença no pagamento é imensa. Não seria razoável que um seguidor recebesse a mesma remuneração à qual o líder tem direito, embora muitos seguidores cometam o erro de esperar por isso.

Não há desonra em ser um seguidor. Por outro lado, não há vantagem em manter-se como seguidor. Os grandes líderes, em sua maioria, começaram como seguidores e só se destacaram por serem seguidores inteligentes. Com raras exceções, o indivíduo que não segue com inteligência não lidera com eficiência. Aquele que melhor segue o líder é, em geral, o que desenvolve mais rapidamente qualidades de liderança. Ser um seguidor inteligente tem muitas vantagens, entre elas a oportunidade de assimilar o conhecimento do líder.

Os principais atributos para a liderança

Os fatores mais importantes para a liderança são os seguintes:

1. CORAGEM INABALÁVEL baseada no autoconhecimento e na familiaridade com a própria ocupação. Nenhum seguidor deseja ser subordinado a um líder sem autoconfiança e coragem. E nenhum líder desse tipo consegue reter por muito tempo um seguidor inteligente.

2. AUTOCONTROLE. O indivíduo que não consegue se controlar jamais poderá controlar outros. O autocontrole constitui-se num poderoso exemplo para os seguidores inteligentes.

3. AGUDO SENSO DE JUSTIÇA. Sem imparcialidade e justiça, nenhum líder consegue comandar e manter o respeito de seus seguidores.

4. FIRMEZA DE DECISÃO. O indivíduo que oscila em suas decisões mostra que não está seguro de si. Não pode liderar outros com sucesso.

5. DEFINIÇÃO DE PLANOS. O líder bem-sucedido precisa planejar seu trabalho e cumprir o planejamento. O líder que age por conjecturas, sem planos práticos definidos, é comparável a um navio sem leme. Mais cedo ou mais tarde vai bater nas rochas.

6. HÁBITO DE DAR MAIS DO QUE RECEBE. Um dos ônus da liderança é a necessidade do empenho, por parte do líder, em fazer mais do que ele próprio solicita de seus seguidores.

7. PERSONALIDADE AGRADÁVEL. Nenhuma pessoa negligente e desinteressada pode tornar-se um líder bem-sucedido. Liderança implica respeito. Os seguidores não respeitam um líder que não seja altamente qualificado em todos os fatores que constituem uma personalidade amistosa e gentil.

8. SOLIDARIEDADE E COMPREENSÃO. O líder de sucesso precisa ser solidário, compreendendo os seguidores e seus problemas.

9. ATENÇÃO AOS DETALHES. Uma liderança bem-sucedida envolve atenção aos detalhes da posição de líder.

10. DETERMINAÇÃO DE ASSUMIR PLENA RESPONSABILIDADE. O líder bem-sucedido deve estar disposto a assumir a responsabilidade pelos erros e deficiências de seus seguidores. Se tentar transferir essa responsabilidade, não permanecerá como líder. Se um dos seus seguidores cometer um erro e mostrar-se incompetente, o líder precisará considerar a falha como sendo sua.

11. COOPERAÇÃO. O líder de sucesso precisa compreender e aplicar o princípio do esforço cooperativo, bem como ser capaz de induzir os seguidores a fazerem o mesmo. Liderança implica poder, e poder envolve cooperação.

Existem duas formas de liderança. A primeira e infinitamente mais eficaz é a liderança por consenso, com a aprovação dos seguidores. A segunda é a liderança pela força, sem o consentimento e a concordância dos seguidores.

A História está cheia de evidências de que a liderança pela força não se sustenta. A queda e o desaparecimento de reis e ditadores falam por si. Significam que o povo não segue indefinidamente uma liderança forçada.

O mundo entrou em uma nova era de relacionamento entre líderes e seguidores. O momento requer outro tipo de líder e de liderança no comércio e na indústria. Aqueles que pertencem à velha escola da liderança pela força precisam compreender o novo estilo de liderança (cooperação), ou serão relegados à condição de seguidores. Não há outra saída.

No futuro, o relacionamento entre patrão e empregado, ou entre líder e seguidor, será de cooperação mútua, baseada numa divisão equitativa dos lucros: uma verdadeira parceria.

Napoleão Bonaparte, o imperador Wilhelm da Alemanha e os czares da Rússia foram exemplos de liderança pela força, que desmoronaram. Não é muito difícil identificar protótipos desses ex-líderes entre as figuras do mundo financeiro e empresarial – todos afastados de seus cargos. A *liderança por consenso* é a única sustentável.

As pessoas podem seguir por algum tempo uma liderança forçada, mas certamente o farão de má vontade!

Esse novo tipo de liderança, descrito neste capítulo, adota os 11 fatores mencionados e mais alguns. O líder que fizer deles a base de sua atuação encontrará oportunidades em todos os setores. Sempre que uma crise se prolonga, é por falta de liderança. A demanda por líderes com competência para aplicar os novos métodos é bem maior do que a oferta. Alguns dos antigos líderes podem adaptar-se, mas, de um modo geral, o mundo terá de procurar uma nova estrutura de liderança. Essa necessidade pode ser a sua oportunidade!

As dez principais causas do fracasso da liderança

Vamos agora comentar as principais falhas cometidas pelos líderes, pois assim como é importante saber o que fazer, também é necessário saber o que não fazer.

1. INCAPACIDADE DE ORGANIZAR DETALHES. Uma liderança eficiente exige capacidade de cuidar de detalhes. O verdadeiro líder nunca está "ocupado demais" para cumprir qualquer atribuição sua. Quando o indivíduo, seja líder ou seguidor, diz que está muito ocupado para mudar de planos ou para atender a uma emergência, admite a própria incapacidade. O líder bem-sucedido conhece todos os detalhes inerentes à posição que ocupa, mas sempre conta com assessores competentes para cuidar deles pessoalmente.

2. RECUSA EM EXECUTAR TAREFAS PRÓPRIAS DE CARGOS ABAIXO DO SEU. O verdadeiro grande líder se dispõe, quando a ocasião exige, a fazer qualquer tipo de tarefa que pediria a outro para executar. "O maior entre vós é aquele que serve a todos" é uma verdade observada e respeitada por todo líder capaz.

3. EXPECTATIVA DE PAGAMENTO PELO QUE "SABE", E NÃO PELO QUE FAZ COM O QUE SABE. O mundo não paga pelo que as pessoas "sabem", mas pelo que fazem ou levam os outros a fazer.

4. MEDO DA CONCORRÊNCIA. O líder que teme ser substituído por um dos seguidores provavelmente verá seu medo se concretizar. O líder capaz prepara substitutos a quem possa delegar responsabilidades, conseguindo assim multiplicar-se, ir a vários lugares e dar atenção a diversas tarefas ao mesmo tempo. As pessoas recebem um pagamento maior por sua capacidade de fazer os outros produzirem do que pelos próprios esforços – eis aí uma verdade eterna. O líder eficiente, com seu conhecimento e o magnetismo de sua personalidade, aumenta em muito a produtividade dos funcionários, levando-os a oferecer melhores serviços.

5. FALTA DE IMAGINAÇÃO. Sem imaginação, o líder não consegue agir nas emergências nem elaborar planos para orientar com eficiência seus funcionários.

6. EGOÍSMO. O líder que toma para si o sucesso do trabalho dos seguidores certamente atrai ressentimentos. O verdadeiro grande líder não toma a glória para si. Ele se satisfaz em ver a valorização dos seguidores, porque sabe que, para eles, é mais importante o reconhecimento do que o dinheiro.

7. DESCONTROLE. Os seguidores não respeitam um líder descontrolado. Além disso, o destempero, em suas várias formas, acaba por destruir a resistência e a vitalidade dos que sucumbem a ele.

8. DESLEALDADE. Talvez essa característica devesse ocupar o primeiro lugar da lista. O líder que não é leal ao cargo que exerce, aos colegas, aos superiores e aos subalternos não mantém a liderança por muito tempo. A deslealdade reduz o indivíduo a pó e atrai para ele todo o desprezo que merece. A falta de lealdade é uma das principais causas de fracasso em todos os setores da vida.

9. ÊNFASE NA "AUTORIDADE" DA LIDERANÇA. O líder eficiente atua pelo estímulo, e não pelo medo incutido no coração dos seguidores. O líder que procura impressionar pela "autoridade" pertence à categoria dos que atuam pela força. O verdadeiro líder não precisa afirmar sua condição – a não ser por sua conduta de solidariedade, compreensão, justiça e sabedoria.

10. ÊNFASE NO TÍTULO. O líder competente não precisa de "título" para conquistar o respeito dos seguidores. Geralmente, aquele que dá muita importância ao título tem pouco a oferecer. As portas da sala do verdadeiro líder estão sempre abertas, e seu ambiente de trabalho não apresenta qualquer formalidade ou ostentação.

Essas estão entre as principais causas do insucesso na liderança. Qualquer uma delas é suficiente para levar ao fracasso. Se você aspira a um cargo de liderança, estude a lista atentamente e evite cometer tais erros.

Alguns terrenos férteis em que a "nova liderança" é necessária

Antes de encerrar o capítulo, quero chamar a sua atenção para terrenos férteis em que a carência de novos líderes pode significar abundância de oportunidades.

PRIMEIRO. A política é o campo em que novos líderes são mais necessários. É uma situação verdadeiramente emergencial. Os políticos, em sua maioria, parecem ter se transformado em escroques legalizados, aumentando impostos e corrompendo a máquina administrativa, até tornarem inviável a vida dos cidadãos.

SEGUNDO. Os líderes do setor financeiro praticamente perderam a confiança do povo. Os banqueiros sentiram a necessidade de mudança e já começaram a fazê-la.

TERCEIRO. A indústria precisa de novos líderes. Os líderes à moda antiga pensavam e agiam em termos de dividendos, em vez de pensar e agir em termos de relações humanas! O novo líder do mundo empresarial precisa atuar como um representante do povo, interessado em impedir que qualquer pessoa viva na miséria. A exploração do trabalhador é coisa do passado. Que não se esqueçam disso aqueles que aspiram à liderança em todos os setores.

QUARTO. O líder religioso do futuro será forçado a dar mais atenção às necessidades terrenas dos seguidores, à solução de seus problemas econômicos e pessoais do presente, deixando de lado o passado – que já passou – e o futuro – que ainda não veio.

QUINTO. Nas áreas de direito, medicina e educação, um novo tipo de liderança e novos líderes serão necessários. Isso vale especialmente para a educação. O líder dessa área deve encontrar meios de ensinar as pessoas a aplicar o que aprenderam. Deverá haver mais prática e menos teoria.

SEXTO. Novos líderes serão necessários no jornalismo. Os jornais devem tornar-se independentes dos "privilégios especiais" e do subsídio da publicidade, deixando de atuar como instrumentos de propaganda de seus patrocinadores. O tipo de jornal que publica matérias e fotografias escandalosas terá o mesmo fim de tudo que corrompe a mente humana.

Esses são apenas alguns dos vários campos que oferecem oportunidades àqueles dispostos a exercer um novo tipo de liderança. O mundo está mudando rapidamente, e os meios pelos quais tais mudanças se processam também devem mudar, para se adaptarem aos novos tempos. São eles que, mais que quaisquer outros, apontam a tendência da civilização.

QUANDO E COMO CANDIDATAR-SE A UM CARGO

As informações passadas a seguir são o resultado de muitos anos de experiência, durante os quais milhares de homens e mulheres receberam ajuda para oferecer seus serviços com sucesso. Portanto, pode confiar nelas.

COMO OFERECER SERVIÇOS

A experiência prova que os métodos mais eficazes de colocar frente a frente o vendedor e o comprador de serviços pessoais são:

1. AGÊNCIAS DE EMPREGO. São poucas as agências reconhecidas que podem comprovar resultados satisfatórios. Procure uma delas.

2. ANÚNCIOS em jornais, revistas ou rádio. Os anúncios classificados costumam dar bons resultados, em especial no caso de assalariados e empregados de escritório. Para os que aspiram a posições executivas, é aconselhável um anúncio mais elaborado, a ser publicado na seção que mais desperta o interesse do empregador em potencial. É bom que seja preparado por um especialista, de modo a produzir o retorno esperado.

3. CARTAS DE APRESENTAÇÃO dirigidas a empresas particulares ou a pessoas que necessitem dos serviços oferecidos pelo candidato. A carta deve estar datilografada e ser sempre assinada de próprio punho. Junto à carta, pode ser enviado um currículo. Tanto a carta quanto o currículo devem ser preparados por um especialista. (Veja instruções sobre as informações a serem fornecidas.)

4. RECOMENDAÇÃO DE OUTRA PESSOA. Quando possível, o candidato deve procurar o empregador em potencial acompanhado de um conhecido comum. Esse método é especialmente interessante quando aquele que procura a colocação não quer parecer pretensioso, mas, ao mesmo tempo, quer mostrar que é conhecido no setor.

5. APRESENTAÇÃO PESSOAL. Em alguns casos, pode funcionar melhor se o candidato se apresentar pessoalmente ao possível empregador, deixando com ele um currículo. Em geral, as decisões sobre contratações não são tomadas na hora e, assim, o material poderá ser examinado com calma.

Informações a serem fornecidas no currículo

O currículo deve ser preparado com o mesmo cuidado que o advogado dedica à preparação da defesa do cliente. Se o candidato não tiver experiência nesse tipo de tarefa, é melhor consultar um especialista. Comerciantes empregam homens e mulheres conhecedores da arte de demonstrar os méritos da mercadoria. Quem tem serviços pessoais para vender deve fazer o mesmo. As seguintes informações precisam constar do currículo:

1. FORMAÇÃO. Declare sucinta e claramente o seu nível de escolaridade, citando as áreas em que se especializou e informando o motivo da escolha dessas especializações.

2. EXPERIÊNCIA. Se você possui experiência em funções similares à que procura, descreva-a em detalhes, indicando nomes e endereços de antigos empregadores. Não se esqueça de mencionar alguma experiência especial que capacite você a ocupar a posição desejada.

3. REFERÊNCIAS. Normalmente, as empresas se interessam em conhecer as ocupações anteriores do candidato, em especial quando a função pretendida é de grande responsabilidade. Junte ao currículo cartas de apresentação escritas por:

a) Ex-patrões
b) Ex-professores
c) Pessoas de boa reputação no setor

4. FOTOGRAFIA. Adicione uma foto natural e recente.

5. ESPECIFICAÇÃO DO CARGO. Evite candidatar-se sem descrever exatamente o cargo pretendido. Nunca peça apenas "um cargo"; isso indicaria falta de qualificação.

6. QUALIFICAÇÕES. Especifique as suas qualificações que são compatíveis com o cargo desejado. Explique claramente por que se considera em condições de assumir o cargo. Essa é a parte mais importante da sua apresentação. Dela dependerão, prioritariamente, as suas chances de conseguir a vaga.

7. PERÍODO DE EXPERIÊNCIA. Se você realmente deseja a posição a que se candidatou, ofereça-se para um período de experiência não remunerado de uma semana ou um mês, para que o empregador possa avaliar a sua adequação ao cargo. Pode parecer uma sugestão radical, mas a experiência mostra que vale a pena tentar. Se você tem segurança das suas qualificações, tente. Um oferecimento desse tipo é uma prova de autoconfiança. Além do mais, se a sua oferta for aceita e você fizer um bom trabalho, provavelmente será recompensado pelo período de experiência. Esclareça bem as razões do seu oferecimento:

a) Confiança na própria capacidade
b) Certeza da contratação ao fim do período de experiência
c) Determinação de conseguir o cargo

8. CONHECIMENTO DOS NEGÓCIOS DO POSSÍVEL EMPREGADOR. Antes de candidatar-se, estude a empresa, para se familiarizar com os negócios e indicar esse conhecimento no currículo. Assim, além de impressionar, você irá demonstrar que tem imaginação e real interesse pelo cargo.

Lembre-se: em direito, ganha quem apresenta melhor o caso. Se o seu "caso" for bem-preparado e bem-apresentado, você vai entrar em campo com meia partida ganha.

Não tenha medo de tornar o currículo muito extenso. O empregador quer ter acesso ao maior número possível de informações. Assim como você se interessa por um emprego seguro, ele está interessado nos serviços de candidatos bem-qualificados. Na verdade, boa parte do sucesso da empresa deve-se ao acerto nas contratações.

Mais uma recomendação: o cuidado na preparação do currículo indica que você é uma pessoa organizada. Já ajudei a preparar currículos tão interessantes e originais que meus clientes foram contratados sem passar pela entrevista.

Pronto o currículo, providencie uma bela capa. Se possível, contrate um profissional para dar um acabamento artístico.

Veja este exemplo:

CURRÍCULO
Robert K. Smith
CANDIDATO AO CARGO DE
Secretário particular do presidente da
THE BLANK COMPANY, Inc.

Na hora de entregar o currículo, é só mudar o nome da empresa.

Um toque pessoal sempre chama a atenção. Cuide para que o currículo seja bem-impresso, num papel da melhor qualidade possível. A fotografia deve ser colada na primeira página. Siga as instruções ao pé da letra, acrescentando o que a sua imaginação sugerir.

Bons vendedores sempre procuram ter boa apresentação, pois sabem que a primeira impressão é muito importante. O currículo é o seu vendedor. "Vista-o" bem para que se destaque dos outros. Se o cargo é bom, vale a pena lutar por ele. E mais: se o empregador ficar impressionado com você, é provável que lhe ofereça um salário inicial mais alto, diferente de como seria se você tentasse do modo convencional.

Se procurar emprego através de uma agência, deixe lá cópias do seu currículo. Assim, o agente ficará mais atento às oportunidades.

Como conseguir exatamente o cargo desejado

Todo mundo gosta de trabalhar com aquilo que lhe dá prazer. O pintor gosta de pintar, o artesão gosta de trabalhar com as mãos, o escritor gosta de escrever. Os que têm talentos menos definidos optam por determinadas áreas da indústria e do comércio. Nos Estados Unidos, por exemplo, existe uma oferta variada de ocupações, desde o cultivo da terra até as profissões liberais.

PRIMEIRO. Decida exatamente o tipo de emprego que quer. Se não existir, crie.

SEGUNDO. Escolha a empresa ou a pessoa para a qual quer trabalhar.

TERCEIRO. Estude a política administrativa, a gestão do pessoal e as oportunidades de crescimento do empregador em perspectiva.

QUARTO. Faça uma auto-análise, veja quais são os seus talentos e capacidades e descubra o que você tem a oferecer. Então, planeje serviços, sugestões e idéias que você acredita poderem ser úteis.

QUINTO. Esqueça o "emprego". Esqueça se existe ou não uma vaga. Esqueça a velha pergunta: "Tem um emprego para mim?" Concentre-se no que você pode oferecer.

SEXTO. Com o plano em mente, peça a alguém que escreva bem para redigi-lo, com todos os detalhes.

SÉTIMO. Apresente o plano à pessoa certa com poder de decisão e deixe que ela faça o resto. Toda empresa se interessa por quem tenha algo de valor a oferecer, sejam idéias, serviços ou contatos. Toda empresa tem espaço para quem levar um plano de ação definido que a fará crescer.

Essa linha de ação pode exigir mais alguns dias ou algumas semanas, mas a recompensa financeira, o crescimento pessoal e o reconhecimento superam anos de muito trabalho e pouco dinheiro. E a principal vantagem é a economia de um a cinco anos de esforços para alcançar a meta pretendida.

Todos aqueles que começam a subida já na metade da escada devem isso a um planejamento determinado e cuidadoso – exceto o filho do dono, é claro.

A NOVA MANEIRA DE OFERECER SERVIÇOS

"EMPREGOS" AGORA SÃO "PARCERIAS"

De agora em diante, aqueles que quiserem oferecer seus serviços com sucesso vão ter de reconhecer a enorme mudança ocorrida nas relações entre empregado e empregador.

No futuro, a regra de ouro – e não a "regra do ouro" – será o fator dominante no marketing de mercadorias e de serviços pessoais. As relações entre empregado e empregador tomarão o aspecto de parceria, e delas farão parte:

a) o empregador
b) o empregado
c) o público a que servem

Por muitas razões, essa maneira de oferecer serviços pessoais é considerada nova, sendo a primeira delas o fato de empregado e empregador se considerarem companheiros e terem um interesse em comum: servir bem ao público. No passado, empregados e empregadores barganhavam entre si, retirando disso a melhor forma de ambos beneficiarem-se, sem perceberem estar, em última análise, prejudicando terceiros – os clientes.

Os escândalos financeiros provocaram protestos de um público cujos direitos foram desrespeitados de todas as maneiras por aqueles que visavam a lucros e vantagens pessoais. Quando os destroços forem recolhidos e as empresas recuperarem o equilíbrio, empregados e empregadores vão reconhecer que não podem mais barganhar à custa daqueles a quem servem. O verdadeiro empregador do futuro será o público. Esse deve ser o pensamento principal de quem quiser vender com sucesso serviços pessoais.

Praticamente todas as ferrovias dos Estados Unidos atravessaram dificuldades financeiras. Naquela época, o cidadão, ao perguntar no guichê o horário do próximo trem, era rudemente encaminhado ao quadro de horários, em vez de receber a informação que pedira.

As companhias de bondes também experimentaram a "mudança dos tempos". Antigamente, os condutores pareciam sentir prazer em discutir com os passageiros. Muitos bondes foram tirados de circulação, e os passageiros passaram a viajar de ônibus, cujos motoristas eram "a última palavra em delicadeza".

Em todo o país, nos bondes malconservados que ainda continuaram a circular, os passageiros passaram a ser mais bem-tratados e, ainda que um deles faça sinal no meio do quarteirão, o motorneiro irá recebê-lo gentilmente.

Como os tempos mudaram! É esse o ponto que quero enfatizar. Os tempos mudaram! E as mudanças não se refletem apenas nos bondes e nas estações de trem, mas em outros setores da vida. A política do tipo "o público que se dane" não existe mais; foi substituída por aquela que diz "estamos às suas ordens, senhor".

Os banqueiros aprenderam algumas lições ultimamente. Hoje, a indelicadeza de um funcionário de banco é tão rara quanto era comum anos atrás. Alguns banqueiros (não todos, é claro) criavam uma tal atmosfera de austeridade que o cliente se arrepiava com a idéia de ir ao banco pedir empréstimo.

As crises econômicas tiveram o efeito de remover as portas de mogno que os banqueiros usavam como barricada. Agora, eles ficam à vista de todos, à disposição de qualquer um, e a atmosfera das agências bancárias é de delicadeza e simpatia.

Em qualquer mercearia, era comum o comprador ter de esperar que o vendedor deixasse a conversa com os amigos e o dono acabasse de fazer as contas para então ser atendido. Hoje, cadeias de lojas administradas por gerentes corteses que fazem de tudo para agradar ao freguês – exceto dar brilho em seus sapatos – deixaram para trás os antigos comerciantes. O tempo passa!

"Cortesia" e "serviço" são as palavras de ordem no comércio hoje em dia e aplicam-se mais diretamente a quem vende serviços pessoais do que ao patrão, porque, no fim das contas, empregado e empregador são empregados do público a que servem. E, se não servirem bem, perderão o privilégio de servir.

Houve um tempo em que o funcionário que media o consumo do gás batia na porta com tanta força que fazia tremer as panelas na cozinha. Quando a porta era aberta, ele entrava sem pedir licença, de cara amarrada, como quem pergunta: "Por que não abriu logo?" Tudo isso mudou. O medidor passou a agir como um cavalheiro que tem "prazer em atendê-lo, senhor". As companhias de gás não perceberam que estavam acumulando perdas irrecuperáveis, e os gentis vendedores de aquecedores a óleo tomaram o seu lugar.

Durante a Depressão, passei vários meses na região das minas de carvão da Pensilvânia, estudando as condições que quase destruíram a indústria da região. Entre vários fatos importantes, estava a descoberta de que a ganância de operadores e empregados fora a causa principal da perda de muitos negócios para os operadores e de muitos empregos para os mineiros.

Com a pressão exercida por líderes trabalhistas muito zelosos, representando os empregados, mais a ganância dos operadores, a indústria do carvão entrou rapidamente em declínio. Operadores e mineiros passaram a discutir por causa de salários, acrescentando o custo da "barganha" ao preço do carvão, até finalmente descobrirem que haviam proporcionado uma excelente oportunidade para os fabricantes de aparelhos alimentados a óleo e para os produtores de óleo cru.

"A paga do pecado é a morte!" Muitos já leram isso na Bíblia, mas poucos sabem o que quer dizer. Há anos, o mundo inteiro tem sido forçado a ouvir, à força, um sermão que poderia receber o título de "o homem colhe o que semeia".

Um evento tão extenso e intenso como a Depressão jamais poderia ser considerado "apenas uma coincidência". Havia uma causa por trás dele. Nada acontece sem uma causa. A depressão pode ser atribuída ao hábito generalizado de tentar colher sem semear.

Não se deve entender erroneamente que a Depressão seja uma colheita que o mundo foi forçado a fazer sem haver semeado. O problema é que o mundo semeou a espécie errada de semente. Qualquer fazendeiro sabe que é impossível semear cardo e colher trigo. Desde o início da Guerra Mundial, as pessoas começaram a semear o serviço inadequado, tanto em qualidade como em quantidade. Era como se praticamente o mundo todo estivesse recebendo sem dar.

Essas ponderações devem ser levadas em consideração por aqueles que têm serviços pessoais a oferecer. Afinal, somos o que somos e estamos onde estamos devido à nossa conduta! Se existe um princípio de causa e efeito que controla o comércio, as finanças e o transporte, esse mesmo princípio controla as pessoas e determina sua condição econômica.

> SOMOS O QUE SOMOS E ESTAMOS ONDE ESTAMOS DEVIDO À NOSSA CONDUTA!

QUAL É A SUA COTAÇÃO "QQE"?

As causas do sucesso da oferta de serviços com sustentabilidade e eficiência foram claramente descritas. Somente com a análise, compreensão e aplicação dessas causas pode-se chegar a um bom resultado. Cada um é o vendedor dos próprios serviços. A qualidade e a quantidade, bem como o espírito dos serviços oferecidos, são determinantes para o preço e a sustentabilidade do negócio. Para bem oferecer serviços pessoais (o que significa um mercado permanente, preços satisfatórios e condições interessantes), é preciso adotar e seguir a fórmula "qqe", que corresponde a qualidade, quantidade e o adequado espírito de cooperação. Lembre-se da fórmula "qqe", mas vá adiante: faça dela um hábito!

Vamos analisar a fórmula para ter certeza de compreender exatamente o que significa.

1. A QUALIDADE do serviço deve ser desenvolvida tendo em vista a maior eficiência possível em todos os detalhes.

2. A QUANTIDADE dos serviços deve ser entendida como o hábito de sempre prestar todos os serviços de que for capaz, já que a habilidade se desenvolve pela prática e pela experiência. Mais uma vez, vamos enfatizar o hábito.

3. O ESPÍRITO do serviço deve ser desenvolvido de modo a formar o hábito de uma conduta agradável e harmoniosa, levando à cooperação entre parceiros e colegas.

A adequação da qualidade e da quantidade do serviço não basta para manter um mercado permanente. A conduta ou o espírito com que os serviços são prestados é fator determinante, ao lado do preço e da sustentabilidade.

Mais do que outros, Andrew Carnegie enfatizou esse ponto, ao descrever os fatores que levam ao sucesso do marketing de serviços pessoais, apontando várias vezes a necessidade de uma conduta harmoniosa. Ele jamais faria negócios com alguém que, embora oferecesse serviços em quantidade e qualidade suficientes, *não* trabalhasse em espírito de harmonia. Carnegie sempre insistiu na necessidade de uma atitude de boa vontade.

Para provar a importância que dava a essa qualidade, podemos ver que aqueles que se adaptaram a seus padrões enriqueceram. Os que não se adaptaram tiveram de ceder o lugar para outros.

Enfatizo a importância de uma personalidade agradável porque dela depende a prestação do serviço com o espírito adequado. Quando o indivíduo tem uma personalidade que agrada e presta serviços com um espírito de harmonia, essas qualidades compensam qualquer deficiência que porventura exista em termos de qualidade e quantidade. Portanto, nada substitui uma conduta agradável.

O VALOR DE CAPITAL DOS SERVIÇOS

Aquele que ganha dinheiro com a venda de serviços pessoais não é menos comerciante do que aquele que vende mercadorias, e podemos acrescentar que ambos estão sujeitos exatamente às mesmas regras de conduta.

A razão da insistência sobre esse ponto é o fato de a maioria das pessoas envolvidas com a venda de serviços pessoais se considerarem livres das regras de conduta e das responsabilidades inerentes ao comércio de mercadorias.

O novo estilo de marketing de serviços praticamente forçou empregados e empregadores a formar parcerias, por meio das quais atendem aos direitos e às necessidades de terceiros – o público a que servem.

Os tempos de "colher" foram substituídos pelos tempos de "plantar". Os métodos de alta pressão no mundo dos negócios finalmente foram deixados de lado, e não haverá necessidade de voltar ao antigo sistema; no futuro, os negócios serão conduzidos por métodos que eliminam a pressão.

O real valor de capital das idéias pode ser determinado pelo montante da renda gerada para o cliente com a compra dos seus serviços. Uma estimativa justa do valor de capital dos seus serviços pode ser obtida multiplicando-se a sua renda anual por 16 e 2/3, já que é razoável estimar que essa mesma renda anual represente 6% do valor do seu capital. O dinheiro rende 6% ao ano. Dinheiro não vale mais que idéias – em geral, vale muito menos.

"Cérebros" competentes, se efetivamente comercializados, representam uma forma de capital muito mais desejável do que aquele que gira em torno de mercadorias, porque idéias não se depreciam devido a crises financeiras nem podem ser roubadas ou gastas. Além disso, o dinheiro que serve aos negócios só adquire valor depois de combinado a "cérebros" eficientes.

As 30 PRINCIPAIS CAUSAS DO FRACASSO

QUANTAS DELAS ESTÃO IMPEDINDO O SEU SUCESSO?

A maior tragédia na vida das pessoas é tentar com todas as forças realizar algo e não conseguir, e isso se confirma na surpreendente maioria de fracassos, em comparação com os sucessos.

Tive a oportunidade de analisar a trajetória de milhares de homens e mulheres, 98% deles considerados "fracassados". Existe algo de errado com uma civilização cujo sistema educacional permite que 98% das pessoas passem pela vida sabendo-se fracassadas. Mas o propósito deste livro não é teorizar sobre o que está certo e errado no mundo; para isso, seria preciso um trabalho cem vezes mais extenso.

Minha análise demonstrou que as principais razões para o fracasso são 30, enquanto são 13 os princípios pelos quais uma pessoa acumula fortuna. A seguir, você vai encontrar as 30 principais causas do fracasso. Ao percorrer a lista, avalie-se a cada ponto para descobrir se algumas delas se interpõem entre você e o sucesso.

1. BAGAGEM HEREDITÁRIA DESFAVORÁVEL. Pouco – ou nada – se pode fazer por aqueles que nasceram com uma inteligência deficiente. Esta filosofia oferece o único método capaz de suprir tal deficiência: a ajuda da Mente Mestra. Observe, porém, que das 30 causas esta é a única impossível de ser facilmente corrigida pelo próprio indivíduo.

2. FALTA DE UM PROPÓSITO DE VIDA DEFINIDO. Não existe esperança de sucesso para quem não possui um objetivo central, uma meta definida. De cada cem analisados por mim, 98 não possuíam objetivos. Talvez seja essa a principal causa de seu fracasso.

3. FALTA DE AMBIÇÃO DE ESTAR ACIMA DA MEDIOCRIDADE. Não há esperança para quem seja indiferente a ponto de não fazer questão de crescer na vida, pagando o preço correspondente.

4. FORMAÇÃO INSUFICIENTE. Essa é uma desvantagem que pode ser superada com relativa facilidade. A experiência nos mostra que os indivíduos mais capacitados aprenderam por si – pessoas que aprenderam por "conta própria". Nível universitário não é garantia de formação. A pessoa capacitada é aquela que aprendeu na prática o que precisou saber, sem violar os direitos alheios. Formação não é somente o conhecimento adquirido, mas também sua aplicação. Os trabalhadores não são pagos pelo que sabem, mas pelo que fazem com seus conhecimentos.

5. FALTA DE AUTODISCIPLINA. A disciplina é fruto do autocontrole, ou seja, o controle das próprias qualidades negativas. Antes de controlar condições externas, você precisa controlar-se. Conseguir o autodomínio é uma das tarefas mais difíceis que existem. Se você não conquistar a sua natureza, ela conquistará você. A pessoa que você vê ao olhar-se no espelho tanto pode ser o seu melhor amigo como o pior inimigo.

6. SAÚDE FRÁGIL. Ninguém consegue um grande sucesso sem boa saúde. A doença tem muitas causas controláveis, como estas:

a) Consumo em excesso de alimentos pouco saudáveis.

b) Hábito de pensar negativamente

c) Mau uso ou excesso de sexo

d) Falta de exercício físico

e) Pouca oxigenação devido a dificuldades respiratórias

7. INFLUÊNCIAS AMBIENTAIS DESFAVORÁVEIS DURANTE A INFÂNCIA. "Pau que cresce torto, morre torto." As tendências criminosas em geral têm origem na infância vivida em ambientes desfavoráveis, em convívio com pessoas inadequadas.

8. HÁBITO DE DEIXAR TUDO PARA DEPOIS. Conhecido como procrastinação, esse hábito é uma das causas mais comuns do fracasso. O "fantasma da procrastinação" fica à espreita, na sombra de todo ser humano, esperando para destruir suas chances de sucesso. A maioria dos indivíduos malsucedidos passa a vida toda esperando "a hora certa" para fazer algo que valha a pena. Não espere. Não existe "hora certa". Comece do ponto onde está, com as ferramentas que tiver. Ao longo do caminho, surgirão ferramentas melhores. "Não deixe para amanhã o que pode fazer hoje."

9. FALTA DE PERSISTÊNCIA. A maioria das pessoas começa, mas não termina. Muitas desistem aos primeiros sinais de obstáculo. Nada substitui a persistência. Aquele que adota como lema a persistência descobre que o fantasma do fracasso finalmente se cansa e vai embora. O fracasso não consegue enfrentar a persistência.

10. PERSONALIDADE NEGATIVA. Não há esperança de sucesso para aquele que afasta os outros com sua personalidade negativa. O sucesso acontece pela aplicação do poder, e o poder é resultado da cooperação. Uma personalidade negativa não induz à cooperação.

11. FALTA DE CONTROLE DO DESEJO SEXUAL. A energia sexual é o mais poderoso dos estímulos à ação. Por ser a mais poderosa das emoções, o sexo deve ser controlado, pela transmutação, e direcionado para outros canais.

12. DESEJO INCONTROLÁVEL DE GANHOS FÁCEIS. O instinto que leva as pessoas a arriscar também as leva ao fracasso. Evidências desse fato surgem quando se estuda a crise de *Wall Street*, em 1929. Naquela ocasião, milhões de pessoas tentaram ganhar dinheiro jogando com as ações da bolsa.

13. FALTA DE UM PODER DE DECISÃO BEM-DEFINIDO. Pessoas bem-sucedidas tomam decisões rapidamente e, quando mudam de idéia, o fazem devagar. Aqueles que fracassam custam a tomar decisões, mas mudam de idéia fácil e freqüentemente. Procrastinação e indecisão são irmãs gêmeas. Onde uma está, a outra aparece. Acabe com essa dupla antes que ela acabe com as suas chances de sucesso.

14. UM OU MAIS DOS SEIS MEDOS BÁSICOS. Esses medos serão analisados em um capítulo mais adiante. Devem ser dominados para que você possa efetivamente oferecer os seus serviços.

15. ESCOLHA ERRADA DO PARCEIRO (OU PARCEIRA). Essa é uma causa comum para o fracasso. No casamento, o contato é muito próximo. Se não houver uma relação de harmonia, é provável que acabe mal. Além disso, essa forma de fracasso é marcada pela infelicidade e pela tristeza, destruindo todos os sinais de ambição.

16. EXCESSO DE CAUTELA. Quem não aproveita as oportunidades costuma ficar com as sobras que os outros deixam. O excesso de cautela é tão prejudicial quanto a falta dela. Ambas as situações devem ser evitadas. A vida é cheia de oportunidades.

17. ESCOLHA EQUIVOCADA DE SÓCIOS. Essa é uma das causas mais comuns do fracasso nos negócios. Ao fazer o marketing de serviços pessoais, é preciso cuidado na escolha do empregador, que deve ser cheio de entusiasmo, inteligente e bem-sucedido. Temos a tendência a imitar aqueles com quem convivemos. Portanto, escolha um empregador que valha a pena imitar.

18. SUPERSTIÇÃO E PRECONCEITO. Superstição é uma forma de medo e um sinal de ignorância. As pessoas bem-sucedidas mantêm a mente aberta e não têm medo do que quer que seja.

19. ESCOLHA EQUIVOCADA DA PROFISSÃO. Ninguém pode ter sucesso em uma atividade da qual não gosta. Uma etapa essencial do marketing de serviços pessoais é a escolha de uma ocupação a que se dedique de corpo e alma.

20. FALTA DE ESFORÇO CONCENTRADO. O "faz-tudo" raramente é muito bom em alguma área. Concentre todos os seus esforços em um objetivo definido.

21. HÁBITO DE GASTAR INDISCRIMINADAMENTE. O gastador não chega ao sucesso por causa de seu medo da pobreza. Habitue-se a economizar sistematicamente uma porcentagem do que ganhar. Uma conta bancária fornece uma boa base de segurança e dá coragem na hora de negociar o preço dos serviços. Sem dinheiro, o indivíduo tem de dar-se por feliz com o que lhe é oferecido.

22. FALTA DE ENTUSIASMO. Sem entusiasmo, é impossível ser convincente. Além disso, o entusiasmo contagia, e aquele que o possui sob controle costuma ser bem-recebido em todos os grupos.

23. INTOLERÂNCIA. A pessoa que "fecha" a mente para determinados assuntos raramente progride. Intolerância significa recusa em adquirir novos conhecimentos. As formas mais danosas de intolerância são aquelas ligadas a religião, raça e diferenças de opinião política.

24. IMODERAÇÃO. As formas mais prejudiciais de imoderação estão ligadas à comida, à bebida e às atividades sexuais. O exagero em qualquer desses aspectos é desastroso para o sucesso.

25. INCAPACIDADE DE COOPERAR. É grande o número de indivíduos que perdem o emprego e grandes oportunidades na vida por não saberem cooperar. São mais numerosos do que os que perdem emprego e oportunidades por todas as outras razões juntas. Quando bem-informado, nenhum homem de negócios ou líder tolera tal deficiência.

26. PODER NÃO CONQUISTADO POR ESFORÇO PRÓPRIO. (Filhos de famílias ricas e outros que herdam dinheiro que nada fizeram para ganhar.) Na maior parte das vezes, o poder nas mãos de quem não o conquistou aos poucos é desastroso para o sucesso. A riqueza instantânea é mais perigosa do que a pobreza.

27. DESONESTIDADE INTENCIONAL. Honestidade é indispensável. Talvez circunstâncias inevitáveis obriguem a uma atitude temporária de desonestidade. Mas não há esperança para aquele que é desonesto por opção. Mais cedo ou mais tarde, ele será vítima da própria ambição e pagará com a perda da reputação e, talvez, da liberdade.

28. EGOÍSMO E VAIDADE. Essas características funcionam como um sinal vermelho para manter as pessoas afastadas. São desastrosas para o sucesso.

29. ARRISCAR EM VEZ DE PENSAR. As pessoas, em sua maioria, por preguiça ou indiferença, deixam de tomar conhecimento de fatos que lhes permitiriam fazer um julgamento acertado; preferem agir com base em "palpites" ou julgamentos apressados.

30. FALTA DE CAPITAL. Essa é uma causa comum do fracasso de quem se aventura nos negócios pela primeira vez, sem reserva de capital suficiente. Essa reserva é necessária para absorver o choque dos erros comuns aos principiantes e sustentá-los até estabelecerem uma boa reputação.

31. Pense em alguma situação que você considere causadora de fracasso e que não tenha sido citada.

Nessas 30 mais importantes causas do fracasso, está a descrição de uma verdadeira tragédia, que atinge praticamente todos que tentam e falham. Percorra a lista ao lado de alguém que conheça bem você e possa ajudar na análise das suas falhas. Em geral, as pessoas não se vêem do modo como são vistas pelos outros. Talvez seja esse o seu caso.

Um dos conselhos mais antigos é: "Homem, conhece a ti mesmo!" Para vender bem, é preciso conhecer a mercadoria. O mesmo vale para o marketing de serviços pessoais: conheça os seus pontos fracos, para que possa compensá-los ou eliminá-los; conheça os seus pontos fortes, para que possa destacá-los. E não esqueça: as pessoas só conhecem a si mesmas por meio de uma análise minuciosa.

Ignorância e individualismo derrubaram um jovem que se apresentou ao gerente de uma empresa com a intenção de ser contratado. Tudo foi muito bem, até que o gerente perguntou-lhe qual era o salário pretendido. O jovem respondeu não ter uma quantia em mente (falta de um propósito definido). O gerente, então, disse:

– Vamos pagar-lhe o salário justo, depois de uma semana de experiência.

– Não aceito, porque ganho mais no meu atual emprego – foi a resposta.

Antes de pedir um aumento de salário ou de procurar uma nova colocação, certifique-se de merecer ganhar mais.

Uma coisa é querer dinheiro – todo mundo quer. Outra coisa é valer mais! Muita gente confunde desejo com merecimento. As suas necessidades financeiras nada têm a ver com o seu valor. O valor é estabelecido pela capacidade de oferecer serviços de qualidade ou de capacitar outros a fazer isso. Faça um "auto-inventário"

VINTE E OITO PERGUNTAS A RESPONDER

Assim como os estabelecimentos comerciais fazem um balanço a cada ano, uma auto-análise anual é essencial a um bom marketing de serviços pessoais. O ideal é que essa auto-análise revele um aumento nos acertos e uma diminuição nos erros. Na vida, é possível progredir, estacionar ou regredir. O objetivo, é claro, deve ser progredir. A auto-análise anual revela se houve progresso, e em que medida, ou se o indivíduo andou para trás. Um bom marketing de serviços pessoais leva ao crescimento, ainda que lento.

É preferível que a auto-análise seja feita ao final do ano, para que sejam incluídas as resoluções de ano-novo, entre elas as melhorias necessárias. Responda às perguntas apresentadas a seguir e peça a colaboração de alguém, para não haver possibilidade de respostas enganosas.

QUESTIONÁRIO PARA AUTO-ANÁLISE

1. Alcancei a meta que estabeleci para este ano? (Você deve estabelecer uma meta anual, como parte do seu objetivo de vida.)

2. Ofereci serviços da melhor qualidade possível, ou poderia ter feito melhor?
3. Ofereci serviços na maior quantidade possível?
4. Mantive sempre uma conduta de harmonia e cooperação?
5. Permiti que o hábito de deixar tudo para depois prejudicasse minha eficiência? Em caso positivo, em que medida?
6. Melhorei minha personalidade? Em que aspectos?
7. Fui persistente, levando as tarefas até o fim?
8. Tomei decisões rápidas e definitivas em todas as ocasiões?
9. Permiti que um ou mais dos seis medos básicos prejudicassem minha eficiência?
10. Agi com excesso ou falta de cautela?
11. Mantive um relacionamento agradável com meus sócios? Em caso de resposta negativa, a responsabilidade por isso é parcialmente ou inteiramente minha?
12. Desperdicei energia por falta de concentração de esforços?
13. Demonstrei receptividade e tolerância em relação a todas as questões?
14. Em que melhorei minha capacidade de servir?
15. Tive atitudes intempestivas?
16. Expressei, secreta ou abertamente, alguma forma de egoísmo?
17. Minha conduta em relação aos parceiros despertou neles o respeito por mim?
18. Minhas decisões foram baseadas em suposições ou em raciocínio e análises cuidadosas?
19. Segui o hábito de administrar com equilíbrio o tempo, as despesas e os ganhos?
20. Quanto tempo dediquei a esforços inúteis e que poderia ter sido mais bem aproveitado?
21. Como posso reorganizar meu tempo e mudar meus hábitos, de modo a ser mais eficiente no próximo ano?
22. Tomei alguma atitude contrária à minha consciência?
23. Em que situações ofereci serviços em maior quantidade e de melhor qualidade em relação ao pagamento que recebi?
24. Fui injusto com alguém? Em caso positivo, de que maneira?
25. Se eu tivesse comprado os meus serviços durante este ano, qual seria o meu grau de satisfação?

26. Estou seguindo minha vocação? Em caso de resposta negativa, por quê?

27. Aqueles a quem presto serviços estão satisfeitos? Em caso de resposta negativa, por quê?

28. Qual é o meu conceito atual, em relação aos princípios fundamentais do sucesso? (Avalie-se com franqueza e imparcialidade, pedindo a alguém com coragem suficiente que dê sua opinião.)

Tendo assimilado as informações transmitidas neste capítulo, você estará em condições de elaborar um plano prático para oferecer os seus serviços. Este capítulo faz uma descrição detalhada dos princípios essenciais ao planejamento de venda de serviços pessoais, inclusive os principais atributos da liderança; as causas mais comuns do insucesso dos líderes; uma relação das áreas com oportunidades para liderança; as principais razões do insucesso nos vários setores da vida; e questões importantes que devem ser levantadas na auto-análise. Tais informações extensas e detalhadas foram incluídas por serem necessárias a quem quiser acumular riquezas, iniciando-se no marketing de serviços pessoais. Aqueles que perderam todo o patrimônio, ou que começam agora a exercer uma atividade remunerada, tendo a oferecer apenas serviços pessoais em troca da riqueza que pretendem conquistar, precisam de informações práticas, de modo a obter o máximo de vantagens.

As informações contidas neste capítulo são de grande valor também para aqueles que aspiram à liderança em qualquer setor – em especial no comércio e na indústria –, bem como para o marketing de serviços pessoais e o aperfeiçoamento da capacidade de julgamento. Diretores, gerentes e outros executivos encarregados de recrutar e selecionar pessoal, além de manter a eficiência da empresa, também se beneficiarão dessas informações. Se duvida, experimente responder por escrito às 28 perguntas da auto-análise. Será uma experiência interessante e útil, pode ter certeza.

ONDE E COMO ENCONTRAR OPORTUNIDADES PARA ENRIQUECER

Agora que analisamos os princípios pelos quais as riquezas se acumulam, a pergunta mais natural é: "Onde encontrar oportunidades favoráveis à aplicação de tais princípios?" Muito bem. Vamos ver que oportunidades são oferecidas pelos Estados Unidos a quem quer enriquecer.

Em primeiro lugar, vamos *todos* lembrar que vivemos em um país onde todo cidadão cumpridor das leis tem liberdade de pensamento e de ação. Muitos talvez nem se dêem conta do que isso representa, principalmente em comparação a outros países, onde a liberdade é restrita.

Aqui, contamos com liberdade de pensamento, escolha de carreira, religião, opinião política e direito à propriedade, enfim tudo aquilo que podemos acumular. Além disso, podemos escolher onde viver, com quem casar, temos o direito de ir e vir, e há oportunidades para todos. E mais: podemos almejar qualquer cargo para o qual nos consideremos preparados, inclusive o de presidente da República.

Poderíamos citar outras formas de liberdade, mas vamos nos concentrar na mais importante delas: a oportunidade. Essa vantagem é a mais notável de todas, porque os Estados Unidos são o único país que garante a todos os cidadãos, natos ou naturalizados, uma extensa e variada lista de liberdades.

A seguir, vamos ver em detalhes os benefícios que a liberdade nos proporciona. Tomemos por exemplo a família norte-americana média, ou seja, de renda familiar média. Quantos são os benefícios disponíveis nesta terra de abundância e oportunidade!

a) ALIMENTO. Devido à liberdade de que dispõe, a família norte-americana média tem ao seu alcance a maior variedade de alimentos por um preço que pode pagar.

Em seguida à liberdade de pensamento e ação, vêm as três necessidades básicas da vida: alimentação, habitação e vestuário.

Uma família de duas pessoas, vivendo no coração do distrito de *Times Square*, na cidade de Nova York, muito longe do local onde são produzidos os alimentos, teve o cuidado de calcular o custo de um simples desjejum, chegando a este surpreendente resultado:

Alimento	**Custo no café-da-manhã**
Suco de uva (da Flórida)	2 centavos
Bolachas de trigo (de Kansas)	2 centavos
Chá (da China)	2 centavos
Bananas (da América do Sul)	2,5 centavos

Torradas (de Kansas)	1 centavo
Ovos (de Utah)	7 centavos
Açúcar (de Cuba ou de Utah)	½ centavo
Manteiga e nata (da Nova Inglaterra)	3 centavos
Total:	20 centavos

Não é difícil conseguir se alimentar em um país onde duas pessoas têm um bom desjejum por um preço tão baixo! E observe que os alimentos, como num estranho passe de mágica, vieram da China, da América do Sul e dos estados de Utah, Kansas e Nova Inglaterra, chegando à mesa do café-da-manhã, prontos para o consumo, no centro da cidade mais populosa da América do Norte, a um custo acessível mesmo ao mais humilde trabalhador.

O custo inclui todos os impostos federais, estaduais e municipais! (Esse é um fato omitido pelos políticos quando acusam os oponentes pelo excesso de impostos.)

b) HABITAÇÃO. A mesma família vive em um apartamento confortável, equipado com aquecimento, eletricidade e gás de cozinha, por 65 dólares mensais. Em uma cidade menor ou em um bairro menos valorizado de Nova York, o mesmo apartamento seria alugado por 20 dólares por mês.

A torrada consumida no desjejum foi preparada em uma torradeira elétrica que custa poucos dólares; a limpeza do apartamento é feita com um aspirador de pó movido a eletricidade, assim como a geladeira em que são conservados os alimentos. Água fria e quente estão sempre disponíveis, na cozinha e no banheiro. A mulher seca os cabelos, lava e passa as roupas usando eletrodomésticos de fácil operação, bastando para isso plugá-los à tomada. O marido usa barbeador elétrico, e eles têm acesso a notícias e entretenimento do mundo todo, vinte e quatro horas por dia, bastando para isso ligar o rádio.

O apartamento apresenta outras facilidades, mas as que foram mencionadas dão uma boa idéia das evidências da liberdade de que gozam os cidadãos americanos. (E não se trata de propaganda econômica nem política.)

c) VESTUÁRIO. Em qualquer região dos Estados Unidos, a mulher e o homem de padrão de vida médio podem vestir-se bem com menos de 200 dólares por ano.

Foram mencionadas apenas as necessidades básicas: alimentação, habitação e vestuário. Mas o cidadão norte-americano goza de outros privilégios e vantagens em troca de um esforço modesto, nunca ultrapassando oito horas de trabalho por dia. Entre essas vantagens está o transporte por automóvel, que possibilita deslocamentos à vontade a um custo muito baixo.

O cidadão norte-americano médio tem assegurado o direito de propriedade como em nenhum outro país. O dinheiro que consegue poupar pode ser depositado em um banco, com a garantia do governo de que será ressarcido se a instituição bancária falir. Pode viajar de um estado a outro sem necessidade de qualquer permissão. É possível ir e vir de trem, automóvel, avião ou navio, conforme o orçamento permitir. Na Alemanha, na Rússia, na Itália e em outros países europeus e orientais, não se viaja com tanta facilidade nem por um custo tão baixo.

O "milagre" que permitiu esses benefícios

É freqüente vermos políticos em campanha exaltando a liberdade de que gozam os habitantes dos Estados Unidos, mas raramente eles dedicam tempo ou atenção à análise da razão ou da natureza de tal "liberdade". Em um momento de folga, armei-me de boa vontade e iniciei uma análise franca do "fator" misterioso, abstrato e pouco compreendido que dá ao cidadão norte-americano mais benefícios, mais oportunidades de acumular riquezas e mais liberdade de toda natureza do que pode ser visto em qualquer outro país do mundo.

Meu interesse por esse poder invisível deve-se ao meu contato com indivíduos que, há mais de um quarto de século, vêm organizando tal poder e responsabilizando-se por sua manutenção.

O nome desse misterioso benfeitor da humanidade é capital!

Capital não consiste apenas de dinheiro, mas de grupos de indivíduos inteligentes e altamente organizados que planejam o emprego eficiente dos recursos financeiros, para o bem do povo e ganho deles mesmos.

Desses grupos fazem parte cientistas, educadores, químicos, inventores, analistas financeiros, publicitários, especialistas em transporte, advogados, médicos e homens e mulheres dotados de conhecimento especializado em todos os setores da indústria e do comércio. São eles os pioneiros, os que realizam experimentos e abrem caminhos. Eles dão suporte a universidades, hospitais e escolas públicas, constroem boas estradas, publicam jornais, pagam boa parte dos gastos do governo e cuidam de numerosos detalhes essenciais ao progresso da humanidade. Para resumir, os capitalistas são o cérebro da civilização, pois fornecem toda a estrutura que possibilita a formação e a iluminação do ser humano.

Dinheiro sem inteligência é sempre perigoso. Bem-empregado, porém, é essencial à civilização. O simples desjejum descrito anteriormente não seria possível àquela família de Nova York a um preço tão baixo, ou a qualquer outro custo, se o capital organizado não fornecesse máquinas, transportes e verdadeiros exércitos de gente treinada para operá-los.

Para dar uma remota idéia da importância do capital organizado, experimente imaginar-se com a tarefa de conseguir para o casal nova-iorquino citado os alimentos consumidos por eles no café-da-manhã, sem a ajuda do capital.

Só para obter o chá seria necessária uma viagem à China ou à Índia – a nado! Então, ainda que tivesse resistência física para atravessar oceanos, com que iria pagar a mercadoria?

> Dinheiro sem inteligência é sempre perigoso.

O açúcar exigiria outra longa viagem – a Cuba – ou uma longa caminhada às plantações de beterraba de Utah. Ainda assim, você voltaria de mãos vazias, porque dinheiro e esforço organizado são necessários à produção de açúcar, que envolve ainda refino e transporte.

Os ovos seriam conseguidos mais facilmente, em granjas próximas, mas o suco de uva significaria alguns quilômetros de deslocamento até a Flórida – ida e volta – por dois copos de suco.

Por fim, seria necessária uma longa viagem ao Kansas ou a qualquer outro estado produtor de trigo para conseguir as fatias de pão.

As bolachas não foram incluídas porque exigiriam trabalhadores especializados no manuseio das máquinas, o que seria impossível sem capital.

Depois de descansar, enfrentaria novamente o mar, nadando até a América do Sul para colher bananas e, na volta, teria de parar em uma fazenda para pegar manteiga e nata. Somente então o casal de Nova York poderia sentar-se à mesa e saborear o café-da-manhã – e você receberia 20 cents pelo trabalho!

Parece absurdo, não? Pois bem; o procedimento descrito seria a única maneira de levar aqueles alimentos tão simples ao centro de Nova York, não houvesse o sistema capitalista.

A quantia necessária à construção e manutenção de estradas de ferro e navios para a entrega de um simples desjejum é tão astronômica que fica difícil imaginar. Seriam centenas de milhões de dólares, sem incluir o treinamento e a remuneração de todos os trabalhadores envolvidos. Mas o transporte é apenas uma parte das necessidades da moderna civilização capitalista. Antes de serem transportados, os produtos devem ser plantados ou fabricados e preparados para a comercialização. Aí vão mais alguns milhões de dólares em equipamentos, maquinaria, embalagem, marketing e salários de milhões de trabalhadores.

Navios e estradas de ferro não saltam do chão e começam a operar imediatamente. Eles são uma resposta às exigências da civilização, por meio da dedicação, criatividade e capacidade de organização de gente com imaginação, fé, entusiasmo, decisão e persistência – os capitalistas. O que os move é o desejo de criar, construir, realizar e fornecer serviços úteis, colhendo lucros e acumulando riquezas. E justamente por oferecerem serviços indispensáveis à civilização eles se colocam no caminho do enriquecimento.

Somente para simplificar e esclarecer, devo acrescentar que os capitalistas são as mesmas pessoas que aprenderam por conta própria aquilo de que falam os agitadores. São os mesmos a quem radicais, aproveitadores, políticos desonestos e líderes trabalhistas interesseiros se referem como "gente de *Wall Street*", "predadores".

Não quero aqui apresentar um discurso contra ou a favor de qualquer grupo ou sistema econômico. Quando falo de "líderes trabalhistas interesseiros", não estou condenando os esforços por melhorias salariais nem fornecendo um atestado de boa conduta aos indivíduos conhecidos como capitalistas.

O objetivo deste livro – um objetivo ao qual dediquei mais de um quarto de século – é apresentar aos interessados a mais confiável filosofia capaz de ajudar a quem quiser acumular riquezas em qualquer quantidade.

A análise das vantagens econômicas do sistema capitalista, aqui apresentada, tem o propósito de demonstrar dois fatos:

1. Todos os que buscam riqueza devem reconhecer o sistema que controla todos os acessos a fortunas, grandes ou pequenas, adaptando-se a ele.
2. É preciso conhecer o outro lado de políticos e demagogos que deliberadamente distorcem as questões que apresentam, referindo-se ao capital organizado como algo extremamente danoso.

Os Estados Unidos são um país capitalista, que se desenvolveu pelo emprego do capital. Todos nós que desejamos compartilhar das dádivas de liberdade e oportunidade, e pretendemos ganhar dinheiro, precisamos estar conscientes de que não haveria riquezas nem oportunidades disponíveis se o capital organizado não nos proporcionasse tais benefícios.

No passado, durante mais de vinte anos, radicais, políticos interesseiros, vigaristas, líderes de classe desonestos e um ou outro religioso adotaram o passatempo de referir-se indiscriminadamente ao pessoal de Wall Street como "cambistas" e "*high business*".

A prática se tornou tão generalizada que, durante a Depressão, assistimos surpresos a altas figuras do governo aliarem-se a políticos e líderes trabalhistas inescrupulosos, com a declarada intenção de destruir o sistema que fez da indústria americana a mais rica do planeta. A associação foi tão ampla e bem-organizada que acabou por prolongar a pior Depressão que os Estados Unidos já atravessaram, destruindo os empregos de milhões de trabalhadores, parte inseparável do sistema capitalista e industrial que forma a espinha dorsal da nação.

Durante a estranha aliança entre altos funcionários do governo e indivíduos interesseiros que pretendiam lucrar, declarando aberta a "estação de caça" ao sistema industrial americano, um certo tipo de líder trabalhista se uniu a eles, oferecendo-se para angariar votos em troca de uma legislação que permitisse pressionar a indústria a pagar mais, em vez de procurar meios de fazer corresponder um dia bem-trabalhado a um dia bem-remunerado.

Milhões de homens e mulheres praticam o verdadeiro esporte nacional que é tentar receber sem dar. Alguns se ligam a sindicatos, por meio dos quais exigem menos horas de trabalho e maiores salários! Outros nem sequer trabalham; preferem esperar auxílio do governo – e conseguem! Um incidente acontecido em Nova York demonstrou a idéia que essas pessoas fazem do direito à liberdade: beneficiários de auxílio social queixaram-se violentamente aos Correios por terem sido acordados às 7h30 pelo carteiro, que distribuía os cheques do governo. Eles exigiram que a entrega fosse feita a partir das 10 horas.

Se você é um daqueles que acreditam ser possível ganhar dinheiro simplesmente organizando-se em grupos para exigir mais pagamento por menos trabalho; se é um daqueles que esperam ajuda do governo, mas não querem acordar cedo para receber o dinheiro que lhe é dado; se é um daqueles que trocam votos por leis que permitam a pilhagem do dinheiro público: pode descansar em paz, porque este é um país livre, onde cada um pode pensar como quiser, onde se pode viver com pouco ou nenhum esforço.

No entanto, você deve conhecer toda a verdade acerca da tal liberdade que tantos exaltam e tão poucos compreendem. Por mais ampla que ela seja, não significa riqueza sem esforço.

Existe um só método seguro – e legal – para ganhar e manter dinheiro: oferecer serviços úteis. Não há sistema pelo qual riquezas sejam obtidas pela força ou sem que seja oferecido em troca um serviço de valor equivalente.

O princípio da lei da Economia é mais que uma teoria e não pode ser desrespeitado.

Guarde bem o nome desse princípio e lembre-se dele, pois é muito mais poderoso do que todos os políticos e todas as máquinas políticas; está além do controle de todos os sindicatos; não pode ser modificado, influenciado ou burlado por interesseiros nem pelos que se intitulam líderes de qualquer setor. Além disso, esse princípio tem um olho que tudo vê e um perfeito sistema de contabilidade, que registra todas as transações efetuadas por todos aqueles que tentam receber sem dar. Mais cedo ou mais tarde, os auditores examinam os livros e exigem uma prestação de contas.

"Cambistas", "*High Business*", "gente de *Wall Street*", ou seja qual for o nome que você escolher para o sistema que garantiu a liberdade aos norte-americanos representam um grupo de indivíduos que compreendem e respeitam a poderosa lei da economia e adaptam-se a ela. Sua continuidade financeira depende do respeito a essa lei.

A maioria dos habitantes dos Estados Unidos gosta do país e aprecia seu sistema capitalista. Devo confessar que não conheço lugar melhor, onde haja mais oportunidades de ganhar dinheiro. A julgar por suas atitudes, porém, alguns parecem não gostar do país. É um direito deles, sem dúvida. Se não gostam do país, de seu sistema capitalista e de suas abundantes oportunidades, têm o direito de ir embora! Sempre haverá outros países, onde poderão aproveitar a liberdade e ganhar dinheiro, desde que não sejam muito exigentes.

Nos Estados Unidos estão todas as liberdades e todas as oportunidades de ganhar dinheiro que qualquer pessoa honesta pode desejar. Quem vai à caça procura uma região onde haja muitos animais; a mesma regra vale para a caça às riquezas.

Se é riqueza que você procura, pense duas vezes antes de tentar destruir o sistema capitalista de um país cujos cidadãos gastam dezenas de milhões de dólares anuais em cartões nos quais celebram a liberdade!

Não deixe de considerar um país onde se gastam anualmente mais de 15 milhões de dólares em ingressos de cinema e mais alguns milhões em bebidas, narcóticos, refrigerantes e energéticos.

Pense bem antes de deixar um país onde o povo fica feliz em ver milhões de dólares investidos anualmente em esportes, como futebol, beisebol e pugilismo.

E dê valor a um país cujos habitantes gastam mais de 1 milhão de dólares por ano em goma de mascar e outro milhão em lâminas de barbear.

Lembre também que essa é apenas uma amostra das fontes de riqueza disponíveis no país. Só foram mencionados alguns luxos e artigos supérfluos. Mas a produção, o transporte e a comercialização de tais mercadorias garantem empregos regulares a milhões de homens e mulheres que recebem por seus serviços milhões de dólares mensais, que gastam livremente, tanto em artigos de primeira necessidade como em supérfluos.

E lembre, em especial, que por trás de toda essa troca de mercadorias e serviços pessoais existem oportunidades de acumular riquezas em abundância. Mais uma vez, a liberdade atua a nosso favor. Nada impedirá os seus esforços. Se você tem talento, treinamento e experiência, pode acumular riquezas em larga escala. Outros menos afortunados não serão tão ricos, mas qualquer um pode sustentar-se, mesmo trabalhando pouco.

Então, aí está sua chance!

A oportunidade espalhou seus recursos diante de você. Encare-os, selecione o que mais lhe interessa, elabore um plano, ponha-o em ação e persista. Acredite: os Estados Unidos capitalistas garantem a todos a oportunidade de prestar serviços úteis e acumular riquezas proporcionais ao valor do serviço prestado.

O "sistema" não nega esse direito a quem quer que seja, mas não promete – nem poderia fazê-lo – dar sem receber em troca, já que é controlado pela lei da economia, que não reconhece nem tolera quem tenta receber sem dar.

A lei da economia foi criada pela natureza. Não existe tribunal a que os infratores possam apelar. Estão previstas penalidades para quem infringe a lei e recompensas para quem a obedece, sem qualquer possibilidade de interferência de quem quer que seja. A lei não pode ser revogada. É tão definitiva quanto as estrelas no céu e faz parte do mesmo sistema que as controla.

Alguém pode recusar-se a aceitar a lei da Economia?

Com certeza! Este é um país livre, onde todos nascem com direitos iguais, inclusive o de ignorar a lei da Economia.

O que acontece, então? Nada, até que um grande número de indivíduos reúna suas forças com o propósito declarado de ignorar a lei e tomar pela força o que desejam.

Eis que chega o ditador, com o pelotão de fuzilamento e as metralhadoras!

Não existe isso, pelo menos nos Estados Unidos! Mas sabemos como o sistema funciona. Que tenhamos a felicidade de jamais precisar enfrentar uma realidade tão terrível. Sem dúvida, preferimos continuar com a liberdade de expressão, de ação e de prestar serviços úteis em troca de riquezas.

A prática, por parte de candidatos, de estender privilégios em troca de votos, em prejuízo do dinheiro público, às vezes resulta em eleição, mas, assim como tudo que sobe tem de descer, um dia "a casa cai." Cada centavo mal empregado deve ser devolvido com juros. Se aquele que se apossou do dinheiro não pagar, o encargo passa para os filhos e para os filhos dos filhos, "até a terceira e quarta gerações". Não há como escapar.

> A LEI DA ECONOMIA NÃO RECONHECE NEM TOLERA QUEM TENTA RECEBER SEM DAR.

Às vezes, as pessoas se juntam para pressionar os empregadores, exigindo aumento de salário e redução do número de horas de trabalho. Mas existe um ponto que não podem ultrapassar: é quando entra em cena a lei da economia, e são condenados empregados e empregadores.

Durante seis anos, de 1929 a 1935, o povo dos Estados Unidos – ricos e pobres – cansou de ver a velha economia fechar empresas, indústrias e bancos. Não foi uma coisa bonita! Não aumentou em nada o respeito do povo pelo espírito que faz as pessoas perderem a razão e tentarem receber sem dar.

Quem viveu aqueles anos terríveis, em que o medo estava por cima e a fé por baixo, não esquece a crueldade com que a lei da economia cobrou seu preço de ricos e pobres, fracos e fortes, jovens e velhos. Ninguém quer reviver aquela experiência.

Essas observações não se baseiam em experiências passageiras; são o resultado de vinte e cinco anos de análise cuidadosa dos métodos utilizados, tanto pelos homens mais bem-sucedidos como pelos mais malsucedidos dos Estados Unidos.

CAPÍTULO 7

DECISÃO

DOMINANDO O HÁBITO DE DEIXAR PARA DEPOIS O SÉTIMO PASSO EM DIREÇÃO À RIQUEZA

A análise apurada da vida de mais de 25 mil homens e mulheres que haviam experimentado algum tipo de fracasso apontou para o fato de que a falta de decisão estava perto do topo da lista das 30 principais causas de fracassos. Isso não é apenas teoria; é fato.

O hábito de adiar as tarefas – a procrastinação – é o oposto da decisão e um inimigo muito comum. Praticamente todas as pessoas precisam trabalhar esse aspecto.

Ao terminar de ler este livro, e com a disposição de colocar em ação os princípios descritos, você terá oportunidade de testar a sua capacidade de alcançar decisões rápidas e precisas.

A observação de centenas de donos de fortunas bem além da marca de 1 milhão de dólares revelou o fato de que todos têm o hábito de tomar decisões rapidamente e alterá-las lentamente – isso quando fazem alterações. Por outro lado, aqueles que não conseguem acumular dinheiro, sem exceção, têm o hábito de tomar decisões, quando tomam, muito devagar, bem como de alterá-las rápida e freqüentemente.

Uma das mais notáveis qualidades de Henry Ford era seu hábito de tomar decisões com rapidez e determinação e de alterá-las lentamente. Essa qualidade era tão patente em Ford que lhe valeu a reputação de homem obstinado – e foi ela que o levou a manter a fabricação do famoso modelo "T" (o carro mais feio do mundo), quando todos os consultores e muitos compradores insistiam em que fossem feitas alterações.

Talvez Ford tenha esperado demais para fazer a mudança, mas o outro lado da história é que sua firmeza de decisão lhe rendeu uma enorme fortuna antes que a alteração no modelo se fizesse necessária. Não há como negar que a determinação de Ford chega às raias da obstinação, mas essa característica é preferível à lentidão na tomada de decisões aliada à rapidez na alteração.

Em geral, as pessoas que não conseguem acumular dinheiro suficiente para cobrir as próprias necessidades deixam-se influenciar pela opinião dos outros, permitindo que meios de comunicação e mexericos da vizinhança pensem por elas. Opiniões são a mercadoria mais barata da face da Terra. Todo mundo tem várias delas prontas para serem passadas a quem quiser recebê-las. Se você se deixar influenciar pelas opiniões ao tomar uma decisão, jamais terá sucesso em qualquer empreitada, inclusive na transformação do seu desejo em dinheiro.

Quando somos influenciados pela opinião alheia, abrimos mão dos nossos desejos.

Ao colocar em prática os princípios descritos neste livro, siga as suas opiniões, tome a decisão e siga-a. Não confie em quem quer que seja, exceto naqueles que fazem parte do seu grupo de Mente Mestra – e tenha muito cuidado na seleção! Escolha apenas quem tiver simpatia pelo seu propósito e estiver em harmonia com ele.

Amigos íntimos e parentes, embora não pretendam, freqüentemente prejudicam, emitindo opiniões ou ridicularizando-o, sob uma capa de humor. Milhares de homens e mulheres carregam pela vida complexos de inferioridade porque tiveram a autoconfiança destruída por uma pessoa bem-intencionada, mas ignorante.

Você tem uma mente e um cérebro. Use-os e tome as suas decisões. Se precisar de fatos ou informações para isso – como provavelmente vai acontecer –, pesquise, mas sem revelar as suas intenções.

É característica daqueles que têm apenas um conhecimento superficial, de fachada, tentarem impressionar, aparentando saber muito mais. Em geral, esses indivíduos falam muito e ouvem pouco. Se quiser adquirir o hábito de decidir prontamente, mantenha os olhos e ouvidos abertos e a boca fechada. Quem muito fala pouco realiza. Se falar mais do que ouve, você não apenas perderá a oportunidade de adquirir novos e úteis conhecimentos, como irá revelar os seus planos e objetivos a pessoas invejosas, que terão prazer em atrapalhar.

Lembre-se também de que, toda vez em que abre a boca diante de um profundo conhecedor de determinado assunto, você expõe o seu nível de conhecimento – ou a falta dele! O saber genuíno se manifesta pela modéstia e pelo silêncio.

Tenha sempre em mente o fato de que a pessoa que se associa a você também procura uma oportunidade de ganhar dinheiro. Se você, inadvertidamente, revelar os seus planos, poderá surpreender-se ao descobrir que alguém passou à sua frente e os colocou em prática.

"O QUE MAIS CONTA SÃO OS ATOS, E NÃO AS PALAVRAS".

Uma das suas primeiras decisões deve ser a de manter a boca fechada e os olhos e ouvidos abertos.

Para não se esquecer de seguir esse conselho, escreva com letras bem grandes e deixe afixada em algum local para o qual você possa olhar diariamente a seguinte frase: "diga ao mundo o que você pretende fazer, mas mostre primeiro."

Isso equivale a dizer que "o que mais conta são os atos, e não as palavras".

Independência ou morte na decisão

O valor de uma decisão depende da coragem necessária para cumpri-la. As decisões mais importantes, que serviram de base à civilização, foram cumpridas em meio a sérios riscos, inclusive com a possibilidade de morte.

Quando Abraham Lincoln se decidiu a declarar a famosa Proclamação de Emancipação, que deu liberdade aos negros dos Estados Unidos, sabia perfeitamente que sua atitude faria que se voltassem contra ele milhares de amigos e partidários. E sabia também que a execução daquela proclamação significaria a morte de milhares de homens no campo de batalha. Acabou custando a vida do próprio Lincoln. Foi preciso coragem.

Quando Sócrates tomou a decisão de beber veneno em vez de renegar suas convicções, foi um ato de coragem que fez o tempo avançar mil anos, concedendo àqueles que nasceram muito depois o direito de pensar e falar livremente.

A decisão tomada pelo general Robert E. Lee, quando tomou parte da União, ao assumir a causa do Sul, foi muito corajosa, pois ele sabia que isso poderia lhe custar a vida e, certamente, a de muitas outras pessoas.

Para os cidadãos norte-americanos, porém, a decisão mais importante de todas foi tomada na Filadélfia, em 4 de julho de 1776, quando 56 homens assinaram um documento, sabendo que este ou daria independência a todos os habitantes do país, ou levaria os 56 à forca.

Você certamente já ouviu falar de tal documento, mas talvez não tenha percebido a importante lição sobre realização pessoal que ele nos ensina.

Memorizamos a data, sem saber da coragem exigida pela decisão. Lembramos os fatos históricos como nos foram ensinados: as datas; os nomes dos que lutaram; Valley Forge e Yorktown; George Washington e lord Cornwallis. Mas pouco sabemos das verdadeiras forças que há por trás dos nomes, das datas e dos lugares. E sabemos ainda menos do poder intangível que garantiu a liberdade do povo do país muito antes que os exércitos de Washington chegassem a Yorktown.

Ao ouvir a história da revolução, imaginamos erroneamente haver sido George Washington o "Pai da Pátria" para os Estados Unidos, quando na verdade foi apenas um acessório, já que a vitória de seus soldados fora garantida muito antes da rendição de lord Cornwallis. A intenção dessa afirmativa não é tirar de Washington a glória que tão merecidamente conquistou, mas chamar a atenção para o espantoso poder que foi a verdadeira causa de sua vitória.

É uma pena que os historiadores não tenham feito a menor referência ao poder irresistível que deu origem e liberdade à nação destinada a estabelecer novos padrões de independência para todos os povos da Terra. Lamento, porque o poder é o mesmo a ser utilizado por todo indivíduo que pretenda superar dificuldades e obter o máximo da vida.

Vamos fazer uma breve revisão dos fatos que deram origem a esse poder. A história começa com um incidente em Boston, em 5 de março de 1770. Soldados britânicos patrulhavam as ruas, intimidando com sua presença os habitantes. Estes se sentiram agredidos por aqueles homens armados, que marchavam em meio a cidadãos comuns, e passaram a expressar abertamente seu desagrado, atirando pedras e gritando palavras de ordem. Até que o comandante ordenou:

– Preparar baionetas... avançar!

A batalha começou, resultando em mortos e feridos. O incidente causou tal comoção que a Assembléia Provincial (composta de eminentes cidadãos) convocou uma reunião para decidir que atitude tomar. Entre os participantes estavam John Hancock e Samuel Adams – vida longa a seus nomes! Eles falaram corajosamente, defendendo a idéia de que deveria ser tomada alguma providência para expulsar de Boston todos os soldados britânicos.

Lembre-se disto: a decisão tomada na mente de dois homens pode ser considerada o início da liberdade de que, hoje, desfruta o povo dos Estados Unidos. Lembre-se também de que a decisão daqueles dois homens exigiu fé e coragem, porque era perigosa.

Samuel Adams foi indicado para ir até o governador da província, Hutchinson, solicitar a retirada das tropas britânicas.

A solicitação foi atendida, e as tropas foram retiradas de Boston, mas o incidente não se encerrou aí. Como conseqüência, foi alterada toda uma tendência da civilização. Não é estranho que grandes mudanças, como a Revolução Americana e a Guerra Mundial, comecem freqüentemente por circunstâncias aparentemente sem importância? É interessante também observar que essas mudanças importantes costumam ter origem em uma decisão definitiva na mente de um número relativamente pequeno de pessoas. Poucos conhecem tão bem a história dos Estados Unidos, para reconhecer que John Hancock, Samuel Adams e Richard Henry Lee (da província de Virgínia) são os verdadeiros Pais da Pátria.

Richard Henry se tornou parte importante dessa história pela correspondência trocada com Samuel Adams, em que comentavam seus medos e esperanças acerca do bem-estar da população de suas províncias. Foi daí que Adams teve a idéia de estender a troca de cartas a todas as 13 colônias, de modo a coordenar os esforços necessários à solução dos problemas comuns. Em março de 1772, dois anos depois do combate nas ruas de Boston, Adams apresentou essa idéia à assembléia, propondo a criação de um comitê de correspondência, com um representante em cada colônia, “a fim de estabelecer uma cooperação amigável, para o bem das colônias da América Britânica”.

Preste atenção neste fato! Foi o começo da organização do imenso poder que daria liberdade ao novo país. A Mente Mestra estava organizada: Adams, Lee e Hancock. “E digo ainda que, se dois de vocês se unirem para fazer um pedido, ele será atendido pelo meu Pai, que está no céu.”

O comitê de correspondência foi instalado. Observe que, com a inclusão de representantes de todas as colônias, crescia o poder da Mente Mestra, por meio do primeiro planejamento organizado dos colonos descontentes.

A união faz a força! Os cidadãos das colônias vinham de combates desorganizados contra os soldados britânicos, em incidentes similares à revolta de Boston, sem qualquer resultado. As queixas individuais ainda não estavam consolidadas na Mente Mestra. Antes de Adams, Hancock e Lee, nenhum grupo havia reunido corações, mentes, almas e corpos em uma decisão definitiva, para enfrentar de uma vez por todas suas dificuldades.

Enquanto isso, os ingleses não estavam inertes. Faziam, também, seu planejamento e organizavam sua Mente Mestra, com a vantagem de contar com recursos como dinheiro e tropas organizadas.

A Coroa britânica indicou Gage para substituir Hutchinson no governo de Massachusetts. Um dos primeiros atos do novo governador foi enviar um mensageiro ao encontro de Samuel Adams, para tentar convencê-lo a interromper a oposição – através do medo.

Para entender melhor o espírito do que aconteceu, vamos ver como foi a conversa entre o coronel Fenton (o mensageiro enviado por Gage) e Adams.

Coronel Fenton:

"Fui autorizado pelo governador Gage a garantir-lhe, sr. Adams, que ele está disposto a conceder-lhe benefícios [tentativa de conquistar Adams com promessa de suborno], sob a condição de que prometa interromper a oposição às medidas do governo. O governador o aconselha a não continuar causando aborrecimentos a Sua Majestade. A sua conduta o sujeita às penalidades impostas por um ato do rei Henrique VIII, segundo o qual as pessoas podem ser mandadas à Inglaterra para serem julgadas por traição ou conivência, a critério do governador da província. No entanto, se mudar a sua orientação política, não apenas receberá grandes vantagens pessoais, como fará as pazes com o rei."

Entre duas opções, Samuel Adams tinha de tomar uma decisão: interromper a oposição e receber vantagens pessoais ou manter a oposição e correr o risco de ser enforcado!

Adams foi forçado a tomar naquele momento uma decisão que poderia custar-lhe a vida. A maioria dos homens teria dificuldade em decidir e optaria por uma resposta evasiva. Mas não Adams! Ele insistiu para que o coronel Fenton desse sua palavra de honra, prometendo transmitir sua resposta para o governador com aquelas mesmas palavras.

Resposta de Adams:

"Pode dizer ao governador Gage que há muito tempo fiz as pazes com o Rei dos Reis. Nenhuma consideração pessoal me faria abandonar uma causa justa. E diga ao governador Gage que Samuel Adams o adverte de que não se deve ofender os sentimentos de um povo exasperado."

Nem é preciso comentar o caráter desse homem. Quem quer que leia a surpreendente resposta de Adams percebe que se trata de um indivíduo da mais alta lealdade. Isso é importante. (Escroques e políticos desonestos corromperam a honra – qualidade pela qual morreram homens como Adams.)

Quando o governador Gage recebeu a resposta mordaz de Adams, ficou furioso e emitiu uma proclamação que dizia: "Venho, por meio desta, em nome de Sua Majestade, oferecer e prometer seu bondoso perdão a todos que imediatamente depuserem suas armas, retomando os deveres de cidadãos pacíficos. Ficam excluídos do benefício do perdão Samuel Adams e John Hancock, cujas ofensas foram de natureza tão abominável que não admitem outra consideração a não ser a punição merecida."

Como se pode ver, os dois estavam em apuros! A ameaça do enfurecido governador obrigou-os a tomar outra decisão, igualmente perigosa.

Sem demora, convocaram uma reunião secreta com seus seguidores mais leais. (Aqui, a Mente Mestra começou a ganhar força.) Depois que todos chegaram, Adams trancou a porta, guardou a chave no bolso e informou aos presentes que era imprescindível a formação de um congresso de colonos e que ninguém deveria deixar a sala até que fosse tomada uma decisão a respeito disso.

Houve um verdadeiro alvoroço. Alguns apontaram as possíveis conseqüências de tal radicalismo. Outros expressaram suas dúvidas quanto à sensatez de adotar uma decisão definitiva, desafiando a Coroa. Entre os homens trancados naquela sala, dois eram imunes ao medo, cegos à possibilidade de fracasso: Hancock e Adams. Influenciados pelas mentes dos dois, os outros se convenceram da necessidade de preparar, por meio do comitê de correspondência, o Primeiro Congresso Continental, a acontecer na Filadélfia em 5 de setembro de 1774.

Guarde bem essa data. É mais importante do que 4 de julho de 1776. Se não fosse tomada a decisão de organizar tal congresso, talvez não fosse assinada a Declaração de Independência.

Antes da primeira reunião do congresso recém-criado, um novo líder, de outra região do país, preparava um trabalho sobre os direitos da

América Britânica: Summary View of the Rights of British America. Era Thomas Jefferson, da província da Virgínia, cujo relacionamento com lord Dunmore (representante da coroa em sua província) era tão hostil quanto o de Hancock e Adams com o governador.

Pouco depois de publicar seu importante trabalho, Jefferson foi informado de que estaria sujeito à acusação de alta traição contra o governo de Sua Majestade. Instigado pela ameaça, um de seus colegas, Patrick Henry, corajosamente opinou, concluindo sua fala com uma frase que se tornou clássica: "Se é para sermos considerados traidores, vamos fazer isso direito."

Homens como esses – sem poder, sem autoridade, sem forças militares, sem dinheiro – foram os que se reuniram em solene consideração ao destino das colônias, começando com o Primeiro Congresso Continental e continuando a intervalos de dois anos – até que, em 7 de junho de 1776, Richard Henry Lee tomou a palavra e fez o seguinte discurso, deixando os ouvintes surpresos:

"Senhores, proponho que estas colônias unidas, que têm o direito de ser estados livres e independentes, sejam liberadas da obediência à Coroa britânica e que a sua conexão política com a Grã-Bretanha seja totalmente dissolvida."

A admirável proposta de Lee foi discutida exaustivamente, a ponto de fazê-lo perder a paciência. Finalmente, ele novamente tomou a palavra e declarou com voz firme:

"Sr. Presidente, estamos há dias discutindo o mesmo assunto. Este é o único caminho que temos. Por que, então, a demora? Por que discutir tanto? Vamos fazer deste o dia feliz do nascimento da República Americana, que virá para restabelecer o reino da paz e da lei, e não para devastar ou conquistar. Os olhos da Europa estão fixos em nós, à espera de um exemplo vivo de liberdade, que pode revelar um contraste entre a felicidade dos cidadãos e uma tirania cada vez mais intensa."

Antes que a proposta fosse finalmente votada, Lee teve de voltar à Virgínia, devido a uma doença grave na família. Antes de partir, porém, entregou a causa ao amigo Thomas Jefferson, que prometeu lutar até chegar a um desfecho favorável. Pouco tempo depois, Hancock, que presidia o congresso, indicou Jefferson para a presidência do comitê encarregado de redigir a Declaração de Independência.

O comitê trabalhou longa e dedicadamente na preparação do documento que, depois de aceito pelo congresso, significaria que todos aqueles que o assinassem estariam assinando a própria sentença de morte, caso as colônias fossem derrotadas na luta contra a Grã-Bretanha que certamente ocorreria em seguida.

O documento foi redigido e, a 28 de junho, lido em sua versão original, diante do congresso. Após dias de discussões a alterações, foi considerado pronto. Em 4 de julho de 1776, Thomas Jefferson postou-se diante da assembléia e, destemidamente, leu a mais significativa decisão já escrita.

"Quando, no curso da História, um povo sente necessidade de romper os laços políticos com outro e assumir, entre os poderes da Terra, a única e justa posição a que tem direito, segundo as leis da natureza e de Deus, o apropriado respeito às opiniões da humanidade exigem que sejam declaradas as causas que levaram à separação..."

Quando Jefferson terminou a leitura, o documento foi votado, aprovado e assinado por 56 homens, cada um arriscando a própria vida com essa decisão. Daí nasceu uma nação cujo destino é garantir para sempre à humanidade o privilégio de tomar decisões.

Somente pelas decisões tomadas com um espírito de fé semelhante àquele a humanidade pode resolver problemas e alcançar altos níveis de riqueza material e espiritual. Não vamos esquecer isso!

Analise os acontecimentos que levaram à Declaração da Independência e convença-se de que os Estados Unidos, que hoje ocupam uma posição de poder e respeito entre todas as nações do mundo, nasceram de uma decisão criada por uma Mente Mestra de que faziam parte 56 homens. Repare que está aí a origem do sucesso das tropas de Washington, pois todos os soldados levavam no coração o espírito daquela decisão, como uma força que não reconhece o fracasso.

Repare, também, que o poder que deu liberdade a uma nação é o mesmo que deve ser usado por todo indivíduo que possua autodeterminação. Tal poder é a soma dos princípios descritos neste livro. Não é difícil identificar, na história da Declaração de Independência, pelo menos seis desses princípios: desejo, decisão, fé, persistência, mente mestra e planejamento organizado.

Nessa filosofia encontra-se a sugestão de que o pensamento, quando apoiado por um forte desejo, tem a tendência de se transformar em seu equivalente físico. Antes de seguir adiante, quero deixar uma sugestão e dizer que, tanto nesta história quanto na da *United States Steel*

Corporation, é possível encontrar uma descrição perfeita do método pelo qual o pensamento produz essa transformação espantosa.

Na sua busca pelo segredo do método, você não vai encontrar um milagre; não espere por ele, portanto. Vai achar apenas as eternas leis da natureza, disponíveis para quem quer que tenha a fé e a coragem de usá-las, seja para dar liberdade a uma nação ou para acumular riquezas. Basta apenas respeitar o tempo necessário para entendê-las e tomar posse delas.

> O PENSAMENTO, QUANDO APOIADO POR UM FORTE DESEJO, TEM A TENDÊNCIA DE SE TRANSFORMAR EM SEU EQUIVALENTE FÍSICO.

Aqueles que tomam decisões com firmeza e rapidez sabem o que querem e, geralmente, o conseguem. Os líderes de todos os setores decidem firme e rapidamente – por isso são líderes. O mundo costuma abrir espaço para quem demonstra, com palavras e atitudes, que sabe aonde vai.

A indecisão é um hábito que, na maioria das vezes, começa na juventude e permanece por muitos anos, durante o colégio e até mesmo na faculdade, quando não há certeza de propósito. A maior deficiência de todos os sistemas educacionais é o fato de não ensinarem nem incentivarem o hábito de tomar decisões definitivas.

Seria interessante se as faculdades só permitissem o ingresso dos alunos que, no ato da matrícula, declarassem qual o seu principal objetivo. E seria melhor ainda se, já no ensino fundamental, os estudantes treinassem o hábito de decidir, inclusive com avaliação ao fim de cada ano letivo.

O hábito da indecisão, adquirido pela deficiência dos sistemas educacionais, acompanha a pessoa até a vida profissional, isso se ela escolhe uma profissão. Em geral, o jovem recém-formado aceita o primeiro trabalho que encontra – porque se acostumou à indecisão. Hoje em dia, 98 de cada cem assalariados ocupam empregos que aceitaram por falta de certeza de decisão para planejar uma posição definitiva e por falta de tato na escolha de um empregador.

A certeza de decisão sempre exige coragem – muita coragem, às vezes. Aqueles 56 homens arriscaram a vida ao decidirem assinar a Declaração de Independência. Quem toma a decisão definitiva de procurar determinado emprego e está disposto a pagar o preço não arrisca a vida, mas a liberdade econômica. Independência financeira, riqueza e sucesso na carreira escolhida não estão ao alcance de quem deixa de esperar, planejar e procurar. Aquele que desejar riqueza com o mesmo espírito que Samuel Adams desejou a liberdade para as colônias certamente vai conseguir.

No capítulo sobre Planejamento Organizado, você encontrará instruções completas sobre o marketing de todo tipo de serviço pessoal, além de informações detalhadas sobre como escolher o empregador e o emprego. Tudo isso, porém, só terá utilidade se você tomar a decisão definitiva de elaborar um plano de ação.

CAPÍTULO 8

PERSISTÊNCIA

O ESFORÇO CONTINUADO NECESSÁRIO PARA INDUZIR A FÉ

O OITAVO PASSO EM DIREÇÃO À RIQUEZA

A persistência é fator essencial no procedimento de transformação do desejo em seu equivalente financeiro. A base da persistência é a força de vontade.

Força de vontade e desejo, quando adequadamente combinados, formam uma dupla irresistível. Aqueles que acumulam grandes fortunas são freqüentemente considerados frios ou mesmo rudes – mas nem sempre isso é verdade. O que fazem é somar força de vontade e persistência, usando a combinação como base de seu desejo, para garantir a realização de seus objetivos.

Henry Ford, por exemplo, criou a fama de rude e frio. A falsa impressão era fruto do hábito de seguir com persistência a execução de seus planos.

As pessoas, em sua maioria, não pensam duas vezes antes de abandonar seus objetivos ao menor sinal de oposição ou má sorte. Alguns, porém, seguem em frente, apesar de toda a oposição, até alcançarem o que pretendem. São os Fords, Carnegies, Rockefellers e Edisons.

Talvez não haja qualquer conotação de heroísmo na palavra "persistência", mas essa qualidade está para o caráter do indivíduo assim como o carbono está para o aço.

Em geral, a construção de uma fortuna envolve a aplicação de todos os 13 fatores dessa filosofia, que devem ser compreendidos e aplicados com persistência por quem quiser ganhar dinheiro.

Existe um tipo de pessoa, entretanto, que pode ler as instruções e prosseguir na rotina diária, sem jamais aplicar os passos descritos. São aquelas que têm um objetivo estabelecido e um plano definido para alcançá-lo.

Mas elas são a exceção: somente duas em cada cem pessoas se encaixam nesse perfil.

Neste ponto, o autor está checando você, pois a falta de persistência é uma das principais causas do fracasso. Além do mais, a experiência com milhares de pessoas prova que a falta de persistência é uma fraqueza comum a grande parte da humanidade. Mas pode ser superada pelo esforço. O sucesso desta empreitada depende inteiramente da intensidade do desejo de cada um.

O ponto de partida de toda realização é o desejo. Não se esqueça disso. Um desejo fraco traz resultados fracos, assim como pouco fogo produz pouco calor. Se perceber que lhe falta persistência, aumente o fogo que alimenta os seus desejos.

Leia o livro até o fim e volte ao primeiro capítulo, começando imediatamente a executar as instruções que acompanham cada um dos seis passos. O cuidado que dedicar ao cumprimento das instruções será uma indicação clara da intensidade do seu desejo de ganhar dinheiro. Se perceber em você uma certa indiferença, pode ter a certeza de que ainda não adquiriu a "consciência do dinheiro", indispensável a quem quer fazer fortuna.

A fortuna vai em direção àqueles que possuem a mente preparada para atraí-la, assim como o rio corre para o mar. Neste livro podem ser encontrados todos os estímulos necessários para sintonizar qualquer mente normal com as vibrações que atrairão o objeto de desejo.

Se a sua persistência estiver fraca, concentre a atenção nas instruções contidas no capítulo que trata do poder; cerque-se de um grupo de mente mestra, e, por meio da união de esforços, será possível desenvolver a persistência. Nos capítulos sobre auto-sugestão e mente subconsciente, encontram-se outras instruções para o desenvolvimento da persistência. Siga as instruções destacadas nesses capítulos até que o hábito transmita à sua mente subconsciente uma visão clara do objeto do seu desejo. A partir daí, a falta de persistência deixará de ser problema para você.

A FORTUNA VAI EM DIREÇÃO ÀQUELES QUE POSSUEM A MENTE PREPARADA PARA ATRAÍ-LA.

A mente subconsciente trabalha sem parar, quer a pessoa esteja dormindo ou acordada.

Esforços ocasionais de nada adiantam. Para obter resultados, aplique todas as regras até que se tornem um hábito. Não existe outra maneira de desenvolver a necessária "consciência do dinheiro".

A mesma lei que faz a pobreza ser atraída pela mente favorável a ela leva o dinheiro em direção à mente que foi deliberadamente preparada para atraí-lo. A consciência da pobreza ocupa de modo espontâneo a mente que não estiver ocupada pela consciência do dinheiro. A consciência da pobreza desenvolve-se mesmo sem a aplicação deliberada de hábitos favoráveis a ela. A consciência do dinheiro, ao contrário, precisa ser criada – a não ser que o indivíduo tenha nascido com ela.

Entenda bem o significado do parágrafo anterior e você compreenderá a importância da persistência para a conquista da riqueza. Sem persistência, a derrota é certa, antes mesmo do começo. Com persistência, você vencerá.

Se já teve um pesadelo, você vai entender o valor da persistência. Imagine-se na cama, naquele estado entre o sono e a vigília, com a sensação de estar sufocando. Você não consegue mover um só músculo. Então, percebe que tem de recuperar o controle do corpo. Com persistência e força de vontade, finalmente mexe os dedos de uma das mãos – depois o braço, até erguê-lo. O processo se repete com o outro braço, então com uma perna e com a outra. Então, com força de vontade e um esforço supremo, você consegue recuperar o controle do sistema muscular e livra-se do pesadelo – vencido passo a passo.

A CONSCIÊNCIA DA POBREZA DESENVOLVE-SE SOZINHA. A DO DINHEIRO PRECISA SER CRIADA.

Talvez seja preciso acordar da inércia mental através de um procedimento semelhante, começando devagar e apressando o ritmo aos poucos, até adquirir controle completo da vontade. Seja persistente, por mais que tenha de mover-se lentamente no início. Com persistência, chega-se ao sucesso.

Se fizer uma seleção cuidadosa do grupo que será a sua Mente Mestra, poderá contar com pelo menos uma pessoa para ajudar no desenvolvimento da persistência. Alguns indivíduos que acumularam grandes fortunas o fizeram por necessidade: eram tão forçados pelas circunstâncias que tiveram de tornar-se persistentes.

Nada substitui a persistência! Nenhuma outra qualidade! Lembre-se disso, e essa informação lhe servirá de alento, principalmente no início, quando as coisas parecem mais lentas e difíceis.

Aqueles que cultivam o hábito da persistência parecem ter um seguro contra o fracasso. Ainda que levem alguns tombos, sempre acabam chegando ao topo da escada. Às vezes, parece haver uma força oculta cuja missão é testar as pessoas, fazendo-as enfrentar todo tipo de experiência desencorajadora. Aquelas que se reerguem depois da derrota e tentam novamente conseguem chegar aonde querem e ouvem o mundo dizer: "Bravo! Sabia que você conseguiria!" A força oculta não permite que alguém alcance uma grande realização sem passar pelo teste da persistência. Quem não passa no teste não conhece o sucesso.

As pessoas que adotam a persistência são generosamente recompensadas: recebem o que desejam. E isso não é tudo! Recebem algo infinitamente mais importante do que bens materiais – a certeza de que todo fracasso traz em si a semente de um benefício equivalente.

Essa é uma regra sem exceção, e alguns sabem disso por experiência própria: são aqueles que se recusaram a aceitar a derrota como definitiva. Seus desejos são tão persistentemente aplicados que fazem a derrota finalmente transformar-se em vitória. Nós, que observamos a vida, vemos que muitos se deixam abater sem se dar qualquer chance de recuperação. Alguns, porém, consideram cada revés como motivo para um esforço ainda mais intenso. Estes, felizmente, não aceitam que a vida ande em marcha a ré. Mas existe um poder irresistível que não enxergamos e de cuja existência muitos de nós sequer suspeitam: um poder que resgata aqueles que enfrentam o desestímulo – a persistência. Sem persistência, não há sucesso em carreira alguma.

Neste momento, levanto os olhos do meu trabalho e vejo diante de mim, a menos de um quarteirão, a misteriosa *Broadway*, o "cemitério das esperanças perdidas", o "portal da oportunidade". Gente do mundo todo chega à *Broadway* em busca de fama, fortuna, poder, amor ou o que quer que os seres humanos chamem de sucesso. Muito raramente alguém se destaca na longa fila de aspirantes, dizendo ao mundo que a Broadway foi conquistada mais uma vez. A conquista não é fácil nem rápida. Ela reconhece o talento e a genialidade, dando retribuição em dinheiro, mas somente depois que a pessoa se recusar a desistir.

Então, sabemos que foi decifrado o segredo da conquista da Broadway – o segredo que traz sempre com ele uma palavra: persistência.

Tal segredo faz parte da história de Fannie Hurst, escritora norte-americana cuja persistência conquistou o "grande caminho branco" (*Great White Way*) – como é conhecida a *Broadway*, por causa dos muitos cartazes e letreiros luminosos. Ela chegou a Nova York em 1915, disposta a transformar seus escritos em riqueza. A transformação não ocorreu imediatamente; mas aconteceu. Durante quatro anos, Fannie conheceu na prática "as calçadas de Nova York". Ela escrevia de dia e, à noite, exercitava sua esperança. Quando a esperança enfraquecia, ela não dizia: "Tudo bem, *Broadway*, você venceu!" Em vez disso, seu comentário era: "*Broadway*, você pode derrotar alguns, mas a mim, não! Vou fazer você desistir."

Um editor (do *The Saturday Evening Post*) rejeitou seu trabalho 36 vezes, até que ela conseguiu romper essa barreira e publicar uma história. O escritor mediano – como os medianos de outros setores – teria desistido à primeira recusa. Fannie, porém, percorreu as calçadas da *Broadway* durante quatro anos, ao som do não dos editores, porque estava determinada a vencer.

Então, veio a recompensa. O feitiço se quebrara. A força oculta testou e aprovou Fannie Hurst. Daí por diante, os editores passaram a bater à sua porta. Ela mal tinha tempo de contar o dinheiro que ganhava. Então, o pessoal de cinema se interessou por seu trabalho. *Great Laughter* lhe rendeu, além dos direitos autorais, 100 mil dólares, a maior quantia já paga até então pela adaptação de uma história ainda não publicada.

Aí você tem uma breve descrição do que a persistência é capaz de fazer. Fannie Hurst não é exceção. Todo aquele que é dono de grande riqueza certamente aprendeu, primeiro, a persistir. A *Broadway* não nega um aperitivo a quem pedir, mas exige persistência dos que vão atrás do prato principal.

A cantora Kate Smith diria "amém" ao ler isto. Durante anos, ela cantou de graça onde quer que houvesse um microfone disponível. A *Broadway* disse: "Venha me pegar, se puder." Ela insistiu, até que, um dia, a *Broadway* se cansou e desistiu: "Ah, de que adianta? Você não se dá por vencida! Então, faça o seu preço e venha trabalhar." Kate fez seu preço!

O dinheiro chegou em abundância: ela ganhava em uma semana mais do que a maioria das pessoas recebe em um ano inteiro!

É verdade. Vale a pena ser persistente!

Eis aqui um fato encorajador, que traz em si uma mensagem de grande significância: milhares de cantores tão bons quanto Kate Smith – ou até melhores do que ela – percorrem a *Broadway* de cima a baixo, procurando uma oportunidade, sem qualquer sucesso. Inúmeros outros chegaram e partiram, alguns muito bons. Mas não fizeram sucesso porque lhes faltou a coragem de insistir, até que a *Broadway* desistisse de mandá-los embora.

Persistência é um estado de espírito; pode ser cultivada, portanto. Como todos os estados de espírito, a persistência se baseia em causas definidas, inclusive estas:

a) **CERTEZA DE PROPÓSITO.** Saber o que se quer é o primeiro e talvez o mais importante passo para o desenvolvimento da persistência. Uma sólida motivação nos força a superar muitas dificuldades.
b) **DESEJO.** É muito mais fácil adquirir e manter a persistência quando se persegue o objeto com intenso desejo.
c) **AUTOCONFIANÇA.** A certeza da própria capacidade de executar um plano estimula a persistência. (A autoconfiança pode ser desenvolvida por meio do princípio descrito no capítulo sobre auto-sugestão.)
d) **PRECISÃO DE PLANEJAMENTO.** Planos bem-organizados, ainda que fracos ou impraticáveis, estimulam a persistência.
e) **CONHECIMENTO APURADO.** A certeza de um planejamento bem-feito, baseado na experiência ou na observação, estimula a persistência; "supor" em vez de "saber" destrói a persistência.
f) **COOPERAÇÃO.** Cooperação harmoniosa, solidariedade e compreensão favorecem a persistência.
g) **FORÇA DE VONTADE.** O hábito de concentrar o pensamento nos planos para a realização de um propósito definido leva à persistência.
h) **HÁBITO.** A persistência é resultado direto do hábito. A mente se alimenta das experiências diárias que absorve, tornando-se parte delas. O medo, o pior dos inimigos, pode ser efetivamente curado pela repetição forçada de atos de coragem. Quem foi à guerra sabe disso.

Antes de deixar esse assunto, analise o quanto você é persistente. Identifique os aspectos em que lhe falta essa qualidade. Avalie-se corajosamente, ponto por ponto, e veja quais são as suas falhas em cada um dos oito fatores da persistência. Os resultados podem levar você a se conhecer bem melhor.

SINTOMAS DA FALTA DE PERSISTÊNCIA

Vamos ver agora os verdadeiros inimigos que se colocam entre você e as grandes realizações. Aqui estão não apenas os sintomas indicativos de pouca persistência, mas também as causas subconscientes profundamente arraigadas. Se você realmente quer se conhecer e saber o que é capaz de fazer, estude a lista com cuidado e encare o que descobrir a seu respeito. Estas fraquezas devem ser superadas por quem quiser acumular riqueza.

1. Falha em reconhecer ou definir exatamente o que deseja.
2. Procrastinação, com ou sem motivo. (Em geral, com base em grande variedade de álibis e desculpas.)
3. Falta de interesse em adquirir conhecimento especializado.
4. Indecisão, hábito de "passar a bola" em todas as ocasiões, em vez de encarar a situação. (Também com o apoio de álibis.)
5. Hábito de apresentar desculpas, em vez de elaborar planos bem-definidos para a solução de problemas.
6. Presunção. Os recursos para melhorar essa característica são poucos. Não há esperança para os presunçosos.
7. Indiferença. Reflete-se, em geral, na tendência a acomodar-se, em vez de enfrentar e vencer os opositores.
8. Hábito de responsabilizar os outros pelos próprios erros e aceitar circunstâncias hostis, considerando-as inevitáveis.
9. Fraqueza de vontade, em razão do pouco-caso na escolha dos motivos que levam à ação.
10. Propensão a – ou até ansiedade para – desistir ao primeiro sinal de dificuldade. (Com base em um ou mais dos seis medos básicos, descritos num capítulo adiante.)
11. Falta de planos organizados por escrito, de modo que possam ser mais bem-analisados.
12. Hábito de deixar de experimentar novas idéias ou de aproveitar as oportunidades que se apresentam.
13. Esperar em vez de querer.
14. Hábito de comprometer-se com a pobreza, em vez de apontar para a riqueza. Ausência generalizada de ambição de ser, fazer e possuir.
15. Usar de todo tipo de expediente para conseguir riqueza, tentando receber sem dar mais ou menos na mesma medida, o que

geralmente se reflete como o hábito de apostar e na ânsia de obter vantagens.

16. Medo de críticas. Deixar de planejar e executar por medo do que os outros possam pensar ou dizer. Esse inimigo encabeça a lista, pois em geral esconde-se na mente subconsciente, onde sua presença não é reconhecida. (Veja os seis medos básicos.)

Vamos examinar alguns sintomas do medo de críticas. Por causa desse medo, a maioria das pessoas permite que a família, os amigos e até desconhecidos influenciem seu modo de viver.

Um número imenso de pessoas encara o casamento como um negócio e passa pela vida de forma miserável e infeliz, pois teme as críticas que possam surgir. Qualquer um que já passou por isso sabe o terrível dano que causa, destruindo a ambição, a autoconfiança e o desejo de realização.

Milhões de pessoas deixam de continuar os estudos depois de terem deixado a escola porque temem críticas.

Inúmeros homens e mulheres de todas as idades permitem que parentes arruínem suas vidas em nome do respeito só porque temem ser criticados. (O respeito não obriga à submissão, à destruição de ambições pessoais, tampouco tira o direito que cada um tem de viver a seu modo.)

Muita gente deixa de aventurar-se em um negócio por medo do fracasso – e das críticas que se seguiriam. Nesses casos, o medo de críticas é maior do que o desejo de sucesso.

Muitos se recusam até mesmo a estabelecer metas para si ou a decidir que carreira desejam seguir porque receiam ouvir parentes e "amigos" dizerem: "Não sonhe tão alto! As pessoas vão pensar que você enlouqueceu."

Quando Andrew Carnegie sugeriu que eu me dedicasse durante vinte anos à organização de uma filosofia de realização individual, meu primeiro sentimento foi de medo do que as pessoas diriam. A sugestão estabelecia para mim uma meta muito mais ambiciosa do que eu jamais imaginara. Com a rapidez de um raio, minha mente começou a criar álibis e desculpas, todas originadas do medo de críticas. Algo dentro de mim dizia: "Você não vai conseguir. É uma tarefa grandiosa, que exige tempo. O que a sua família vai pensar? De que vai viver? Se ninguém até hoje organizou uma filosofia de sucesso, que direito tem você de acreditar que vai conseguir? Aliás, quem é você para desejar tanto? Lembre-se da sua origem humilde. O que sabe de filosofia? Vão achar que está maluco! Por que ninguém fez isso antes?"

Essas e muitas outras perguntas passaram pela minha cabeça, chamando minha atenção. Era como se, de repente, o mundo todo se voltasse para mim com o único propósito de me ridicularizar e me fazer desistir de pôr em prática a sugestão do sr. Carnegie.

Naquele momento, tive a oportunidade de destruir qualquer desejo de sucesso antes de ser tomado por ele. Anos mais tarde, depois de haver analisado milhares de pessoas, concluí que as idéias, em sua maioria, nascem fadadas ao fracasso e precisam do sopro de vida que vem dos planos definidos e da ação imediata. O momento de alimentar uma idéia é logo que ela nasce; a cada minuto, aumentam suas chances de sobrevivência. O medo de críticas está por trás da destruição da maior parte das idéias que nunca chegam ao estágio de planejamento e ação.

Muitos acreditam que o sucesso material seja resultado de oportunidades favoráveis. A crença tem algum fundamento, mas aqueles que se colocam em total dependência da sorte quase sempre se desapontam, por desprezarem outro fator importante para a certeza do sucesso: a noção de que as oportunidades favoráveis podem ser "encomendadas".

Na época da Depressão, o comediante W. C. Fields perdeu todo o dinheiro que possuía e viu-se sem trabalho, já que o teatro de vaudevile, seu ganha-pão, deixou de existir. Além disso, já passara dos 60, idade em que muitos homens se consideram velhos. Sua vontade de voltar a atuar era tanta que se ofereceu para trabalhar de graça em um novo campo: o cinema. Para complicar ainda mais a situação, ele caiu e machucou o pescoço. Outros, em seu lugar, desistiriam. Mas Fields era persistente. Sabia que, se insistisse, as oportunidades viriam, mais cedo ou mais tarde. E vieram mesmo, mas não por acaso.

> O MEDO DE CRÍTICAS ESTÁ POR TRÁS DA DESTRUIÇÃO DA MAIOR PARTE DAS IDÉIAS.

A atriz Marie Dressler também já se aproximava dos 60 quando perdeu tudo. Mas perseguiu e agarrou as oportunidades. Sua persistência lhe valeu um incrível sucesso em uma fase da vida em que a maioria deixa de ambicionar o que quer que seja.

O famoso cantor e apresentador Eddie Cantor perdeu todo o seu dinheiro na quebra da bolsa de Nova York, em 1929, mas não perdeu a coragem nem a persistência. Explorando essas duas qualidades, e mais a fisionomia marcante, de olhos proeminentes, chegou a ganhar 10 mil dólares por semana! Na verdade, com persistência, é possível chegar ao sucesso, ainda que sem muitas outras qualidades.

A única oportunidade em que podemos confiar é aquela que construímos por meio da persistência. E o ponto de partida é a definição do propósito.

Faça uma experiência: pergunte às primeiras cem pessoas que encontrar o que mais desejam na vida. Provavelmente, 98% delas não saberão responder. Se você insistir para que dêem uma resposta, alguns dirão "segurança"; muitos dirão "dinheiro"; poucos dirão "felicidade"; outros, "fama e poder"; outros ainda "reconhecimento social", "bem-estar", "talento para o canto, a dança ou a literatura". Ninguém, porém, será capaz de definir esses termos ou deixar transparecer a mais leve indicação de um plano por meio do qual esperam ver realizados seus desejos tão vagamente mencionados. A riqueza não responde a desejos, mas a planos definidos, apoiados em desejos definidos, por meio de muita persistência.

Como desenvolver a persistência

Aqui estão quatro passos simples que levam ao hábito da persistência. Não há necessidade de grande inteligência, conhecimento específico nem muito tempo ou esforço.

1. Propósito definido, apoiado em ardente desejo de realização.
2. Plano definido, expresso em ação contínua.
3. Mente impermeável a influências negativas ou desencorajadoras, inclusive sugestões desfavoráveis de parentes, amigos ou conhecidos.
4. Aliança amigável com uma ou mais pessoas capazes de oferecer estímulo para levar adiante o plano e o propósito.

Esses quatro passos são essenciais em todos os setores da vida. O objetivo dos 13 princípios dessa filosofia é levar o indivíduo a fazer desses quatro passos um hábito.

Esses passos levam ao controle econômico do próprio destino.

Esses passos levam à liberdade e à independência de pensamento.

Esses passos levam à riqueza, seja de grande ou pequena monta.

Esses passos levam ao poder, à fama e ao reconhecimento.

São os quatro passos que garantem oportunidades favoráveis.

São os quatro passos que convertem sonhos em realidade física.

São os quatro passos que dominam o medo, o desânimo e a indiferença.

Existe uma recompensa magnífica à espera de quem aprender esses quatro passos: o privilégio de escrever a própria história e de fazer a vida valer o preço que custa.

Não tenho meios de conhecer os fatos, mas arrisco-me a dizer que o amor de Wallis Simpson pelo príncipe de Gales não foi acidental nem resultado apenas de uma oportunidade favorável. Houve um desejo ardente e uma busca cuidadosa no decorrer do caminho. Seu compromisso primeiro era com o amor. O que existe de mais importante sobre a face da Terra? O Mestre chamou esse algo importante de "amor" – nada de regras feitas pelos homens, críticas, mágoas, calúnias nem casamentos políticos, mas o amor.

Ela sabia o que queria – não depois de conhecer o príncipe, mas muito antes. Por duas vezes, não conseguiu encontrá-lo, mas teve a coragem de prosseguir na busca. "Para que sejas verdadeiro, deves seguir, como a noite segue o dia, sem qualquer falsidade."

Wallis Simpson deixou a obscuridade aos poucos e, com persistência e determinação, superou obstáculos inacreditáveis. Qualquer que seja a sua opinião sobre Wallis e sobre o rei que, em nome do amor, abriu mão da Coroa britânica, temos de reconhecer nela um exemplo extraordinário de persistência, uma mestra em autodeterminação com quem o mundo tem muito a aprender.

Pense em Wallis Simpson como alguém que sabia o que queria e, para conseguir isso, abalou o maior reino da Terra. As mulheres que reclamam, alegando ser o nosso um mundo masculino, que nega a elas oportunidades iguais às dos homens, devem estudar atentamente a vida dessa criatura especial que, com uma idade que a maioria considera avançada, conquistou o afeto do solteiro mais cobiçado do mundo.

E quanto ao rei Eduardo? Que lição podemos tirar de seu papel nesse drama? Teria ele pago um preço alto demais pelo amor da mulher que escolheu?

Somente ele poderia responder. A nós, resta apenas conjecturar. Pelo que se sabe, não foi por opção que o príncipe veio ao mundo, nascendo em meio à riqueza. Políticos e estadistas de toda a Europa atiravam a seus pés moças ricas e princesas, tentando convencê-lo a casar-se. Sendo o primeiro filho, herdou o direito à Coroa, o que nunca pediu e talvez nem desejasse.

Durante mais de quarenta anos, não teve liberdade nem privacidade, não pôde viver a seu modo e, ao subir ao trono, teve deveres a assumir.

Alguns diriam: "Com tantas facilidades, o rei Eduardo tinha tudo para ser feliz."

A verdade é que, por trás dos privilégios da Coroa, do dinheiro, fama e do poder herdados por ele, havia um vazio que só poderia ser preenchido pelo amor.

Seu maior desejo era o amor. Muito antes de conhecer Wallis Simpson, o então príncipe certamente sentiu essa grande emoção universal tomar-lhe as fibras do coração, bater-lhe às portas da alma, querendo revelar-se.

E, quando encontrou um espírito semelhante, em busca do mesmo santo privilégio de expressão, ele o reconheceu e, sem medo ou hesitação, abriu o coração e o convidou a entrar. A atuação dos intrigantes de todo o mundo não conseguiu destruir a beleza desse drama internacional, em que duas pessoas encontraram o amor e tiveram a coragem de enfrentar as críticas e de renunciar a todo o resto para dar expressão a seus sentimentos.

A decisão do rei Eduardo de abdicar da Coroa do reino mais poderoso do mundo – ficando com o título de duque de Windsor – em troca do privilégio de passar o restante da vida ao lado da mulher que escolhera exigiu coragem. A decisão teve um preço, é verdade, mas quem tem o direito de dizer que foi alto demais? Ninguém, com certeza, já que Ele disse: "Aquele, entre vós, que não tiver pecado atire a primeira pedra."

Aos maliciosos que reprovam o Duque de Windsor por seu desejo de amor, por declarar abertamente o que sentia por Wallis Simpson e por abdicar do trono por ela, devo lembrar que a revelação não era essencial. Ele poderia ter seguido o costume, que durante séculos prevaleceu na Europa, de manter ligações clandestinas, sem ter de desistir do trono nem da mulher amada – e sem ter de receber críticas de religiosos ou de leigos. Mas aquele homem especial era feito de um material mais resistente. Seu amor era puro, profundo e sincero e representava tudo que sempre desejara, acima de tudo. Assim, conseguiu o que queria e pagou o preço devido.

Se a Europa, no século passado, tivesse recebido a bênção de contar com governantes com a humanidade e a honestidade do ex-rei Eduardo VIII, aquele desafortunado continente, hoje perturbado por atitudes de ganância, execração, cobiça e conivência política, além de ameaças de guerra, teria uma história diferente – e muito melhor – para contar: uma história de governo pelo amor, e não pelo ódio.

Segundo disse Stuart Austin Wier, devemos fazer este brinde ao ex-rei Eduardo VIII e a Wallis Simpson: "Abençoado é o homem que sabe serem mais doces os nossos pensamentos silenciosos. Abençoado é o homem que, das mais escuras profundezas, consegue enxergar a figura luminosa do amor e que canta ao vê-la; e que, cantando, diz: 'Muito mais doces que as canções são os pensamentos que tenho por ti.'"

Com essas palavras, prestamos homenagem a duas pessoas que, mais do que quaisquer outras nos tempos modernos, foram vítimas de críticas e insultos simplesmente porque descobriram o maior tesouro da vida e o reivindicaram.*

Em todo o mundo ecoam aplausos ao duque de Windsor e a Wallis Simpson por sua persistência na busca pela maior recompensa que a vida pode oferecer. Todos nós só temos a lucrar ao seguir seu exemplo, buscando o que queremos da vida.

Que poder místico é esse, que dá aos persistentes a capacidade de vencer os obstáculos? Será que, com a persistência, o cérebro é dotado de atividade química, mental ou espiritual que permite acesso a forças sobrenaturais? Será que a Inteligência Infinita se põe ao lado daquele que continua lutando contra o mundo inteiro mesmo depois de perdida a batalha?

Essas e muitas outras perguntas semelhantes me vêm à mente quando penso em homens como Henry Ford, que começou do nada e construiu um império industrial de proporções gigantescas, munido apenas de persistência; ou em Thomas A. Edison, que, tendo freqüentado a escola durante três meses apenas, tornou-se o maior inventor do mundo e converteu a persistência no fonógrafo, no projetor de filmes e na lâmpada incandescente, para não falar em dezenas de outras invenções úteis.

Passei longos anos analisando a trajetória de Ford e Edison, tendo assim o privilégio de conhecê-los melhor e falar deles com segurança. Assim, posso dizer que não encontrei em qualquer dos dois outra qualidade, a não ser a persistência, que pudesse ser a fonte de suas estupendas realizações.

Quem fizer um estudo imparcial de profetas, filósofos, místicos e líderes religiosos do passado vai chegar à inevitável conclusão de que persistência, concentração de esforços e definição de propósito foram as bases principais de suas realizações.

Considere, por exemplo, a estranha e fascinante história de Maomé; analise sua vida, compare-o com grandes realizadores da era moderna da indústria e das finanças e observe como todos têm um incrível traço em comum: persistência!

* A sra. Simpson leu e aprovou esta análise.

Se você tem real interesse em estudar a estranha força que potencializa a persistência, leia a biografia de Maomé, em especial aquela de autoria de Essad Bey. Esta breve resenha escrita por Thomas Sugrue e publicada no *Herald Tribune* serve de "aperitivo" ao raro prazer de que desfrutarão aqueles que lerem a história completa de um dos mais belos exemplos do poder da persistência que a humanidade já conheceu.

O último grande profeta
Escrito por Thomas Sugrue

Maomé foi um profeta, mas nunca operou qualquer milagre. Não era um místico, não tinha escolaridade formal e só começou a cumprir sua missão aos 40 anos. Quando anunciou ser um mensageiro de Deus que trazia a palavra da religião verdadeira, foi ridicularizado e taxado de lunático. Crianças o perseguiam e mulheres lhe atiravam lixo. Maomé foi banido de Meca, sua cidade natal. Seus seguidores tiveram os bens materiais confiscados e foram mandados para o deserto. Durante os anos que passou pregando, nada tinha a oferecer, exceto sua história de banimento, pobreza e desrespeito. No entanto, antes de decorridos dez anos, era o homem mais poderoso de toda a Arábia, regente de Meca e chefe de uma religião que, com o impulso dado por ele, se estenderia até o Danúbio e os Pirineus. Esse impulso envolvia três fatores: a força das palavras, a eficácia da oração e a afinidade dos seres humanos com Deus.

Sua carreira jamais fez sentido. Maomé nasceu no ramo pobre de uma importante família de Meca. A cidade, embora considerada a encruzilhada do mundo, o abrigo da Caaba – construção toda em pedra usada como local de adoração – e centro de rotas comerciais, não contava com saneamento; daí as crianças serem mandadas para o deserto, onde eram criadas por beduínos. Maomé foi, então, alimentado por mães substitutas, mulheres nômades de cujo leite tirou força e saúde. Tendo aprendido a pastorear ovelhas, logo foi contratado por uma viúva rica para comandar suas caravanas. Viajou pelo Ocidente, conversou com indivíduos de crenças diversas e observou o declínio do cristianismo devido à rivalidade entre as várias vertentes. Aos 28 anos, tinha caído nas boas graças da viúva Khadija, com quem se casou. Como sabia que seu pai se oporia ao casamento, embebedou-o antes de pedir-lhe o consentimento. Durante os doze anos seguintes, Maomé viveu como um comerciante rico, respeitado e astuto, até decidir vagar pelo deserto. Voltou de lá um dia com o primeiro versículo do Corão e contou a Khadija que o arcanjo Gabriel lhe aparecera, dizendo ter sido ele o escolhido para ser mensageiro de Deus.

Em toda a vida de Maomé, tal episódio foi o mais próximo de um milagre. Ele não era poeta nem tinha o dom da palavra. No entanto, os versos do Corão que recitava para os fiéis eram melhores do que aqueles criados por poetas profissionais de qualquer das tribos. Os árabes consideravam isso um milagre. Para eles, o dom da palavra era o maior dos dons, e o poeta, um todo-poderoso. Além disso, o Corão dizia que todos os homens são iguais perante Deus e que o mundo devia ser um estado democrático – o Islã. Foi esse conceito, considerado uma heresia política, somado ao desejo que tinha Maomé de destruir todos os 360 ídolos do pátio da Caaba, que provocou seu banimento. Os ídolos atraíam à Meca as tribos do deserto, o que favorecia o comércio. Assim, os homens de negócios da cidade – o grupo de capitalistas, de que um dia Maomé fizera parte – voltaram-se contra ele. Maomé, então, recolheu-se ao deserto para preparar a vitória do islamismo.

Começou a ascensão do Islã. Do deserto, veio uma chama que jamais se extinguiria: um exército democrático lutando como uma só pessoa e preparado para morrer sem hesitação. Maomé convidou judeus e cristãos a se juntarem a ele, já que não criava uma nova religião, mas procurava unir na mesma fé todos aqueles que acreditavam em um Deus único. Se judeus e cristãos aceitassem seu convite, o islamismo conquistaria o mundo. Mas não o fizeram. Não aceitaram sequer as inovações introduzidas por Maomé em relação ao bem-estar dos seres humanos. Quando os exércitos do profeta entraram em Jerusalém, nenhuma pessoa foi morta por causa de sua fé. No entanto, quando os cruzados entraram na cidade, séculos mais tarde, nenhum muçulmano, fosse homem, mulher ou criança, foi poupado. Mas os cristãos aceitaram uma idéia muçulmana: o lugar de aprender – a universidade.

CAPÍTULO 9

O PODER DA MENTE MESTRA

A FORÇA MOTRIZ
O NONO PASSO EM DIREÇÃO À RIQUEZA

O poder é essencial para o sucesso de quem quer ganhar dinheiro. Sem o poder para transformá-los em ação, os planos de nada servem. Este capítulo descreve o método para alcançar e aplicar o poder.

Uma boa definição para o poder é: conhecimento organizado e inteligentemente direcionado. Poder, na acepção aqui utilizada, refere-se ao esforço organizado, suficiente para que o indivíduo transforme o desejo em seu equivalente monetário. O esforço organizado acontece por meio da coordenação dos esforços de duas ou mais pessoas que trabalham por um objetivo definido, em espírito de harmonia.

Para ganhar dinheiro, é preciso poder! Para guardar dinheiro, é preciso poder!

Vamos examinar como se pode adquirir poder. Se poder é "conhecimento organizado", vejamos quais são as fontes de conhecimento:

a) **INTELIGÊNCIA INFINITA.** Essa fonte de conhecimento pode ser acessada através do procedimento descrito em outro capítulo, com a ajuda da imaginação criativa.
b) **EXPERIÊNCIA ACUMULADA.** A experiência acumulada pela raça humana (ou aquela porção que foi organizada e registrada) está em qualquer biblioteca pública bem-equipada. Uma parte importante dessa experiência acumulada é transmitida em instituições públicas de ensino, onde foi classificada e organizada.
c) **EXPERIMENTAÇÃO E PESQUISA.** No campo da ciência, assim

como em praticamente todos os setores da vida, o ser humano reúne, classifica e organiza novos fatos diariamente. Essa é a fonte a que se deve recorrer quando o conhecimento não estiver disponível através da "experiência acumulada". Mais uma vez, é importante usar a imaginação criativa.

O conhecimento pode ser adquirido em qualquer dessas três fontes e depois convertido em poder, desde que organizado em planos definidos e expresso em termos de ação.

A análise das três principais fontes mencionadas logo revela a dificuldade que uma pessoa teria caso dependesse apenas dos próprios esforços para reunir o conhecimento e expressá-lo por meio de planos definidos em termos de ação. Se seus planos forem abrangentes e de grandes proporções, ela deve solicitar a cooperação de outros, de modo a incutir neles o necessário elemento de poder.

Conquistando poder por meio da Mente Mestra

A Mente Mestra pode ser definida como a coordenação de conhecimento e esforço, em um espírito de harmonia entre duas ou mais pessoas, para alcançar um propósito definido.

Ninguém pode ser dotado de grande poder sem valer-se da Mente Mestra. Em um capítulo anterior, foram transmitidas instruções para a elaboração de planos com o propósito de transformar o desejo em seu equivalente monetário. Se você puser em prática tais instruções, com persistência e inteligência, sendo criterioso na seleção do seu grupo de Mente Mestra, poderá considerar haver percorrido a metade do caminho que leva à realização do seu objetivo – antes mesmo de perceber.

Para que você entenda melhor as potencialidades "intangíveis" de poder que tem à sua disposição por meio de um grupo de Mente Mestra bem-escolhido, vamos explicar as duas características do princípio da Mente Mestra – uma de natureza econômica e outra de natureza psíquica. O aspecto econômico é óbvio. Vantagens econômicas podem ser criadas por qualquer indivíduo que se faça cercar dos conselhos e da cooperação de um grupo disposto a oferecer-lhe ajuda desinteressada, em um espírito de perfeita harmonia. Essa forma de aliança cooperativa é a base de quase todas as grandes fortunas. A aceitação dessa verdade pode ser fator determinante da sua posição financeira.

A característica psíquica do princípio da Mente Mestra é muito mais abstrata, muito mais difícil de compreender, porque se refere às forças espirituais com as quais a raça humana, como um todo, não está familiarizada. A afirmação a seguir pode representar uma sugestão interessante: "É impossível que duas mentes se unam sem que se crie, conseqüentemente, uma terceira força invisível, intangível, comparável a uma terceira mente."

Lembre-se de que só há dois elementos conhecidos em todo o universo: energia e matéria. É fato conhecido que a matéria pode ser fracionada em unidades de moléculas, átomos e elétrons. Existem unidades de matéria que podem ser isoladas, separadas e analisadas.

O mesmo acontece com as unidades de energia.

A mente humana é uma forma de energia, parte dela espiritual por natureza. Quando as mentes de duas pessoas são coordenadas em um espírito de harmonia, as unidades espirituais de energia de cada uma delas desenvolvem afinidade, o que constitui a parte psíquica da Mente Mestra.

Quem, pela primeira vez, chamou minha atenção para o princípio da Mente Mestra, ou melhor, para seu aspecto econômico, foi Andrew Carnegie, há mais de vinte e cinco anos. A descoberta desse princípio determinou a escolha da minha carreira.

O grupo de Mente Mestra de Carnegie incluía aproximadamente 50 pessoas, de quem ele se cercou, todas elas comprometidas com o propósito definitivo de fabricar e comercializar aço. Andrew Carnegie atribuía sua fortuna ao poder que acumulara por meio dessa Mente Mestra.

Analise a trajetória de qualquer um que tenha acumulado grande fortuna e de muitos que construíram fortunas mais modestas e verá que todos eles, consciente ou inconscientemente, empregaram o princípio da Mente Mestra.

Não há outro princípio para o acúmulo de poder!

A energia forma os blocos de construção universais da natureza; é o material que constitui todos os materiais do universo, inclusive os seres humanos e toda forma de vida animal ou vegetal. A natureza transforma energia em matéria, por meio de um processo peculiar.

Os blocos de construção da natureza estão à disposição de qualquer um, na energia envolvida no pensamento! O cérebro humano pode ser comparado a uma bateria elétrica: absorve energia do ar; essa energia então permeia todos os átomos da matéria e preenche o universo.

É fato conhecido que várias baterias produzem mais energia do que uma só. Sabe-se também que o fornecimento de energia de uma bateria é proporcional ao número e à capacidade das células nela contidas.

O cérebro funciona de modo similar – daí uns serem mais eficientes do que outros –, o que leva a uma constatação importante: um grupo de cérebros coordenados (ou conectados) em espírito de harmonia produz mais energia de pensamento do que um só.

Essa metáfora demonstra claramente que o princípio da Mente Mestra contém o segredo do poder exercido por aquele que se cerca de outros cérebros.

Segue-se, então, outra declaração que nos aproxima ainda mais da parte psíquica do princípio da Mente Mestra: "Quando um grupo de cérebros individuais é coordenado e opera em harmonia, a energia aumentada que se cria através dessa aliança fica disponível para todas as cabeças do grupo."

> UM GRUPO DE CÉREBROS COORDENADOS EM ESPÍRITO DE HARMONIA PRODUZ MAIS ENERGIA DE PENSAMENTO DO QUE UM SÓ.

Sabe-se que Henry Ford começou sua carreira no mundo dos negócios com a desvantagem da pobreza, do baixo nível de instrução e da ignorância. Também se sabe que, dentro do incrivelmente curto período de dez anos, ele superou suas deficiências e, em vinte e cinco anos, era um dos homens mais ricos da América. Junte a isso o fato de que os avanços de Ford foram mais intensos depois que ele se tornou amigo pessoal de Thomas Edison – e perceba o que a influência de uma mente sobre a outra é capaz de fazer. Vá um pouco além e considere o fato de que as realizações mais notáveis de Henry Ford começaram a acontecer após ser apresentado a Harvey Firestone, John Burroughs e Luther Burbank – todos homens de grande capacidade cerebral – e verá ainda mais claramente que o poder pode ser produzido por uma aliança amigável entre várias mentes.

É praticamente unânime a opinião de que Henry Ford foi um dos homens mais bem-informados do mundo empresarial e industrial. Sua riqueza é indiscutível. Analise as amizades pessoais de Ford, algumas já mencionadas, e poderá entender a seguinte afirmativa: "O indivíduo assume a natureza, os hábitos e o poder do pensamento daqueles a quem se associa em espírito de solidariedade e harmonia."

Henry Ford venceu a pobreza e a ignorância aliando-se a grandes mentes, cujas vibrações de pensamento absorveu para si. Ao associar-se a Edison, Burbank, Burroughs e Firestone, Ford acrescentou ao próprio poder mental a soma e a substância da inteligência, da sabedoria, da experiência e da força espiritual daqueles quatro homens. Além disso, adotou o princípio da Mente Mestra, por meio do procedimento descrito neste livro.

Esse princípio está à sua disposição!

Já falamos de Mahatma Gandhi. Talvez muitos dos que ouviram falar dele considerem-no simplesmente um homenzinho excêntrico, com um jeito nada formal de vestir-se, que incomodava o governo britânico.

Na realidade, Gandhi não era um excêntrico, mas um dos homens mais poderosos que o mundo já conheceu – computando-se o número de seguidores e a fé que depositavam em seu líder. Seu poder era passivo, mas verdadeiro.

Em poucas palavras, vamos analisar o método que Gandhi utilizou para desenvolver seu estupendo poder. Ele simplesmente induziu 200 milhões de pessoas a cooperar, com a mente e o corpo em um espírito de harmonia, com um propósito definido.

Gandhi conseguiu um milagre. Pois não foi um milagre que 200 milhões de pessoas tenham sido induzidas – e não forçadas – a cooperar em harmonia, pelo tempo que fosse preciso? Se duvida, experimente induzir duas pessoas quaisquer a trabalhar em cooperação por um determinado período de tempo.

Todo administrador sabe quanto é difícil fazer os empregados trabalharem juntos, em um espírito que lembre, ainda que remotamente, a harmonia.

No topo da lista de fontes de desenvolvimento do poder, como já se viu, está a inteligência infinita. Quando duas ou mais pessoas colaboram em harmonia e trabalham por um objetivo definido, essa aliança as coloca em posição favorável à absorção direta do poder que vem do grande tesouro universal, que é a Inteligência Infinita. Essa é a maior de todas as fontes de poder – aquela à qual recorrem os gênios e todos os grandes líderes, estejam ou não conscientes disso.

As outras duas principais fontes do conhecimento necessário ao desenvolvimento do poder não são mais confiáveis do que os cinco sentidos do ser humano, e nem sempre se pode confiar nos sentidos. A Inteligência Infinita nunca se engana.

Nos próximos capítulos, os métodos de contato imediato com a Inteligência Infinita serão adequadamente descritos.

Isto não é um curso de religião. Nenhum dos princípios fundamentais descritos neste livro deve ser interpretado como um meio de interferir, direta ou indiretamente, nos hábitos religiosos de quem quer que seja. Aqui, a única intenção é instruir o leitor sobre como transformar o propósito definido de desejo por dinheiro em seu equivalente monetário.

Leia, pense e medite enquanto estiver lendo. Logo a essência se revelará e você a verá, percebendo os detalhes de cada capítulo.

O dinheiro é tão tímido e esquivo quanto as donzelas de antigamente; deve ser cortejado e conquistado por métodos não muito diferentes daqueles empregados pelos apaixonados quando em busca do ser amado. O poder utilizado para "cortejar" o dinheiro não é muito diferente daquele usado para cortejar uma donzela. Porém, quando utilizado com sucesso na busca por dinheiro, esse poder deve ser combinado à fé, ao desejo e à persistência e então levado à ação, conforme planejado.

Quando o dinheiro chega em grandes quantias, flui tão facilmente em direção àquele que o recebe quanto a água desce das montanhas. Existe uma correnteza invisível de poder que pode ser comparada a um rio, exceto por um detalhe: um lado segue em uma direção, levando todos os que estão ali para a frente e para cima – para a riqueza; e o outro lado segue na direção oposta, levando os desafortunados que ali se colocaram, sem conseguir escapar, em direção à miséria e à pobreza.

Todo indivíduo que construiu uma grande fortuna sabe da existência dessa correnteza, que consiste no processo de pensamento. As emoções positivas formam o lado que leva para a fortuna; as negativas formam o lado que leva para a pobreza.

Aí está uma idéia de suma importância para quem segue este livro com a intenção de construir fortuna.

Se você estiver do lado da correnteza de poder que vai para o lado da pobreza, as idéias deste livro podem ser usadas como um remo para chegar ao outro lado. Seu conteúdo será útil somente se aplicado. Ler e comentar, simplesmente, de nada adianta.

Alguns passam pela experiência de alternar entre os dois sentidos da correnteza. A quebra de *Wall Street*, em 1929, arrastou milhões de pessoas do lado positivo para o negativo. Este livro foi escrito especialmente para aqueles que queiram passar do negativo para o positivo.

> QUALQUER UM PODE DESEJAR RIQUEZA, E A MAIORIA DAS PESSOAS O FAZ, MAS SÃO POUCAS AS QUE SABEM QUE O ÚNICO MEIO SEGURO PARA CONSEGUI-LA É UM PLANO BEM ELABORADO, ALIADO A UM DESEJO ARDENTE.

Pobreza e riqueza freqüentemente trocam de lugar. A quebra da bolsa ensinou ao mundo essa verdade, embora as pessoas tenham memória curta. A pobreza pode – e geralmente o faz – voluntariamente tomar o lugar da riqueza. Quando é a riqueza que toma o lugar da pobreza, a troca, em geral, acontece por meio de planos bem-elaborados e cuidadosamente executados. A pobreza não precisa de planos nem de ajuda, pois é atrevida e implacável. A riqueza é tímida; precisa ser atraída.

CAPÍTULO 10

O MISTÉRIO DA TRANSMUTAÇÃO DO SEXO

O DÉCIMO PASSO EM DIREÇÃO À RIQUEZA

O significado da palavra "transmutação" é, em linguagem simples, "mudança ou transferência de um elemento, ou forma de energia, para outro".

A emoção do sexo provoca um determinado estado de espírito. Devido à ignorância do assunto, geralmente faz-se a associação desse estado de espírito com o físico e, por causa das influências impróprias às quais a maioria das pessoas foi submetida ao aprender sobre sexo, os aspectos essencialmente físicos influenciam bastante a mente.

Por trás da emoção do sexo, existem três potencialidades construtivas, que são:

1. Perpetuação da espécie
2. Manutenção da saúde (como atividade terapêutica, não existe igual)
3. Transformação da mediocridade em gênio, por meio da transmutação

A transmutação do sexo é simples e fácil de explicar: significa fazer a mente passar de idéias de expressão física para idéias de outra natureza.

O desejo de sexo é o mais poderoso dos desejos humanos. Movido por esse desejo, o ser humano desenvolve imaginação, coragem, força de vontade, persistência e capacidade criativa, alcançando níveis até então desconhecidos. O desejo de contato sexual é tão poderoso que as pessoas chegam a arriscar a vida e a reputação por ele. Quando aproveitada e direcionada para outros setores, essa força motivadora conserva seus atributos, que podem então ser utilizados como poderosa força criativa nas artes, na literatura ou em qualquer outra profissão ou vocação – inclusive, é claro, nos esforços para ganhar dinheiro.

A transmutação da energia sexual é um exercício de força de vontade, mas a recompensa vale o empenho. O desejo de expressão sexual é inato e natural. O desejo não pode – nem deve – ser sufocado ou eliminado, mas precisa de canais de escoamento, sob formas de expressão que enriqueçam o corpo, a mente e o espírito. Se não tem como expressar-se pela transmutação, o desejo busca outros canais puramente físicos.

Um rio pode ser represado, e suas águas, controladas por um tempo, mas uma hora elas vão forçar uma saída. O mesmo acontece com a emoção do sexo, que pode ser sufocada e contida por algum tempo, mas sua própria natureza a faz procurar meios de expressão. E, se não for transmutado em esforço criativo, vai encontrar uma saída menos adequada.

Feliz daquele que descobriu uma forma de esforço criativo para expressar a emoção do sexo. É um gênio em pessoa.

Pesquisas científicas revelaram estes fatos importantes:

1. Os maiores realizadores possuem uma natureza sexual altamente desenvolvida; são pessoas que aprenderam a arte da transmutação do sexo.

2. Os homens que acumularam grandes fortunas e conquistaram notoriedade na literatura, na arte, na indústria, na arquitetura e em várias profissões foram motivados pela influência de uma mulher.

A pesquisa que deu origem a essas duas interessantes descobertas percorreu páginas e páginas de biografias e mais de duzentos anos de História. Sempre que se analisavam as vidas de grandes realizadores, mulheres ou homens, ficava evidente sua natureza sexual altamente desenvolvida.

A emoção do sexo é uma força irresistível, contra a qual é impossível qualquer oposição. Quando movidas por tal emoção, as pessoas adquirem um enorme poder de ação. Aceite essa verdade e vai perceber a importância de entender que a transmutação do sexo eleva o indivíduo à condição de gênio.

A emoção do sexo contém o segredo da capacidade criativa.

Retire as glândulas sexuais, seja de um homem ou de um animal, e terá destruído sua maior fonte de ação. Como prova, observe o que acontece ao animal castrado. O touro, por exemplo, fica dócil e acomodado. A alteração sexual tira, tanto do macho quanto da fêmea, seja ser humano ou animal, toda a disposição de lutar.

Os dez estímulos da mente

A mente humana responde a estímulos, por meio dos quais é conectada a altas vibrações conhecidas como entusiasmo, imaginação criativa, desejo intenso, etc. Os estímulos a que a mente responde mais livremente são:

1. Desejo de expressão sexual
2. Amor
3. Desejo ardente de conseguir fama, poder, ganhos financeiros, dinheiro
4. Música
5. Amizade com pessoa do mesmo sexo ou do sexo oposto
6. Aliança de Mente Mestra com base na harmonia entre duas ou mais pessoas que se unem para conquistar avanço espiritual ou material
7. Sofrimento mútuo, como no caso de pessoas perseguidas
8. Auto-sugestão
9. Medo
10. Narcóticos e álcool

O desejo de expressão sexual encabeça a lista dos estímulos que mais efetivamente provocam as vibrações da mente e dão partida no motor da ação física. Oito desses estímulos são naturais e construtivos. Dois são destrutivos. A lista é apresentada para que você faça um estudo comparativo das principais fontes de estimulação da mente. Provavelmente, a conclusão desse estudo será que a emoção do sexo é o mais intenso e poderoso dos estímulos da mente.

Tal comparação é necessária para provar a afirmativa de que a transmutação de energia sexual é capaz de elevar o indivíduo à condição de gênio. Vamos então descobrir do que é feito um gênio.

Algum frasista disse que gênio é um homem que "usa cabelos compridos, come comidas estranhas, vive sozinho e é motivo de piada". Uma definição melhor é: homem que descobriu como aumentar as vibrações do pensamento, a ponto de poder comunicar-se livremente com fontes de conhecimento não disponíveis por meio da intensidade normal da vibração do pensamento.

Qualquer pessoa sensata vai querer fazer algumas perguntas acerca da definição de gênio. A primeira é: "Como estabelecer comunicação com fontes de conhecimento que não estão disponíveis pela intensidade normal da vibração do pensamento?" E a segunda é: "existem fontes identificadas de conhecimento disponíveis apenas para os gênios? Nesse caso, quais são essas fontes e como exatamente podem ser acessadas?"

Vamos oferecer provas da veracidade de algumas das mais importantes afirmativas feitas neste livro – ou, pelo menos, evidências que lhe permitam experimentá-las e comprová-las, encontrando assim respostas para as duas perguntas.

O GÊNIO SE DESENVOLVE PELO SEXTO SENTIDO

A realidade da existência de um sexto sentido já está bastante assentada. O sexto sentido é a imaginação criativa. As pessoas, em sua maioria, atravessam a vida sem jamais utilizar essa qualidade natural – e, quando a utilizam, é por mero acaso. É relativamente pequeno o número de pessoas que aproveitam a imaginação criativa planejada e deliberadamente. Aquelas que o fazem, compreendendo suas funções, são gênios.

A imaginação criativa é a ligação direta entre a mente finita do ser humano e a Inteligência Infinita. Todas as chamadas revelações reportadas no âmbito da religião e todas as descobertas de princípios novos ou básicos no campo das invenções acontecem pela utilização da imaginação criativa.

Quando idéias ou conceitos surgem na mente, através do que se costuma chamar de intuição, originam-se de uma ou mais das seguintes fontes:

1. Inteligência Infinita
2. Mente subconsciente, onde ficam armazenadas todas as impressões e todos os impulsos de pensamento que chegam ao cérebro através de qualquer um dos cinco sentidos
3. Mente de outra pessoa que tenha emitido o pensamento, ou a imagem da idéia ou do conceito, por meio de um raciocínio consciente
4. Idéias armazenadas no subconsciente de outra pessoa

Não existe qualquer outra fonte conhecida de onde possam vir intuições ou idéias inspiradas.

A imaginação criativa funciona melhor quando a mente vibra (devido a alguma forma de estímulo mental) em altíssima freqüência, ou seja, em uma vibração acima do normal.

Quando a ação do cérebro é ativada por um ou mais dos dez estimulantes da mente, tem o efeito de elevar o indivíduo bem acima do horizonte do pensamento comum, permitindo que ele perceba a abrangência e a qualidade de idéias não disponíveis no plano inferior, onde se situam os problemas profissionais rotineiros.

Elevado a um nível superior de pensamento, através de qualquer forma de estimulação da mente, o indivíduo ocupa uma posição equivalente à daquele que, a bordo de um avião, consegue enxergar além da linha do horizonte, que limitava sua visão quando em terra. Além do mais, enquanto permanecer no nível superior de pensamento, ele não será perturbado pelos estímulos que limitam sua visão ao procurar satisfazer suas necessidades básicas: alimento, roupa e abrigo. Lá, os pensamentos comuns são efetivamente removidos, assim como acontece com vales, colinas e outros elementos que restringem a visão física quando se viaja de avião.

Nesse plano elevado de pensamento, a faculdade criativa da mente fica livre para agir; o caminho fica desimpedido para que o sexto sentido se manifeste, tornando-se receptivo a idéias que não poderiam atingir a pessoa sob quaisquer outras circunstâncias. O sexto sentido é a capacidade que diferencia o gênio da pessoa comum.

Quanto mais a faculdade criativa é utilizada e quanto mais o indivíduo solicita seus impulsos e confia nela, mais alerta e receptiva a vibrações originadas fora da mente subconsciente ela fica. Essa faculdade só pode ser cultivada e desenvolvida pelo uso.

Toda a operação daquilo que chamamos de consciência acontece por meio da faculdade do sexto sentido.

Pintores, escritores, músicos e poetas só se tornam grandes em sua arte porque adquirem o hábito de confiar naquela "vozinha" que vem de dentro, através da faculdade da imaginação criativa. Não é nenhum segredo o fato de que os indivíduos de imaginação fértil recebem suas melhores idéias da chamada intuição.

Existe um famoso orador que, sempre que se aproxima o momento máximo de sua fala, fecha os olhos e entrega-se inteiramente à imaginação criativa. Quando lhe perguntaram por que fazia isso no clímax de sua oratória, ele respondeu: "Porque falo através das idéias que vêm de dentro de mim."

Um dos mais bem-sucedidos homens de negócios dos Estados Unidos sempre mantinha os olhos fechados por dois ou três minutos antes de tomar qualquer decisão. Certa vez, ele explicou: "Quando fecho os olhos, entro em contato com uma fonte de inteligência superior."

O falecido dr. Elmer R. Gates, de Chevy Chase, Maryland, criou mais de 200 patentes úteis, muitas delas de grande importância, cultivando e utilizando sua faculdade criativa. Seu método é sugestivo e interessante para quem quiser alcançar a categoria de gênio, à qual o dr. Gates, sem dúvida, pertencia. Apesar de pouco conhecido, ele foi um dos maiores cientistas do mundo.

Em seu laboratório, o dr. Gates tinha o que chamava de "sala de comunicação pessoal": um cômodo praticamente à prova de som, que podia ser escurecido por completo. Nele, havia uma mesa pequena, sobre a qual ficava um bloco de papel. Na parede em frente à mesa, um interruptor controlava a intensidade da iluminação. Quando o dr. Gates queria recorrer às forças a que

tinha acesso através da sua imaginação criativa, recolhia-se à sala, sentava-se à mesa e, em completa escuridão, concentrava-se nos fatores conhecidos da invenção em que trabalhava no momento. Assim ficava, imóvel, até que as idéias surgissem em sua mente, em conexão com os fatores desconhecidos da invenção.

Em certa ocasião, as idéias chegaram tão rapidamente que ele foi obrigado a escrever por quase três horas. Quando o fluxo cessou, examinou as anotações e descobriu que continham o rascunho de uma descrição de princípios inteiramente novos para o mundo científico. Além do mais, a resposta a seu problema estava inteligentemente demonstrada nessas notas. Assim, o dr. Gates completou mais de 200 patentes iniciadas e abandonadas por inventores inexperientes. A veracidade dessa afirmativa pode ser comprovada no United States Patent Office, o órgão encarregado do registro de patentes nos Estados Unidos.

A profissão do dr. Gates era apresentar idéias para indivíduos e corporações. Grandes empresas lhe pagavam muito bem por uma hora de sugestões.

Muitas vezes, o raciocínio falha porque é guiado principalmente pelas experiências acumuladas, e nem todo conhecimento adquirido pela experiência é exato. As idéias recebidas por meio da faculdade criativa são muito mais confiáveis, assim como as fontes de onde vêm.

A principal diferença entre o gênio e o simples inventor amalucado é o fato de que o primeiro utiliza a imaginação criativa, enquanto o segundo nem sabe o que é isso. O inventor científico (como Edison e Gates) utiliza as faculdades sintética e criativa da imaginação.

O inventor científico, ou gênio, utiliza a faculdade sintética (ou de raciocínio) para organizar e combinar idéias conhecidas ou princípios acumulados pela experiência e, então, começa a inventar. Quando considera o conhecimento acumulado insuficiente para completar seu invento, ele utiliza sua faculdade *criativa* para recorrer a outras fontes de informação disponíveis. O método empregado para isso varia de indivíduo para indivíduo, mas substancialmente o procedimento consiste em:

1. **ESTIMULAR SUA MENTE, DE MODO QUE VIBRE EM UM PLANO MAIS ELEVADO QUE A MÉDIA**, utilizando um ou mais dos dez estímulos, ou qualquer outro à escolha.
2. **CONCENTRAR-SE** nos fatores conhecidos (a parte já pronta) da invenção e criar na mente a imagem perfeita de fatores desconhecidos (a parte inacabada) da invenção. Conservar a visão da imagem até que esta seja tomada pela mente subconsciente. Relaxar, afastando todos os pensamentos, e esperar que a resposta surja em sua mente.

Às vezes, os resultados são definidos e imediatos; mas também podem ser negativos, dependendo do estágio de desenvolvimento do sexto sentido ou da faculdade criativa.

Thomas Edison usou a faculdade sintética da imaginação para experimentar mais de 10 mil combinações diferentes de idéias, antes de sintonizar-se através da faculdade criativa e conseguir a resposta que fez funcionar a lâmpada incandescente. Com a invenção do fonógrafo, a experiência foi semelhante.

Evidências mais que confiáveis apontam a existência da imaginação criativa. Basta analisar aqueles que se tornaram líderes em seus respectivos campos de ação, sem possuírem formação acadêmica extensa. Lincoln foi um notável exemplo de líder que alcançou a grandeza por meio da descoberta e utilização da imaginação criativa. Ele descobriu e começou a utilizar essa faculdade como resultado do estímulo provocado pelo amor que sentiu após conhecer Anne Rutledge, uma constatação da maior importância, aliada ao estudo de sua genialidade.

As páginas da História estão repletas de relatos de grandes líderes cujas realizações podem ser atribuídas diretamente à influência de mulheres que lhes despertaram as faculdades criativas por meio do estímulo do desejo de sexo. Napoleão Bonaparte foi um deles. Enquanto inspirado por sua primeira mulher, Josefina, ele foi irresistível e invencível. Quando seu "melhor critério" ou sua faculdade de raciocínio o aconselharam a afastar Josefina, começou o declínio. A derrota em Santa Helena não tardaria a acontecer.

> AS PÁGINAS DA HISTÓRIA ESTÃO REPLETAS DE RELATOS DE GRANDES LÍDERES CUJAS REALIZAÇÕES PODEM SER ATRIBUÍDAS DIRETAMENTE À INFLUÊNCIA DE MULHERES.

Se não fosse contrário ao bom-tom, poderíamos citar muitos homens famosos que chegaram aos mais altos degraus da realização sob a influência estimulante de suas mulheres, para depois percorrerem o caminho inverso, quando dinheiro e poder lhes subiram à cabeça, fazendo-os buscar novas companheiras. Napoleão não foi o único a descobrir que a influência do sexo, vinda da fonte certa, é mais poderosa do que qualquer solução de conveniência criada meramente pela razão.

A mente humana responde a estímulos!

Entre os mais importantes e poderosos desses estímulos, está a necessidade de sexo. Quando aproveitada e transmutada, essa força motriz é capaz de alçar o ser humano à esfera mais elevada do pensamento, na qual consegue dominar as fontes de preocupação e aborrecimento que o prendem a planos inferiores.

Infelizmente, apenas os gênios fizeram tal descoberta. Outros aceitaram a experiência da necessidade de sexo, sem descobrir uma de suas maiores potencialidades; daí o limitado número de gênios em comparação aos "outros".

Apenas para enriquecer os fatos disponíveis nas biografias de grandes realizadores, aqui vai uma lista de nomes de homens de natureza altamente sexualizada. Sem dúvida, eles encontraram sua fonte de poder na transmutação da energia sexual.

George Washington
William Shakespeare
Ralph Waldo Emerson
Thomas Jefferson
Elbert H. Gary
Woodrow Wilson
Andrew Jackson
Napoleão Bonaparte
Abraham Lincoln
Robert Burns
Elbert Hubbard
Oscar Wilde
John H. Patterson
Enrico Caruso

Você talvez conheça outros nomes a serem acrescentados à lista. Veja se consegue descobrir algum indivíduo, na História da civilização, que tenha alcançado um sucesso extraordinário sem ser movido por uma natureza sexual bem-desenvolvida.

Se não confiar em biografias de personagens já falecidas, passe em revista os grandes realizadores que você conhece e veja se encontra entre eles algum que não seja altamente sexualizado.

A energia do sexo é a energia criativa de todos os gênios. Nunca houve nem haverá um grande líder, realizador ou artista desprovido da força motriz que é o sexo.

Não me entenda mal, porém. Isso não significa que todos os altamente sexualizados sejam gênios! O ser humano só alcança a posição de gênio quando e se estimula a mente de modo a utilizar a faculdade criativa da imaginação, aproveitando as forças disponíveis. Entre os estímulos que provocam a intensificação das vibrações, o mais importante é a energia sexual. Mas a simples presença dessa energia não é suficiente para produzir um gênio: para isso, ela deve ser transmutada de desejo pelo contato físico para *outra* forma de desejo e ação.

As pessoas, em sua maioria, permitem que o desejo sexual as faça menores, pois não sabem entender nem usar essa grande força. Assim, em vez de alcançar a condição de gênios, reduzem-se à condição de animais inferiores.

Por que os homens raramente alcançam o sucesso antes dos 40 anos

A conclusão a que cheguei, depois de analisar mais de 25 mil histórias de vida, foi: os homens raramente alcançam um grande sucesso antes dos 40 anos e freqüentemente o fazem bem depois dos 50. Para mim, foi uma descoberta tão surpreendente que me levou a pesquisar detidamente as causas. Foram mais de doze anos de estudo.

Como resultado, revelou-se o fato de que o principal motivo de as pessoas só conseguirem sucesso depois dos 40 ou 50 anos é sua tendência a desperdiçar energia, priorizando a expressão física da emoção despertada pelo sexo. A maioria dos homens nunca chega a perceber que a necessidade de sexo tem outras possibilidades, que transcendem em importância a mera expressão física. Entre aqueles que fazem essa descoberta, a maior parte só o consegue depois de haver desperdiçado muitos anos, em um período quando a energia sexual está no auge – antes dos 45 anos. A tal descoberta, geralmente, seguem-se notáveis realizações.

A vida de muitos homens à beira dos 40 – e às vezes bem depois dessa idade – reflete um contínuo desperdício de energia, que seria muito mais bem-aproveitada se canalizada para outras atividades. Com isso, as emoções mais belas e poderosas são espalhadas a esmo, aos quatro ventos. São as "loucuras da juventude".

O desejo de expressão sexual é, de longe, a mais forte e estimulante das emoções humanas. Por isso, quando aproveitado e transmutado em ação que não a expressão física, consegue elevar o indivíduo à condição de gênio.

Um dos mais capazes homens de negócios dos Estados Unidos admitiu francamente que sua atraente secretária era responsável pela maior parte dos planos criados por ele. Chegou a reconhecer que a presença dela o alçava a um nível de imaginação criativa jamais possível sob a ação de qualquer outro estímulo.

Assim, pode-se dizer que um modelo de realização da América deve boa parte de seu sucesso a uma jovem encantadora que, durante mais de doze anos, serviu-lhe de fonte de inspiração. A figura a que me refiro é bastante conhecida, mas poucos sabem a verdadeira razão de suas conquistas.

Na História, não faltam exemplos de homens que alcançaram a condição de gênios ao fazerem uso de estímulos artificiais, como álcool e drogas.

O escritor Edgar Allan Poe escreveu O corvo sob influência da bebida, "experimentando sonhos que outro mortal jamais ousaria". O mesmo aconteceu com o poeta James Whitcomb Riley, ao produzir seus melhores poemas sob a influência do álcool. Talvez, em um daqueles momentos, ele tenha visto "a mistura organizada da realidade com o sonho, o açude acima do rio, a bruma sobre a correnteza". E outro poeta, Robert Burns, preferia criar sob efeito de alguma droga, como quando saudou os bons e velhos tempos: "*For Auld Lang Syne, my dear, we'll take a cup of kindness yet, for Auld Lang Syne.*"

Mas é bom lembrar que muitos deles acabaram se destruindo. A natureza tem suas poções para estimular com segurança a mente do ser humano, de modo a fazê-la vibrar em um plano no qual entra em sintonia com pensamentos especiais, vindos sabe-se lá de onde! Nunca houve substituto satisfatório para os estímulos da natureza.

> OS PSICÓLOGOS RECONHECEM A ESTREITA LIGAÇÃO ENTRE DESEJO SEXUAL E NECESSIDADE ESPIRITUAL.

Os psicólogos reconhecem a estreita ligação entre desejo sexual e necessidade espiritual – um fato que justifica o comportamento peculiar daqueles que participam de orgias conhecidas como "*revivals*" religiosos, comuns entre os povos primitivos.

As emoções humanas regem o mundo e determinam o destino da civilização. Nossos atos são muito mais influenciados pelos sentimentos do que pela razão. A faculdade criativa da mente é toda ativada pela emoção, e não pela frieza da razão. Entre as emoções, a mais poderosa é aquela ligada ao sexo. Existem muitos estimulantes, alguns já mencionados, mas nenhum deles, nem a mistura de todos eles, consegue igualar a força do sexo.

Chamamos de estimulante da mente qualquer influência, seja permanente ou temporária, que aumente as vibrações do pensamento. Os dez principais estimulantes citados são aqueles a que as pessoas mais recorrem. Por meio deles, é possível entrar em comunhão com a Inteligência Infinita, ou entrar deliberadamente no próprio subconsciente ou no de outro indivíduo – em um procedimento típico dos gênios.

Um professor, depois de passar pela experiência de treinar mais de 30 mil profissionais de vendas, chegou à surpreendente conclusão de que os homens mais sexualizados são melhores vendedores. A explicação é a seguinte: o fator da personalidade conhecido como "magnetismo pessoal" não passa de energia sexual. Pessoas altamente sexualizadas sempre são cheias de magnetismo. Quando cultivada e compreendida, essa força vital pode ser canalizada e aproveitada para melhorar os relacionamentos. O magnetismo pode ser transmitido pelos seguintes meios:

1. APERTO DE MÃO. O toque da mão denuncia imediatamente a presença ou a falta do magnetismo.
2. TOM DE VOZ. Magnetismo ou energia sexual é o fator que dá vida, musicalidade e encanto à voz.
3. POSTURA E EXPRESSÃO CORPORAL. Pessoas altamente sexualizadas movem-se com vivacidade, graça e naturalidade.
4. VIBRAÇÕES DO PENSAMENTO. Indivíduos altamente sexualizados misturam a emoção do sexo aos pensamentos e, quando o fazem deliberadamente, exercem influência sobre todos aqueles com quem se relacionam.
5 APARÊNCIA PESSOAL. Gente muito sexualizada costuma cuidar bastante da aparência, preferindo seguir um estilo que combine com sua personalidade, seu tipo físico, etc.

> AS EMOÇÕES HUMANAS REGEM O MUNDO E DETERMINAM O DESTINO DA CIVILIZAÇÃO.

Quando da seleção de vendedores para contratação, o gerente de vendas realmente esperto prioriza os candidatos que têm magnetismo pessoal. Quem não possui energia sexual não sente nem transmite entusiasmo, um dos requisitos mais importantes quando se trata de vender, seja qual for o produto.

O palestrante, orador, pregador, advogado ou vendedor que não tenha energia sexual será sempre um fiasco na tarefa de influenciar os outros. Acrescente-se o fato de que a maioria das pessoas somente se deixa influenciar quando há um apelo a suas emoções, e ficará patente a importância da energia sexual como parte da habilidade inata de todo vendedor. Os melhores vendedores conquistam uma posição de destaque porque, consciente ou inconscientemente, transmutam a energia do sexo em entusiasmo pelas vendas! Nessa afirmativa fica bem claro o significado da transmutação do sexo.

O vendedor que sabe como pegar o pensamento voltado para o sexo e direcioná-lo para as vendas, mantendo o entusiasmo e a determinação que dedicaria ao propósito original, dominou a arte da transmutação, quer tenha ou não consciência disso. Aliás, a maioria dos vendedores bem-sucedidos nem desconfia ser essa a razão de seu bom desempenho.

A transmutação da energia sexual exige muita força de vontade e, aos poucos, pela prática, é possível reuni-la. As recompensas valem o esforço, com certeza.

A maioria das pessoas parece incrivelmente ignorante em matéria de sexo. As necessidades sexuais foram por tanto tempo mal-interpretadas e grosseiramente ridicularizadas por indivíduos tolos e maliciosos que a própria palavra "sexo" raramente é mencionada nas conversas de pessoas educadas. Homens e mulheres abençoados – isso mesmo, abençoados – com uma natureza altamente sexualizada são geralmente vistos com maus olhos, sendo considerados amaldiçoados por alguns.

Milhões de indivíduos, mesmo na era de maior esclarecimento em que vivemos, desenvolveram complexos de inferioridade por terem sido levados a acreditar falsamente que uma natureza altamente sexualizada é uma maldição. Não se deve, porém, usar as virtudes da energia sexual como justificativa para a leviandade. A emoção do sexo é uma virtude apenas quando utilizada com inteligência e discernimento; quando mal-utilizada, o que acontece com certa freqüência, degrada corpo e mente, em vez de enriquecê-los. A melhor maneira de empregar esse poder é o tema deste capítulo.

Para mim, foi uma descoberta muito significativa perceber que praticamente todo grande líder analisado teve uma mulher a inspirar suas realizações. Em muitos casos, a mulher em questão era uma esposa modesta e abnegada, de quem pouco ou nada se ouviu falar; em outros, a inspiração se deveu "à outra" – talvez você conheça alguns exemplos.

O excesso nos hábitos sexuais é tão prejudicial quanto o exagero na comida e na bebida. A partir da Segunda Guerra Mundial, o desregramento da vida sexual foi ficando cada vez mais comum, e essa pode ser uma das razões da carência de grandes líderes. Havendo desperdício, ninguém pode valer-se da força de sua imaginação criativa. O ser humano é a única criatura que viola o objetivo da natureza em suas relações. Os outros animais exercem seu instinto sexual moderadamente, tendo um propósito em harmonia com as leis da natureza e atendendo ao chamado apenas em determinadas épocas. Para o ser humano, é sempre "época de acasalamento".

Todo indivíduo inteligente sabe que o excesso de estímulo, seja por bebida alcóolica ou narcóticos, é uma forma de imoderação que destrói órgãos vitais do corpo, inclusive o cérebro. Nem todos sabem, no entanto, que o exagero na expressão sexual pode tornar-se um hábito tão destrutivo e prejudicial ao esforço criativo quanto a bebida e os narcóticos.

Um indivíduo ávido por sexo não é essencialmente diferente do dependente químico. Ambos perdem o controle sobre o raciocínio e a força de vontade, podendo chegar à insanidade temporária ou permanente. Muitos casos de hipocondria (doenças imaginárias) resultam de hábitos desenvolvidos pela ignorância da verdadeira função do sexo.

Essas breves referências demonstram que a ignorância a respeito da transmutação do sexo prejudica e impede o acesso a muitos benefícios.

A ignorância em relação a questões ligadas ao sexo deve-se ao mistério e ao silêncio obscuro que envolvem o assunto. Essa conspiração de mistério e silêncio exerce sobre a mente dos jovens o mesmo efeito da psicologia da repressão: curiosidade sobre o proibido e o desejo de adquirir mais conhecimento a respeito desse assunto. Médicos e legisladores, os mais qualificados para fornecer informações, raramente o fazem.

Como se viu, é raro um indivíduo alcançar um nível de alta criatividade antes dos 40 anos. Depois de observar cuidadosamente milhares de homens e mulheres, chegou-se à conclusão de que o auge da capacidade criativa costuma acontecer entre os 40 e os 60. Isso deve servir de estímulo àqueles que não se sentem realizados ou se consideram velhos aos 40. O período entre os 40 e os 50 anos de idade costuma ser o mais produtivo. É um tempo para ser encarado com esperança e entusiasmo, e não com medo e insegurança.

Se ainda duvida de que as pessoas atingem o auge de sua capacidade somente por volta dos 40 anos de idade, observe a história de vida de indivíduos bem-sucedidos. Henry Ford, por exemplo, já havia passado dos 40 quando acertou o passo. Andrew Carnegie ia lá pelos 40 e tantos quando começou a colher os frutos de seus esforços. James J. Hill já passava dos 40 e ainda operava o telégrafo; somente alguns anos depois alcançou suas estupendas realizações. As biografias de industriais e homens de negócios estão recheadas de evidências de que o período mais produtivo da vida do ser humano é aquele entre as idades de 40 e 60 anos.

Entre os 30 e os 40, ele começa a aprender (se for o caso) a arte da transmutação do sexo. Essa descoberta, em geral, é acidental e, mais do que qualquer coisa, inconsciente. Ele pode até perceber que sua capacidade aumenta entre os 35 e os 40 anos, mas desconhece a causa. A explicação é que, nesse período, a natureza começa a harmonizar nele as emoções do amor e do sexo, de modo que possa lançar mão dessas grandes forças, aplicando-as como estímulo à ação.

O sexo, por si só, é um poderoso impulso à ação, mas sua força é como a de um ciclone: incontrolável. Quando a emoção do amor começa a combinar-se à emoção do sexo, o resultado é calma, estabilidade, precisão de julgamento e equilíbrio. Haverá alguém que, tendo chegado aos 40, seja tão desafortunado a ponto de não conseguir analisar essas afirmativas e depois contribuir com uma experiência própria?

Quando quer agradar a uma mulher, movido unicamente pela emoção do sexo, o homem é capaz de grandes realizações, mas suas ações podem ser desorganizadas, equivocadas e totalmente destrutivas. Quando movido apenas pela emoção do sexo o homem pode, inclusive, roubar, mentir e até matar. No entanto, quando o amor se une ao sexo, o mesmo homem age com mais razão, equilíbrio e bom senso.

Estudiosos do assunto concluíram que os criminosos mais cruéis podem ser recuperados pela inspiração do amor de uma mulher, mas não há registros de recuperação por influência do sexo. Esses são fatos conhecidos, mas pouco se sabe sobre o motivo para que assim seja. A recuperação, quando acontece, vem pelo coração – o lado emocional – e não pela cabeça – o lado racional. Recuperar-se significa "mudar o coração", e não "mudar a cabeça". Pela razão, o indivíduo pode operar certas alterações de conduta para evitar conseqüências indesejáveis, mas a recuperação verdadeira somente acontece através da mudança do coração – pelo desejo de mudar.

Amor, romantismo e sexo são emoções capazes de levar o indivíduo a realizações extraordinárias. O amor é a válvula de segurança que assegura o equilíbrio, a estabilidade e o esforço construtivo. Combinadas, essas três emoções podem fazer surgir um gênio. Existem gênios, porém, que pouco sabem do amor, envolvendo-se em ações destrutivas ou, pelo menos, injustas em relação a outras pessoas. Se não fosse indiscrição, poderíamos citar vários exemplos desses tipos em ação nos setores industrial e financeiro: indivíduos que parecem desprovidos de consciência e que não têm o menor escrúpulo em desrespeitar os direitos alheios. O leitor certamente teria alguns nomes a acrescentar à lista.

Emoções são estados de espírito. A natureza equipou o ser humano com uma química da mente que opera de maneira similar aos princípios da química da matéria. É fato conhecido que, utilizando seus conhecimentos, o químico é capaz de criar um veneno mortal com base em determinados elementos que, isoladamente e utilizados na proporção certa, seriam inofensivos. Assim é com as emoções: dependendo da combinação, podem transformar-se em veneno. Sexo e ciúme, por exemplo, quando juntos, são capazes de transformar um ser humano em uma fera ensandecida.

> AMOR, ROMANTISMO E SEXO SÃO EMOÇÕES CAPAZES DE LEVAR O INDIVÍDUO A REALIZAÇÕES EXTRAORDINÁRIAS.

A química consegue transformar uma ou mais emoções destrutivas em um veneno que elimina o equilíbrio e o senso de justiça. Em casos extremos, o indivíduo pode perder a razão completamente.

A fórmula da genialidade consiste em desenvolvimento, controle e prática de sexo, amor e romantismo. O processo pode ser descrito em poucas palavras.

Estimule a presença dessas emoções como pensamento dominante, afastando as emoções destrutivas. A mente é uma criatura de hábitos; ela se desenvolve com base nos pensamentos dominantes que a alimentam. Não é difícil: com força de vontade e persistência, é possível controlar a mente e selecionar as emoções que vão povoá-la. O segredo está em compreender o processo de transmutação. Quando surgir qualquer emoção negativa, basta alterar o pensamento para transmutá-la em positiva ou construtiva.

O único caminho para a genialidade passa pelo esforço pessoal voluntário! O indivíduo pode atingir o auge da realização profissional e financeira apoiado apenas na força motriz da energia sexual, mas a História nos mostra inúmeros exemplos de que, apesar do sucesso, certos traços de caráter impedem que a fortuna seja mantida e aproveitada. Vale a pena meditar sobre isso, tirando daí uma lição proveitosa. A ignorância dessa verdade roubou de milhares de pessoas o direito à felicidade, apesar dos bens materiais que conseguiram acumular.

As emoções de amor e sexo deixam marcas inconfundíveis na aparência; são sinais tão visíveis que qualquer um pode percebê-los. O indivíduo tomado pelo vendaval da paixão baseada somente em sexo declara isso ao mundo inteiro, pela expressão dos olhos e pelas linhas do rosto. A combinação das emoções de amor e sexo suaviza, modifica e embeleza a expressão facial. Não é preciso um analista para confirmar isso, basta perceber.

A emoção do amor desperta e desenvolve a natureza artística e estética do homem, imprimindo sua marca à alma, mesmo que o tempo e as circunstâncias abrandem o calor do sentimento.

Lembranças de amor são eternas: elas perduram, continuam a guiar e a influenciar, mesmo depois que a pessoa amada se vai. Isso não é nenhuma novidade; quem quer que tenha amado verdadeiramente sabe disso. O efeito do amor permanece porque é um sentimento espiritual por natureza. O ser humano não elevado pelo amor está perdido, morto, ainda que pareça viver.

No entanto, as lembranças de amor não são suficientes para alçar o indivíduo a um plano superior de esforço criativo. A maior força do amor pode enfraquecer-se e desaparecer, como uma chama que se extingue, mas deixa marcas indeléveis à sua passagem. E seu desaparecimento freqüentemente prepara o coração para um amor ainda maior.

De vez em quando, volte ao passado e mergulhe nas belas lembranças de antigos amores. Assim, estará diminuindo a influência dos problemas do presente, permitindo-se uma válvula de escape para sentimentos desagradáveis da vida real, e – quem sabe? – talvez a sua mente aproveite esse retiro temporário em um mundo de fantasia para criar idéias ou planos que venham a mudar completamente a sua situação financeira ou espiritual.

Se você se considera uma pessoa sem sorte por ter amado e perdido, deixe disso. Quem amou de verdade nunca perde inteiramente. O amor é caprichoso e temperamental, de natureza efêmera e transitória: vem quando quer e vai embora sem avisar. Aceite e aproveite enquanto durar, sem se preocupar com o que vai acontecer. Preocupações não trazem o amor de volta.

Esqueça também a idéia de que só se ama uma vez. O amor pode ir e vir inúmeras vezes, mas não existem duas experiências iguais. Às vezes, a marca deixada é mais forte do que as outras, mas todas as experiências são válidas, a não ser para aquele que se torna cínico e ressentido quando o amor se vai.

As pessoas se desapontariam muito menos com o amor – aliás, nunca se decepcionariam – se compreendessem a diferença entre amor e sexo. A principal diferença é que o amor é espiritual, enquanto o sexo é biológico. Nenhuma experiência que toque o coração humano com força espiritual pode ser danosa, exceto se for dominada pela ignorância ou pelo ciúme.

O amor é, inquestionavelmente, a experiência mais importante da vida – a que nos permite entrar em comunhão com a Inteligência Infinita.

Combinado ao romantismo e ao sexo, pode levar-nos ao máximo do esforço criativo. Amor, sexo e romantismo são os lados do eterno triângulo que leva o gênio à realização. É disso que são feitos os gênios.

A emoção do amor tem muitos aspectos, muitas nuanças e muitas formas. O amor pelos pais ou pelos filhos é bem diferente do amor romântico, que inclui o sexo. A amizade verdadeira, que também é uma forma de amor, difere do sentimento em relação a pais, filhos ou namorados. Existe ainda a emoção despertada por seres criados pela natureza, mas o sentimento mais intenso é aquele que mistura amor e sexo.

Os casamentos em que a afinidade permanente do amor não é adequadamente harmonizada e equilibrada com o sexo não são felizes – nem duram. O amor, sozinho, não garante felicidade ao casamento; o sexo também não. Quando essas duas belas emoções se combinam, a união leva a um dos estados de ânimo mais próximos do espiritual que podem ser alcançados neste plano terreno.

Quando o romantismo é acrescentado ao amor e ao sexo, desaparece a barreira entre a mente finita do homem e a Inteligência Infinita.

E nasce um gênio!

Essa é uma história muito diferente daquelas usualmente associadas à emoção do sexo. Aqui, há uma interpretação que foge ao lugar-comum. A situação é como argila a ser moldada pelas mãos de Deus, que a torna bela e inspiradora. Essa interpretação, quando bem-compreendida, transforma em harmonia o caos existente em muitas uniões. A desarmonia, freqüentemente expressa em forma de irritação, em geral pode ser atribuída ao desconhecimento de questões relativas ao sexo. Onde existem amor, romantismo e compreensão do sexo e de suas funções, o casal vive em harmonia.

Feliz é o marido cuja esposa entende a verdadeira relação entre as emoções do amor, do sexo e do romantismo. Quando motivada por essa "santíssima trindade", nenhuma forma de trabalho é penosa, porque até mesmo o menor esforço assume a forma de uma tarefa amorosa.

Há muito se diz que a mulher tanto pode fazer como destruir o homem, mas nem sempre se entende o que isso significa. A opção entre "fazer" ou "destruir" depende da visão que a mulher tenha sobre as emoções de amor, sexo e romantismo.

Apesar de, por sua herança biológica, o homem ser polígamo, é verdade que ninguém tem maior influência sobre ele do que sua mulher, a não ser que esta esteja em total oposição à própria natureza. Quando a mulher permite que o companheiro se desinteresse dela, transferindo o interesse para outra, isso em geral reflete desconhecimento ou indiferença por parte dela acerca de questões relativas a sexo, amor e romantismo. Essa idéia pressupõe, é claro, que em algum momento tenha existido amor entre os dois e aplica-se igualmente ao homem que deixa morrer o interesse da mulher por ele.

Os casais costumam discutir por ninharias que, se analisadas cuidadosamente, revelariam ignorância ou indiferença em relação a sexo, amor e romantismo.

A força que mais motiva o homem é o desejo de agradar a uma mulher! Na era pré-histórica, o caçador que mais se destacava certamente queria fazer boa figura diante das mulheres. Nesse aspecto, a natureza masculina não se alterou. O "caçador" de hoje em dia não leva para casa a pele de animais selvagens – como fazia nos primórdios da civilização –, mas demonstra seu desejo de ser aprovado ao oferecer à mulher roupas, carros e riqueza; mudou apenas o modo de agradar. Os homens que acumulam grandes fortunas e conquistam fama e poder têm como objetivo principal o desejo de fazer uma mulher feliz.

Tire a mulher da vida dos homens, e a riqueza perderia a utilidade para a maioria deles. É o desejo inerente ao homem de agradar a mulher que dá a ela o poder de elevá-lo ou destruí-lo.

A mulher que compreende a natureza masculina e, discretamente, cuida de seu homem, não teme a concorrência de outras mulheres. Os homens podem ser gigantes indomáveis ao lidar com outros, mas são facilmente influenciados pela mulher amada – o que a maioria deles não admite, já que os homens preferem ser considerados o "sexo forte". A mulher inteligente, por sua vez, reconhece esse traço machista e tira partido dele.

Alguns homens, apesar de perceberem a influência exercida sobre eles por uma mulher – esposa, namorada, mãe, irmã – diplomaticamente, não se insurgem, pois possuem inteligência bastante para admitir que nenhum homem é feliz ou completo sem a influência modificadora da mulher certa. Aquele que não reconhece essa verdade deixa de utilizar a força que, sozinha, fez muito mais para levar os homens ao sucesso do que todas as outras forças combinadas.

CAPÍTULO 11

O SUBCONSCIENTE

A CONEXÃO
O DÉCIMO PRIMEIRO PASSO EM DIREÇÃO À RIQUEZA

O subconsciente é um campo de consciência em que todo impulso de pensamento que atinge a mente objetiva através de qualquer dos cinco sentidos é classificado e registrado e por meio do qual é possível lembrar ou resgatar idéias, como cartas arquivadas em um fichário.

O subconsciente recebe e arquiva impressões sensoriais ou idéias de qualquer natureza. É possível incutir-lhe voluntariamente planos, idéias ou objetivos que você deseje transformar em seu equivalente físico ou financeiro. O subconsciente age primeiro sobre os desejos dominantes combinados a sentimentos e emoções, como a fé.

Junte a isso as instruções apresentadas no capítulo sobre desejo, sobre as seis etapas a serem cumpridas, mais a orientação acerca da elaboração e execução de planos, e compreenderá a importância dessa idéia.

O subconsciente trabalha dia e noite. Em um procedimento ainda desconhecido, o subconsciente busca na Inteligência Infinita o poder pelo qual transforma deliberadamente desejos em seus equivalentes físicos, empregando para isso os mais práticos meios disponíveis.

Ninguém consegue controlar por completo o subconsciente, mas é possível passar-lhe planos, desejos ou objetivos que desejamos concretizar. Leia novamente, no capítulo sobre auto-sugestão, instruções para o uso do subconsciente.

Muitos indícios fundamentam a crença de que o subconsciente é a conexão entre a mente finita do ser humano e a Inteligência Infinita. É o intermediário pelo qual se pode obter à vontade a força da Inteligência Infinita. O subconsciente contém o processo secreto pelo qual os impulsos mentais são modificados e transformados em seu equivalente espiritual. É o meio através do qual a prece é transmitida à fonte capaz de respondê-la.

As possibilidades de esforço criativo aliadas ao subconsciente são estupendas, imponderáveis e inspiram respeito.

Talvez por nosso pouco conhecimento do assunto, sempre que discuto o subconsciente, sou tomado por uma sensação de pequenez e inferioridade. O próprio fato de ser o subconsciente o meio de comunicação entre a mente pensante do homem e a Inteligência Infinita quase nos impede o raciocínio.

Depois de aceitar como realidade a existência do subconsciente e compreender suas possibilidades como meio para a transmutação dos desejos em seu equivalente físico ou financeiro, você perceberá a importância das diretrizes apresentadas no capítulo sobre o assunto. Assim, entenderá o porquê das repetidas recomendações no sentido de esclarecer e registrar por escrito os seus desejos e de persistir no cumprimento das instruções.

> SEJA PACIENTE. SEJA PERSISTENTE

Os 13 princípios são o estímulo para a aquisição da habilidade de atingir e influenciar o seu subconsciente. Não desanime caso não consiga na primeira tentativa. Lembre-se de que o subconsciente pode ser deliberadamente direcionado apenas pelo hábito, conforme as instruções do capítulo sobre a fé. Você ainda não teve tempo para dominar a fé. Seja paciente. Seja persistente.

Algumas boas idéias apresentadas nos capítulos sobre fé e auto-sugestão serão repetidas aqui, para benefício do seu subconsciente. Lembre-se: o seu subconsciente é autônomo; dispensa o seu esforço para influenciá-lo. Isso, naturalmente, sugere que pensamentos ligados a medo e pobreza, bem como todas as idéias negativas, atuam como estímulos ao subconsciente, a menos que você os domine, substituindo-os por outros mais desejáveis.

O subconsciente não pára! Se você deixar de alimentá-lo com desejos, ele vai buscar os pensamentos que vão ao seu encontro, resultantes da sua negligência. Já vimos que impulsos de pensamentos positivos e negativos atingem continuamente o subconsciente, vindos das quatro fontes mencionadas no capítulo sobre transmutação do sexo.

Por enquanto, basta você não esquecer que vive ininterruptamente em meio a impulsos de pensamento de todos os tipos, que atingem o subconsciente sem que você se dê conta. Desses, alguns são positivos e outros são negativos. A sua tarefa é interromper o fluxo de impulsos negativos, procurando deliberadamente influenciar o seu subconsciente por meio de impulsos positivos de desejo.

Ao fazer isso, você toma posse da chave que abre a porta do seu subconsciente. E mais: assume tão completamente o controle daquela porta que nenhum pensamento indesejável consegue entrar.

Tudo que o ser humano cria começa em forma de impulso de pensamento. Com a ajuda da imaginação, as idéias se reúnem, formando planos; e a imaginação sob controle pode ser utilizada para elaborar planos ou propósitos que levem ao sucesso em qualquer campo.

Para ser transmutado em seu equivalente material, todo impulso de pensamento plantado de propósito no subconsciente deve passar pela imaginação e ser combinado à fé. A fé, acrescida de um plano ou objetivo, só pode ser submetida ao subconsciente por meio da imaginação.

A partir dessas afirmativas, percebe-se que o uso voluntário do subconsciente exige a coordenação e a aplicação de todos os princípios.

Ella Wheeler Wilcox traduziu em palavras sua visão do poder do subconsciente:

"Não há como saber se um pensamento
nos trará amor ou ódio.
Pois pensamentos têm vida,
e suas asas graciosas
são mais rápidas que as de um pombo-correio.
Eles seguem a lei do universo:
a criatura é da mesma espécie do criador.
Os pensamentos percorrem rapidamente o caminho de volta,
devolvendo o que a sua mente criou."

A sra. Wilcox percebeu que os pensamentos também marcam fortemente o subconsciente da mente que lhes deu origem, servindo como ímã, padrão ou projeto que influencia sua transformação nos equivalentes materiais. Pensamentos são entidades, pois tudo que é material começa em forma de energia de pensamento.

O subconsciente é mais suscetível à influência de impulsos de pensamento aliados a sentimentos ou emoções do que aos efeitos daqueles originados unicamente na porção racional da mente. Na verdade, não faltam indícios favoráveis à teoria de que apenas os pensamentos aliados à emoção exercem influência ativa sobre o subconsciente. Não é segredo que a maioria das pessoas se deixa levar por emoções ou sentimentos. Sabendo-se que o subconsciente é mais fortemente influenciado por impulsos de pensamento combinados à emoção, é essencial familiarizar-se com as mais importantes das emoções. As principais emoções positivas são sete; as principais emoções negativas também são sete. As negativas se inserem deliberadamente nos impulsos de pensamento, o que garante sua entrada no subconsciente. As emoções positivas devem ser inseridas, pelo princípio da auto-sugestão, nos impulsos de pensamento que o indivíduo deseja passar ao subconsciente. (As instruções para isso estão no capítulo sobre auto-sugestão.)

Essas emoções, ou impulsos de sentimento, podem ser comparadas ao fermento na massa do pão, porque constituem o elemento ação, que faz os impulsos de pensamento passarem do estado passivo para o estado ativo. Assim, é possível entender por que os impulsos de pensamento combinados à emoção exercem influência muito mais depressa do que aqueles criados pela fria razão .

Neste momento, você pretende influenciar e controlar o "público interno" do seu subconsciente, de modo a incutir nele o desejo por dinheiro, a ser transmutado em seu equivalente financeiro. É essencial, portanto, que fique bem claro o método de abordagem a esse "público interno". Você precisa falar o idioma dele, ou seu pedido não será ouvido; ele entende melhor a linguagem da emoção ou do sentimento. Assim, vamos descrever as sete principais emoções positivas e as sete principais emoções negativas, de modo que, quando for transmitir instruções ao subconsciente, você possa lançar mão das primeiras e evitar as últimas.

As sete principais emoções positivas

Desejo
Fé
Amor
Sexo
Entusiasmo
Romantismo
Esperança

Existem outras emoções positivas, mas essas são as sete mais poderosas e as mais comumente utilizadas no esforço criativo. Domine-as (e elas só serão dominadas pelo uso), e outras emoções positivas estarão à sua disposição quando precisar delas. Lembre-se, mais uma vez, de estar lendo um livro cuja intenção é ajudar você a desenvolver uma "consciência de dinheiro"; para isso, é preciso encher a mente de emoções positivas. Emoções negativas impedem que a pessoa seja consciente do dinheiro.

As sete principais emoções negativas
(A SEREM EVITADAS)

Medo
Ciúme
Ódio
Desejo De Vingança
Ganância
Superstição
Raiva

Emoções positivas e negativas nunca ocupam a mente ao mesmo tempo. Umas ou outras devem dominar. É sua responsabilidade cuidar para que as emoções positivas constituam a influência dominante da sua mente. É então que a lei do hábito vem em sua ajuda. Adquira o hábito de vivenciar as emoções positivas e, com o tempo, elas dominarão de tal modo a sua mente que as emoções negativas não conseguirão entrar.

Você só conseguirá controlar o subconsciente se seguir essas instruções ao pé da letra e continuamente. Basta a presença de uma única idéia negativa na mente consciente para destruir todas as possibilidades de ajuda construtiva do subconsciente.

Se você costuma observar o que se passa em volta, certamente já percebeu que a maioria das pessoas só recorre à oração quando algo não vai bem ou, no máximo, cumpre um ritual, repetindo palavras sem dar atenção ao que significam. Assim, por somente rezarem quando tudo o mais falhou, essas pessoas fazem a oração com a mente tomada pelo medo e pela dúvida; essas emoções influenciam o subconsciente, que as transmite à Inteligência Infinita. Conseqüentemente, a Inteligência Infinita as recebe e deixa-se influenciar por elas.

Quando você reza com medo de não receber a graça pretendida, pode acontecer uma das duas situações seguintes: a prece não chegar à Inteligência Infinita, ou ter sido feita em vão.

A prece pode resultar naquilo que se pede. Se você já viveu a experiência de receber uma graça pela qual orou, procure lembrar qual era o seu estado de espírito no momento da prece e verá que essas palavras são mais que uma simples teoria.

Vai chegar o tempo em que as instituições educacionais ensinarão a "ciência da oração". Além disso, a prece poderá ser e será transformada em ciência. Nesse dia – assim que a humanidade estiver pronta e pedir por isso – ninguém se aproximará da mente universal com medo, pelo simples motivo que esse sentimento terá desaparecido, bem como a ignorância, a superstição e os falsos ensinamentos; o ser humano terá alcançado a condição de criança de Inteligência Infinita. Na verdade, uns poucos já obtiveram essa benção.

Se considera irreal essa profecia, observe o passado da raça humana. Há menos de cem anos, o homem temia os relâmpagos, pensando serem sinais da ira de Deus. Hoje, graças ao poder da fé, a eletricidade fornecida pela natureza faz girar as engrenagens da indústria. Há menos de cem anos, o homem acreditava ser o espaço entre os planetas apenas um grande vazio, uma extensão do nada absoluto. Atualmente, graças ao mesmo poder da fé, sabe-se que tal espaço é cheio de vida, da segunda mais intensa forma de vibração conhecida, abaixo apenas da vibração do pensamento. Além disso, o homem sabe que essa energia viva, pulsante, vibrátil, que permeia todo átomo de matéria e preenche cada nicho de espaço, conecta os cérebros de todos os seres humanos.

Por que iríamos duvidar da capacidade que essa energia tem de estabelecer conexão entre qualquer cérebro humano e a Inteligência Infinita?

Não existem postos para cobrança de pedágio entre a mente finita do ser humano e a Inteligência Infinita. O contato custa apenas paciência, fé, persistência, compreensão e o desejo sincero de comunicar-se. E mais: somente o próprio indivíduo pode estabelecer a comunicação; atalhos são inválidos, a Inteligência Infinita não faz negócios por procuração. Apresente-se pessoalmente, ou nada feito.

Você pode comprar um livro de orações e repeti-las incansavelmente, até o último dos seus dias, em vão. Para chegarem à Inteligência Infinita, os pensamentos devem passar por uma transformação, o que só acontece no subconsciente.

O método de comunicação com a Inteligência Infinita é muito semelhante às transmissões radiofônicas. Se você conhece o princípio de operação do rádio, certamente sabe que, para ser transmitido através do espaço, o som tem de ser "aumentado" ou transformado em uma intensidade de vibração não detectável pelo ouvido humano. A estação transmissora pega o som da voz humana e a "mistura", ou modifica, aumentando a vibração milhões de vezes. Somente assim a vibração do som pode ser transmitida através do éter. Depois dessa transformação, o éter capta a energia – cuja forma original era a de vibrações sonoras – e carrega-a até as estações receptoras de rádio, que a reduzem à intensidade inicial, permitindo que seja reconhecida como som.

O subconsciente é o intermediário que traduz a oração em termos reconhecíveis pela Inteligência Infinita, em seguida apresenta a mensagem e transmite a resposta em forma de plano ou idéia para a realização do pedido. Compreenda esse princípio e saberá que as palavras de uma oração repetidas mecanicamente nunca servirão como meio de comunicação entre a mente humana e a Inteligência Infinita.

Fé e medo não se dão bem. Onde um estiver, o outro não estará.

Antes que a prece alcance a Inteligência Infinita (em apenas uma demonstração da teoria do autor), provavelmente é transformada de vibração de pensamento em vibração espiritual. A fé é o único agente conhecido capaz de dar ao pensamento uma natureza espiritual. Fé e medo não se dão bem. Onde um estiver, o outro não estará.

CAPÍTULO 12

O CÉREBRO

UMA ESTAÇÃO TRANSMISSORA E RECEPTORA DE PENSAMENTOS

O DÉCIMO SEGUNDO PASSO EM DIREÇÃO À RIQUEZA

Há mais de vinte anos, o autor, em um trabalho realizado com os drs. Alexander Graham Bell e Elmer R. Gates, observou que o cérebro humano é uma estação que transmite e recebe vibrações de pensamentos.

Através do éter, de forma semelhante à empregada pelo princípio de transmissões radiofônicas, o cérebro de qualquer ser humano é capaz de captar vibrações de pensamento emitidas por outros cérebros.

Compare o que foi dito no parágrafo anterior com a descrição da imaginação criativa feita no capítulo sobre imaginação. A imaginação criativa é o "aparelho receptor", que recebe pensamentos emitidos pelo cérebro de outra pessoa; é o agente responsável pela comunicação entre a mente consciente ou racional e as quatro fontes capazes de produzir estímulos ao pensamento.

Quando estimulada, ou "acelerada", a mente se torna mais receptiva às vibrações que lhe chegam através do éter, vindas de fontes externas. Esse processo de "aceleração" acontece por meio das emoções, sejam positivas ou negativas.

Apenas as vibrações – os pensamentos – de altíssima intensidade são captadas e transportadas pelo éter de um cérebro para outro. O pensamento modificado ou "acelerado" por qualquer das emoções principais vibra ainda mais intensamente, e é ele que passa de um cérebro a outro, por meio do mecanismo de transmissão com que é equipado o cérebro humano.

A emoção do sexo ocupa o primeiro lugar na lista de emoções humanas, no que se refere a intensidade e força motriz. O cérebro estimulado pelo sexo vibra muito mais intensamente do que quando essa emoção está ausente ou em descanso.

O resultado da transmutação do sexo é o aumento da intensidade das vibrações dos pensamentos a um tal nível que a imaginação criativa se torna muito receptiva às idéias que lhe chegam. Por outro lado, quando vibra intensamente, ela não apenas atrai idéias emitidas por outros cérebros através do éter, mas confere aos pensamentos do próprio indivíduo aquele *feeling* essencial à captação e à atuação sobre o subconsciente.

Assim, percebe-se que o princípio da transmissão é o fator pelo qual se combinam sentimentos ou emoções com pensamentos, passando-os ao subconsciente.

O subconsciente é a "estação emissora" do cérebro, é o que transmite as vibrações do pensamento. A imaginação criativa é a "receptora", é ela que capta no éter essas vibrações.

Ao lado de importantes fatores do subconsciente e da faculdade da imaginação criativa – que constituem a aparelhagem de emissão e recepção do mecanismo de transmissão mental – considere o princípio da auto-sugestão, que é o meio pelo qual a "estação transmissora" pode entrar em operação.

As instruções apresentadas no capítulo sobre auto-sugestão esclarecem bem o método pelo qual o desejo pode ser transmutado em seu equivalente financeiro.

A operação da "estação transmissora" mental envolve um procedimento relativamente simples. Basta ter em mente e aplicar três princípios: subconsciente, imaginação criativa e auto-sugestão. Os estímulos pelos quais esses princípios entram em ação já foram descritos – e o procedimento começa com o desejo.

As maiores forças são intangíveis

Os problemas econômicos obrigaram o mundo a cruzar a fronteira do entendimento das forças intangíveis e invisíveis. Com o passar do tempo, o ser humano intensificou a dependência dos sentidos, limitando seu conhecimento ao mundo material: o que se pode ver, tocar, pesar, medir.

Agora, entramos na mais maravilhosa das eras – uma era que nos ensina sobre as forças intangíveis do mundo. Percorrendo-a, talvez possamos aprender que existe outro eu muito mais poderoso do que o eu físico que vemos ao nos olharmos no espelho.

De vez em quando, alguém se refere às forças intangíveis – aquelas que nenhum dos cinco sentidos é capaz de perceber. Nesses momentos, é bom lembrarmos que somos todos controlados por forças invisíveis e intangíveis.

A humanidade não tem o poder de enfrentar ou controlar a força intangível contida nas ondas do mar. O ser humano não tem a capacidade de entender, e muito menos de controlar, a força da gravidade, que mantém a Terra suspensa no ar e nos impede de cair dela. O homem está completamente vulnerável diante da força intangível da tempestade de trovões, assim como fica indefeso na presença da eletricidade – que nem mesmo sabe o que é, de onde vem e para que serve!

Ainda falta muito, porém, para acabar com a ignorância do ser humano acerca do invisível e do intocável. Ele não compreende, por exemplo, a força intangível e a inteligência presentes no solo – a força que lhe fornece cada porção de alimento que consome, cada peça de roupa que veste, cada moeda que tem no bolso.

A DRAMÁTICA HISTÓRIA DO CÉREBRO

O ser humano, com toda a sua alardeada cultura e informação, pouco ou nada sabe da força intangível do pensamento (a maior de todas). Seu conhecimento a respeito do cérebro físico, bem como da vasta rede de intrincados mecanismos pelos quais o poder do pensamento se transforma em seu equivalente material, ainda é bem reduzido, mas estamos entrando em uma era que deve trazer luz ao assunto. Cientistas têm dedicado atenção ao estudo dessa máquina estupenda chamada cérebro e, embora estejam ainda engatinhando, já acumularam informações suficientes para saber que, no painel de comando central, a quantidade de linhas que conectam as células cerebrais entre si gira em torno de um número que começa com o algarismo 1, seguido de muitos e muitos zeros.

Segundo o dr. C. Judson Herrick, da Universidade de Chicago, o número é tão impressionante que diante dele a medição de distâncias em anos-luz parece insignificante.

Acredita-se que haja entre 10 bilhões e 14 bilhões de células nervosas no córtex cerebral, arrumadas segundo padrões definidos ordenadamente.

Métodos de eletrofisiologia retiraram, com microeletrodos, correntes de ação (corrente elétrica induzida em fibras musculares quando eficazmente estimuladas) de células localizadas com exatidão ou de fibras; em seguida, amplificaram essas correntes com válvulas de rádio e registraram diferenças potenciais de até 1 milionésimo de volt.

É inconcebível que uma rede tão precisamente elaborada possa existir com o único propósito de executar funções suplementares ao crescimento e à manutenção do corpo físico. Não é provável que o mesmo sistema que garante a bilhões de células cerebrais meios de se comunicarem possibilite também meios de comunicação com outras forças intangíveis?

Este livro já estava pronto, mas não havia ainda sido enviado ao editor, quando o *New York Times* publicou um editorial comentando que, em pelo menos uma grande universidade, um inteligente pesquisador de fenômenos mentais fizera um estudo cujas conclusões estavam de acordo com muitas das teorias descritas neste e no próximo capítulo. O pesquisador mencionado era o dr. Rhine, que trabalhava com seus assistentes na Universidade de Duke, e o editorial era o seguinte:

O QUE É "TELEPATIA"?

Um mês atrás, mencionamos neste jornal os notáveis resultados alcançados pelo professor Rhine e seus assistentes da Universidade de Duke, depois de mais de cem testes, para determinar a existência de "telepatia" e "clarividência". Os resultados foram resumidos em dois artigos da *Harpers Magazine*. No segundo deles, o autor, E. H. Wright, procura transmitir o que entendeu, ou o que parece razoável deduzir, com relação à exata natureza dos modos "extra-sensoriais" de percepção.

Como resultado dos experimentos de Rhine, alguns cientistas hoje consideram muito provável a existência da telepatia e da clarividência. Os participantes da pesquisa deviam tentar acertar as figuras impressas em uma coleção de cartões, sem olhar nem tocar o material. Um grupo de homens e mulheres acertou com tanta freqüência que "havia menos de uma chance em muitos milhões de que o tivessem feito por sorte ou acidente".

Mas como conseguiram? Esses poderes, presumindo-se que existam, não parecem ser sensoriais. Que se saiba, não há qualquer órgão capaz de tal proeza. E mais: os resultados foram os mesmos, quer as duas pessoas envolvidas estivessem no mesmo ambiente ou a quilômetros de distância uma da outra. Tais fatos, na opinião de Wright, descartam a explicação da telepatia ou da clarividência com base em qualquer teoria física de radiação. Todas as formas conhecidas de energia radiante diminuem de maneira inversamente proporcional ao quadrado da distância percorrida. Com a telepatia e a clarividência, isso não acontece; esses dois fenômenos variam de acordo com causas físicas, como os outros poderes mentais. Ao contrário do que muitos pensam, os resultados não são melhores quando a pessoa está adormecida, ou quase, mas quando está bem acordada e alerta. Rhine descobriu ainda que narcóticos reduzem a percepção, enquanto estimulantes a ampliam. Ao que parece, um bom resultado depende também da vontade que o indivíduo tem de acertar.

Uma conclusão a que Rhine chega com certa confiança é que a telepatia e a clarividência são um mesmo dom, isto é: a faculdade que "vê" uma carta virada para baixo parece ser exatamente a mesma que "lê" um pensamento em outra mente. Existem vários motivos para se acreditar nisso. Pelo menos até agora, por exemplo, todas as pessoas que apresentaram o dom da telepatia também tinham, mais ou menos com a mesma intensidade, o dom da clarividência. Distância, cortinas, paredes, nada parece afetar os resultados. Wright vai adiante em suas conclusões ao intuir que outras experiências extra-sensoriais, como sonhos proféticos, premonições de desastres e outras da mesma espécie façam parte da mesma faculdade. O leitor não é obrigado a aceitar tais conclusões, mas os indícios reunidos por Wright são impressionantes.

Em vista dos estudos do dr. Rhine sobre as condições sob as quais a mente responde ao que ele chama de modos "extra-sensoriais" de percepção, devo acrescentar que, trabalhando com meus assistentes, descobrimos as condições que julgamos ideais para a estimulação da mente, de modo que o sexto sentido, descrito no próximo capítulo, seja utilizado de maneira prática.

As condições a que me refiro provêm de uma sólida aliança profissional que fiz com dois participantes da minha equipe. Por meio de experimentação e prática, descobrimos como estimular a mente (aplicando o princípio que veremos no próximo capítulo, aliado aos "Conselheiros Invisíveis"), de modo a fundir nossas mentes em uma, encontrando soluções para vários problemas pessoais trazidos por clientes meus.

O procedimento é muito simples. Nós nos reunimos em volta de uma mesa, expomos claramente o problema e o discutimos. Cada um apresenta suas idéias a respeito. O que há de estranho nesse método de estimulação da mente é o fato de ele estabelecer a comunicação entre os participantes e fontes de saber desconhecidas, definitivamente alheias à experiência de cada um.

> DEPRESSÕES ECONÔMICAS SÃO UMA BÊNÇÃO DISFARÇADA, POIS ESTABELECEM UM NOVO PONTO DE PARTIDA, DANDO A TODOS OUTRA OPORTUNIDADE.

Se você entendeu os princípios descritos no capítulo sobre a Mente Mestra, certamente reconheceu o procedimento da mesa-redonda, aqui mencionado, como uma aplicação prática da Mente Mestra.

Esse método de estimulação da mente, em que três pessoas se reúnem e discutem harmoniosamente determinados assuntos, ilustra a forma mais simples e prática de utilizar a Mente Mestra.

Qualquer pessoa interessada nesta filosofia pode empregar a famosa fórmula de Carnegie, brevemente descrita na introdução. Basta adotar e seguir um plano similar. Caso essas palavras não tenham qualquer significado para você, marque esta página e leia-a novamente quando chegar ao fim do livro.

CAPÍTULO 13

O SEXTO SENTIDO

A PORTA PARA O TEMPLO DA SABEDORIA
O DÉCIMO TERCEIRO PASSO EM DIREÇÃO À RIQUEZA

O décimo terceiro princípio é conhecido como sexto sentido. É através dele que a inteligência infinita se comunica, sem que o indivíduo precise pedir nada ou fazer qualquer esforço.

Esse princípio é o ápice da filosofia. Só pode ser assimilado, compreendido e aplicado depois de dominados os outros 12 princípios.

O sexto sentido é aquela porção do subconsciente chamada de imaginação criativa. Pode ser considerado também o "aparelho receptor", que faz surgirem na mente idéias, planos e pensamentos – às vezes vistos como intuições ou inspirações.

É impossível descrever o sexto sentido a alguém que não tenha dominado os outros princípios dessa filosofia, pois não há conhecimento ou experiência para fazer comparações. Só se entende o sexto sentido pela meditação, com o desenvolvimento da mente de dentro para fora. O sexto sentido é, provavelmente, o meio de contato entre a mente finita do homem e a Inteligência Infinita; por esse motivo, é ao mesmo tempo mental e espiritual. Acredita-se que seja o ponto em que a mente humana entra em contato com a Mente Universal.

Depois de dominar os princípios descritos neste livro, você terá cumprido os requisitos necessários à aceitação de uma verdade que, de outro modo, consideraria inacreditável. A verdade é a seguinte: com a ajuda do sexto sentido, é possível ser avisado de perigos a tempo de evitá-los e de oportunidades a tempo de aproveitá-las.

Com o desenvolvimento do sexto sentido, você passa a ter sempre ao seu lado e às suas ordens um "anjo da guarda" que mantém permanentemente abertas as portas do Templo da Sabedoria.

O único meio de comprovar essa verdade é seguindo as instruções deste livro ou adotando algum método semelhante.

Não sou um crédulo nem um defensor da existência de milagres, pois conheço suficientemente bem a natureza para saber que ela jamais se desvia de suas leis. O fato é que algumas delas são tão incompreensíveis que produzem o que parecem milagres. O sexto sentido é a situação mais próxima do milagre que já experimentei - somente porque não conheço o processo de operação desse princípio.

Tudo o que sei é: existe um poder, ou uma causa primeira, ou uma Inteligência, que está presente em todos os átomos da matéria e que envolve cada unidade de energia perceptível ao ser humano. A Inteligência Infinita converte sementes em árvores, faz a água descer a montanha em resposta à lei da gravidade, garante a seqüência de dia e noite, inverno e verão - todos em harmonia. Essa Inteligência, com o emprego dos princípios desta filosofia, pode ser induzida a colaborar na transmutação dos desejos em forma concreta. Sei disso porque experimentei - e consegui.

Passo a passo, capítulo por capítulo, este livro foi encaminhando você a este último princípio. Se ainda não dominou os princípios anteriores, deve fazê-lo, para que possa aceitar sem ceticismo as formidáveis afirmativas feitas aqui.

Houve um tempo - a era da "veneração dos heróis" - em que tentei imitar as figuras que mais admirava. Foi quando descobri que o elemento FÉ, que utilizava para copiar meus ídolos, era o responsável pelo sucesso dos meus esforços.

Na verdade, nunca abandonei inteiramente o hábito de imitar meus heróis, embora há muito tenha passado da idade em que isso geralmente acontece. A experiência me ensinou que o caminho para ser uma pessoa melhor é imitar ao máximo pessoas admiráveis, em sentimento e ação.

Muito antes que eu escrevesse o primeiro trabalho ou preparasse a primeira palestra, tinha o hábito de pautar meu caráter pela imitação de nove homens cuja vida pessoal e profissional mais me impressionou: Emerson, Paine, Edison, Darwin, Lincoln, Burbank, Napoleão, Ford e Carnegie.

Durante muitos anos, toda noite eu fazia uma reunião imaginária com aquele grupo, a que chamava "Conselheiros Invisíveis".

O procedimento era este: antes de dormir, fechava os olhos e me imaginava reunido com o grupo em torno de uma mesa. Além de ter a oportunidade de estar com aqueles grandes homens, eu liderava a reunião.

Havia um propósito definido naquelas reuniões noturnas imaginárias: moldar meu caráter, de modo que ele representasse a soma das qualidades de meus conselheiros imaginários. Tendo percebido desde cedo que teria de superar a desvantagem de nascer em um ambiente de ignorância e superstição, assumi a tarefa de renascer pelo método aqui descrito.

MOLDANDO O CARÁTER PELA AUTO-SUGESTÃO

Dedicado estudioso da Psicologia, como sempre fui, eu sabia que todo ser humano se torna o que é por causa de seus desejos e pensamentos dominantes. Sabia, portanto, que todo desejo arraigado tem o efeito de procurar expressar-se de modo a ser transmutado em realidade. E sabia também que a auto-sugestão é um fator poderoso no desenvolvimento do caráter – na verdade, o único princípio pelo qual o caráter se desenvolve.

> TODO SER HUMANO SE TORNA O QUE É POR CAUSA DE SEUS DESEJOS E PENSAMENTOS DOMINANTES.

Conhecendo os princípios da operação da mente, eu estava bem- equipado para moldar meu caráter. Naquelas reuniões imaginárias, recorria aos membros do meu "Conselho" em busca das informações de que precisava e me dirigia a eles em voz alta:

– Sr. Emerson, gostaria que me transmitisse a sua maravilhosa compreensão da natureza. Por favor, deixe em meu subconsciente a marca das qualidades que lhe permitiram compreender as leis da natureza e adaptar-se a elas. Ajude-me a encontrar e aproveitar as fontes em que posso obter esse conhecimento.

– Sr. Burbank, transmita-me a sabedoria com que harmonizou as leis da natureza, de modo a fazer o cacto perder os espinhos, transformando-se em planta comestível. Mostre-me como fez crescerem duas folhas de grama onde antes só havia uma e como criou flores de cores mais belas e harmoniosas.

– Napoleão, quero adquirir a sua maravilhosa capacidade de inspirar os homens, transmitindo-lhes determinação e espírito de ação. Quero também adquirir a sua fé, que o fez transformar derrota em vitória e superar enormes obstáculos. Imperador do Destino, Rei da Sorte, Homem do Destino, eu o saúdo!

– Sr. Paine, quero aprender a ter a sua liberdade de pensamento, bem como a coragem e a clareza com que expressa as suas convicções.

– Sr. Darwin, quero ter a sua paciência maravilhosa, a sua capacidade de estudar causa e efeito, sem parcialidade ou preconceito, como demonstrou no campo das ciências naturais.

– Sr. Lincoln, quero integrar ao meu caráter o seu agudo senso de justiça, a sua paciência incansável, o seu senso de humor, a sua compreensão e a sua tolerância.

– Sr. Carnegie, já tenho uma dívida de gratidão com o senhor por terme ajudado a escolher uma carreira que me traz felicidade e paz de espírito. Quero adquirir o seu conhecimento dos princípios do esforço organizado, que tão sabiamente utilizou na criação de uma grande empresa.

– Sr. Ford, o senhor me forneceu boa parte do material essencial ao meu trabalho. Quero adquirir a persistência, a determinação, o equilíbrio e a autoconfiança que lhe permitiram superar a pobreza, bem como organizar, unificar e simplificar o esforço humano. Assim, poderei ajudar outros a seguirem os seus passos.

– Sr. Edison, pedi que se sentasse à minha direita, por sua cooperação com a pesquisa que faço sobre sucesso e fracasso. Quero adquirir a fé maravilhosa que o fez descobrir tantos segredos da natureza, bem como a força inquebrantável que tantas vezes o levou a transformar derrota em vitória.

Para conhecer melhor os membros daquele Conselho, estudei cuidadosamente suas histórias de vida, e meu método de comunicação com eles variava conforme a qualidade que eu estivesse mais interessado em adquirir. Depois de alguns meses de "reuniões noturnas", eu estava surpreso com a descoberta de que aquelas figuras tinham se tornado quase reais.

Para minha surpresa, cada um deles adquiriu características próprias. Lincoln, por exemplo, tinha o hábito de chegar atrasado, fazendo uma entrada solene. Andava devagar, com as mãos para trás, parando de vez em quando. Ao chegar diante de mim, pousava a mão no meu ombro com ar sério. Raramente o vi sorrir. Os cuidados com uma grande nação tinham feito dele um homem sisudo.

Mas nem todos eram assim. Burbank e Paine freqüentemente faziam comentários espirituosos que chegavam a chocar os outros. Certa noite, Paine me sugeriu que preparasse um discurso sobre a "idade da razão", a ser proferido no púlpito da igreja que eu freqüentava. Muitos riram com vontade da sugestão – menos Napoleão, que, com expressão de desagrado, suspirou fortemente, chamando a atenção de todos. Para ele, a Igreja não passava de um braço do Estado, braço este utilizado como um conveniente incitador das massas.

Certa vez, Burbank se atrasou. Ao chegar, explicou entusiasmado o motivo do atraso: estivera envolvido em uma experiência que pretendia fazer crescerem maçãs em qualquer tipo de árvore. Paine lembrou que foi por causa de uma maçã que começaram os problemas entre homens e mulheres, e Darwin, entre boas risadas, sugeriu que, quando fosse colher frutas, tomasse cuidado com as pequenas serpentes, que costumam crescer e transformar-se em cobras enormes. Emerson observou:

– Sem serpentes, não há maçãs!

E Napoleão completou:

– Sem maçãs, não há Estado!

Lincoln tinha o hábito de ser o último a deixar a mesa de reuniões. Em uma ocasião, ele cruzou os braços sobre a borda da mesa, apoiou a cabeça e ficou vários minutos nessa posição. Procurei não perturbá-lo. Finalmente, levantou a cabeça devagar, deixou a cadeira e encaminhou-se para a porta. Então, voltou-se, pôs a mão no meu ombro e disse:

– Meu rapaz, vai precisar de muita coragem se quiser alcançar o seu propósito na vida. Quando vierem as dificuldades, lembre que pessoas comuns têm senso comum. A adversidade o desenvolverá.

Certa noite, Edison chegou antes dos outros. Sentando-se à minha esquerda, onde costumava ser o lugar de Emerson, disse:

– Você está destinado a descobrir o segredo da vida. Quando chegar o momento, perceberá que a vida consiste em grandes concentrações de energia, ou entidades, todas tão inteligentes quanto os seres humanos pensam ser. Essas unidades de vida agrupam-se como enxames de abelhas e assim permanecem, até se desintegrarem por falta de harmonia. Tais unidades apresentam diferenças de opinião, como os seres humanos, e freqüentemente lutam entre si. Estas reuniões são muito úteis, pois trazem para ajudá-lo as mesmas unidades de vida que serviram aos membros do Conselho. Elas são eternas. As unidades de vida nunca morrem! Os seus pensamentos e desejos atuam como ímãs a atrair unidades de vida – mas não todas: somente aquelas que estejam em harmonia com o que você pensa e deseja.

Os outros membros do Conselho começaram a chegar. Edison se levantou e caminhou devagar até o lugar que costumava ocupar. Quando isso aconteceu, ele ainda estava vivo. Fiquei tão impressionado que fui procurá-lo e relatei a experiência. Ele riu e comentou:

– O seu sonho foi mais real do que você possa imaginar.

E não disse mais nada.

Como as reuniões ficavam cada vez mais nítidas, comecei a temer as conseqüências e deixei de fazê-las por alguns meses. A experiência era tão fantástica que tive medo de perder de vista o fato de ser tudo puramente fruto da minha imaginação.

Cerca de seis meses mais tarde, acordei no meio da noite – ou pensei que tivesse acordado – e vi Lincoln de pé, ao lado da minha cama.

– O mundo logo vai precisar dos seus serviços. Vem aí um período de caos, quando homens e mulheres perderão a fé e ficarão muito assustados. Prossiga com o seu trabalho e complete a sua filosofia. Essa é a sua missão na vida. Caso a deixe de lado, por qualquer que seja a causa, será reduzido a um estado primitivo e obrigado a retroceder a estágios que ultrapassou há milhares de anos – ele disse.

Na manhã seguinte, eu não sabia se tivera um sonho ou não – e não sei até hoje. Mas a impressão deixada foi tão nítida que na noite seguinte recomecei as reuniões.

Em nosso reencontro, os membros do Conselho chegaram juntos e tomaram os assentos de costume em volta da mesa, enquanto Lincoln erguia uma taça e dizia:

– Senhores, um brinde a um amigo que voltou ao grupo!

A partir de então, fui acrescentando novos elementos ao Conselho, que já conta com mais de 50 membros, entre eles Cristo, São Paulo, o pintor Winslow Homer, o poeta William Drummond, o político Woodrow Wilson, o jornalista William Cowper Brann, o físico, matemático e astrônomo Isaac Newton, o astrônomo Galileu, o físico, escritor e astrônomo Nicolau Copérnico, os escritores e filósofos Voltaire e Elbert Hubbard, bem como os filósofos Aristóteles, Platão, Sócrates, Giordano Bruno, Baruch Spinoza, Emanuel Kant, Arthur Schopenhauer, Confúcio, Robert Green Ingersol e William James.

Esta é a primeira vez que menciono isso. Até aqui, havia mantido o assunto em segredo, porque sabia que poucos entenderiam uma experiência tão peculiar. Acontece que hoje já não me preocupo tanto com "o que os outros dizem". Uma das vantagens da maturidade é a coragem de dizer a verdade, sem se importar com a opinião daqueles que não a entendem.

Para não correr o risco de ser mal-interpretado, quero deixar claro que, apesar de minhas reuniões de Conselho serem puramente imaginárias, levaram-me a seguir gloriosos caminhos de aventura, renovaram minha admiração pela verdadeira grandeza, estimularam meu esforço criativo e me incentivaram a expressar honestamente minhas idéias.

Em algum ponto da estrutura celular do cérebro, existe um órgão que recebe vibrações de pensamentos, comumente chamadas de "intuições". Por enquanto, a ciência não descobriu onde fica o órgão do sexto sentido, mas isso não tem importância. O fato é que o ser humano recebe informações precisas vindas de outras fontes que não os sentidos físicos. Tais informações, em geral, são recebidas quando a mente está sob influência de uma estimulação extraordinária. Toda situação de emergência que desperte emoção e faça o coração bater mais depressa pode – e freqüentemente o faz – ativar o sexto sentido. Qualquer um que, estando ao volante de um carro, tenha escapado por pouco de um acidente sabe que, nessas ocasiões, o sexto sentido se manifesta e, em uma fração de segundo, evita o desastre.

Essas considerações servem de preparação para uma afirmativa que quero fazer agora: durante as reuniões com os Conselheiros Invisíveis, minha mente ficava mais receptiva a idéias, pensamentos e informações que me chegavam através do sexto sentido. Posso dizer, com certeza, que devo a eles todo o conhecimento que adquiri por "inspiração".

Nas várias situações de emergência pelas quais passei – em algumas, minha vida esteve em risco –, sempre fui milagrosamente guiado pelos Conselheiros Invisíveis.

Quando iniciei minhas reuniões com figuras imaginárias, tinha como objetivo imprimir no subconsciente, pelo princípio da auto-sugestão, determinadas características que desejava adquirir. Mais recentemente, porém, minha experiência tomou outro rumo. Agora, levo aos conselheiros imaginários todo problema que se apresenta a mim ou aos meus clientes. Embora eu não dependa inteiramente do Conselho, devo dizer que os resultados são, em geral, extraordinários.

Você já deve ter percebido que este capítulo trata de um assunto com que poucas pessoas estão familiarizadas. No entanto, o sexto sentido é de grande importância e utilidade para aqueles que pretendem acumular riquezas, mas não precisa chamar a atenção daqueles cujos desejos são mais modestos.

Sem dúvida, Henry Ford compreendeu e usou o sexto sentido; suas vastas operações comerciais e financeiras o levaram a isso. Thomas Edison compreendeu e usou o sexto sentido para criar suas invenções, em especial as que envolviam patentes básicas – como o ditafone e o projetor de cinema –, já que não possuía experiência nem conhecimento que o orientassem.

Praticamente todos os grandes líderes – como Napoleão, Bismark, Joana d'Arc, Cristo, Buda, Confúcio e Maomé – compreenderam e provavelmente utilizaram com freqüência o sexto sentido. Sua grandeza se devia, em grande parte, ao conhecimento desse princípio.

O sexto sentido não é algo que se possa ligar e desligar à vontade. A capacidade de utilizá-lo vem aos poucos, pela aplicação de outros princípios descritos neste livro. Raramente alguém consegue dominar por completo o uso do sexto sentido antes dos 40 anos, e o mais comum é fazê-lo somente depois dos 50, quando as forças espirituais às quais está intimamente ligado amadurecem e tornam-se utilizáveis, após anos de meditação e reflexão.

Não importa quem seja você nem o seu objetivo ao ler este livro: ele lhe pode ser útil, ainda que você não entenda o princípio aqui descrito. Isso vale, em especial, para aqueles que pretendem ganhar dinheiro ou conseguir outros bens materiais.

> PRATICAMENTE TODOS OS GRANDES LÍDERES COMPREENDERAM E PROVAVELMENTE UTILIZARAM COM FREQÜÊNCIA O SEXTO SENTIDO.

O capítulo sobre o sexto sentido foi incluído porque a intenção do livro é apresentar uma filosofia completa que oriente os leitores, de modo a conseguirem o que desejam da vida. O ponto de partida de toda realização é o desejo. O ponto final é aquele tipo de conhecimento que leva à compreensão – de si mesmo, dos outros, das leis da natureza, do sentido da felicidade.

Só se alcança esse tipo de conhecimento depois que se aprende e utiliza o princípio do sexto sentido; daí a inclusão do assunto como parte desta filosofia, para benefício daqueles que desejam mais que dinheiro.

Provavelmente, a leitura deste capítulo provocou em você um alto nível de estimulação mental. Ótimo! Leia-o novamente daqui a um mês e veja que a estimulação será ainda mais intensa. Repita a experiência de tempos em tempos, sem se preocupar com a quantidade de conhecimento adquirida a cada vez e, um dia, perceberá possuir uma força que lhe permite soltar a imaginação, afastar o desânimo, dominar o medo e abandonar o hábito de deixar tudo para depois. Assim, sentirá o toque de "algo" desconhecido que tem sido a força inspiradora de todos os grandes pensadores, líderes, artistas, músicos, escritores e estadistas e estará em posição de transformar seus desejos na contrapartida financeira ou material com a mesma facilidade com que antes desistia ao menor sinal de oposição.

FÉ *VERSUS* MEDO

Os capítulos anteriores descreveram como desenvolver a fé por meio da auto-sugestão, do desejo e do subconsciente. O próximo capítulo apresenta instruções detalhadas sobre como dominar o medo.

Você vai encontrar uma descrição completa dos seis tipos de medo que são a causa de desânimo, timidez, inércia, indiferença e indecisão, bem como da falta de ambição, autoconfiança, iniciativa, autocontrole e entusiasmo.

Enquanto aprende sobre os seis inimigos, analise-se atentamente, pois eles podem estar no seu subconsciente, onde é difícil detectá-los.

Lembre que os seis fantasmas do medo nada mais são do que fantasmas, pois só existem na imaginação.

E lembre também que fantasmas – criações da imaginação descontrolada – já causaram muitos problemas às mentes das pessoas; portanto, podem ser tão perigosos quanto se tivessem um corpo físico e vivessem entre nós.

O fantasma do medo da pobreza, que tomou a mente de milhões de pessoas em 1929, era tão real que provocou a pior crise econômica que os Estados Unidos já viveram. E até hoje ainda assusta muita gente.

CAPÍTULO 14

COMO VENCER OS SEIS FANTASMAS DO MEDO

AO LER ESTE CAPÍTULO, ANALISE-SE E DESCUBRA QUANTOS FANTASMAS ESTÃO ATRAPALHANDO O SEU CAMINHO

Antes que qualquer parte desta filosofia possa ser posta em prática com sucesso, você deve preparar-se para recebê-la. A preparação não é difícil; começa com o estudo, a análise e o entendimento de três inimigos que devem ser afastados: indecisão, dúvida e medo.

O sexto sentido não funcionará se a mente estiver tomada por um ou mais desses três inimigos. Os componentes do trio maldoso são muito unidos; aonde um vai, os outros também vão.

A indecisão é o projeto do medo! Lembre-se disso quando ler. A indecisão se materializa em dúvida; as duas se combinam e formam o medo! O processo de combinação é lento, geralmente. Por isso esses inimigos são tão perigosos: germinam e crescem sem serem notados.

> A INDECISÃO É O PROJETO DO MEDO!

O restante deste capítulo descreve os últimos aspectos a serem trabalhados antes que a filosofia como um todo possa ser posta em prática; em seguida, analisa uma condição que já reduziu muita gente à pobreza e faz uma afirmativa que deve ser entendida por todos que acumulam riquezas, seja em termos de dinheiro ou de um estado de espírito muito mais valioso. O objetivo deste capítulo é chamar a atenção para a causa e a cura de seis medos básicos. Antes de enfrentar um inimigo, você precisa saber seu nome, conhecer seus hábitos e o lugar onde vive. Durante a leitura, analise-se cuidadosamente para descobrir se tem um ou mais desses medos comuns.

Não se deixe enganar pelos hábitos desses inimigos sutis. Às vezes, eles se escondem no subconsciente, onde é difícil localizá-los e ainda mais difícil eliminá-los.

Os seis medos básicos

Em algum momento da vida, todo ser humano é atacado pelos seis medos básicos, seja por um deles de cada vez ou por uma combinação de alguns – e às vezes por todos ao mesmo tempo! Eis a lista dos seis medos básicos:

Medo De **Pobreza**
Medo De **Críticas**
Medo De **Doença**
Medo De **Perder O Amor De Alguém**
Medo Da **Velhice**
Medo Da **Morte**

Todos os outros medos são de menor importância e podem ser incluídos em algum desses seis.

A ocorrência desses medos obedece a ciclos, como se fosse uma maldição lançada sobre o mundo. Em tempos de crise econômica, prevalece o medo da pobreza; em tempos de guerra, o medo da morte; depois da guerra, o medo da doença.

Medos não passam de estados de espírito, sujeitos a controle e orientação. Os médicos, como se sabe, ficam doentes com menos freqüência do que outro tipo de profissional – por um motivo muito simples: não têm medo das doenças. Por força da profissão, eles não hesitam em aproximar-se diariamente de pacientes com moléstias contagiosas, mas nem por isso se contagiam. Sua imunidade se deve em grande parte, se não unicamente, à absoluta falta de medo.

Tudo que o ser humano cria começa com um impulso de pensamento. A partir dessa afirmativa, vem outra, ainda mais importante: os impulsos de pensamento começam imediatamente a transformar-se em seu equivalente material, sejam tais pensamentos voluntários ou não. Impulsos de pensamento captados ao acaso (liberados por outras mentes) têm tanta força para determinar o destino financeiro, social e profissional de um indivíduo quanto aqueles criados por ele deliberadamente.

Até aqui, preparamos a apresentação de um fato de grande importância para aqueles que não entendem por que algumas pessoas têm tanta sorte, enquanto outras de igual ou melhor habilidade, treinamento, experiência e capacidade parecem fadadas à infelicidade. A explicação é a seguinte: todo ser humano tem a capacidade de total controle da própria mente e, com isso, pode deixá-la aberta a impulsos de pensamento negativos emitidos por outras mentes, ou fechar bem as portas, admitindo apenas impulsos de pensamento desejáveis.

A natureza dotou o ser humano de absoluto controle sobre o pensamento. Isso, aliado ao fato de que tudo o que criamos começa em forma de pensamento, leva-nos ao princípio pelo qual o medo pode ser dominado.

Se é verdade que todo pensamento tem a tendência de transformar-se em seu equivalente material (e é, sem sombra de dúvida), também é verdadeiro o fato de ser impossível que pensamentos de medo e pobreza transformem-se em coragem e ganhos financeiros.

Um exemplo disso foi o que aconteceu nos Estados Unidos com a quebra de Wall Street, em 1929. Lenta, mas seguramente, o pensamento do povo em geral materializou-se, resultando no momento histórico conhecido como Depressão – em cumprimento às leis da natureza.

O MEDO DA POBREZA

Entre pobreza e riqueza não pode haver acordo! As estradas que levam a uma e a outra seguem direções opostas. Se você quer riqueza, recuse-se a aceitar qualquer circunstância que leve à pobreza. A palavra "riqueza" é empregada aqui em sentido amplo, significando condições financeiras, espirituais, mentais e materiais. O ponto de partida do caminho que leva à riqueza é o desejo. No primeiro capítulo, há instruções detalhadas para o uso adequado do desejo. Neste capítulo, que fala sobre medo, você terá instruções completas para preparar a sua mente para fazer uso prático do desejo.

Neste momento, aceite o desafio de determinar quanto desta filosofia você conseguiu absorver. Este é o ponto em que pode prever com precisão o que o destino lhe reserva. Se, depois da leitura deste capítulo, você se decidir a aceitar a pobreza, pode preparar a mente para isso. A decisão é sua.

Se preferir a riqueza, determine a forma e a quantidade ideais. Você conhece a estrada que leva à riqueza e recebeu um mapa para não errar o caminho. Se não começar a caminhada, ou desistir antes da chegada, você será o responsável. A riqueza só depende do seu estado de espírito – o único fator controlável. Estado de espírito se cria e se vive; não se compra.

O medo da pobreza não passa de um estado de espírito, mas é suficiente para anular qualquer chance de realização de um empreendimento. Fato que comprova isso foi a Depressão.

Esse medo impede o raciocínio, destrói a imaginação, acaba com a autoconfiança, extingue o entusiasmo, prejudica a iniciativa, leva à indecisão, estimula os adiamentos e impossibilita o autocontrole; tira o encanto da personalidade, atrapalha a clareza de raciocínio, dilui os esforços, aniquila a persistência, reduz a nada a força de vontade, arruína a ambição, anuvia a memória e atrai todas as formas de fracasso; mata o amor e as melhores emoções do coração, abala a amizade, acarreta desastres, causa insônia, miséria e infelicidade – isso apesar da inegável verdade de que vivemos em um mundo onde há abundância de tudo que o coração pode desejar, e nada nos impede de consegui-lo, a não ser a falta de propósito.

> SE VOCÊ QUER RIQUEZA, RECUSE-SE A ACEITAR QUALQUER CIRCUNSTÂNCIA QUE LEVE À POBREZA.

O medo da pobreza é, sem dúvida, o mais destrutivo dos seis medos básicos. Foi colocado no topo da lista porque é o mais difícil de dominar. É preciso coragem para dizer a verdade a respeito da origem desse medo e ainda mais coragem para aceitar essa verdade. O medo da pobreza se originou da tendência hereditária que tem o ser humano de tentar superar o outro economicamente. Praticamente todos os animais inferiores ao homem são motivados pelo instinto e, com sua capacidade limitada de "pensar", tentam superar uns aos outros fisicamente. O homem, com seu superior senso de intuição, sua capacidade de pensar e raciocinar, não devora o outro literalmente; tem mais satisfação em devorá-lo financeiramente. O homem é tão avarento que cada lei foi criada para protegê-lo de seu semelhante.

De todas as eras vividas pela humanidade das quais temos algum conhecimento, a atual se destaca pela importância que o homem dá ao dinheiro. Aquele que não possui uma gorda conta bancária vale menos que a poeira do chão; mas se tem dinheiro – seja lá como for que tenha conseguido – é um rei, está acima da lei, comanda a política, domina os negócios e todos se curvam à sua passagem.

Nada causa tanto sofrimento e humilhação quanto a pobreza! Somente quem já foi pobre entende isso.

Não admira que o ser humano tema a pobreza. Pela experiência, aprendeu há gerações que alguns indivíduos não são confiáveis quando se trata de dinheiro e bens materiais. Essa é uma acusação dolorosa, e o pior é que é verdade.

A maior parte dos casamentos se baseia na riqueza do marido, da esposa ou dos dois. Não é de espantar que haja tantos processos de divórcio.

Alguns vão em busca da riqueza tão avidamente que fazem de tudo para consegui-la – se possível, por meios legais, mas também por outros meios, se for necessário ou conveniente.

A auto-análise pode revelar fraquezas que as pessoas preferem ignorar, mas é essencial para quem quer obter da vida mais que mediocridade e pobreza. Ao analisar-se, lembre que é ao mesmo tempo juiz e jurado, acusador e defensor, queixoso e réu. Encare os fatos. Faça perguntas claras e exija respostas diretas. Ao terminar a análise, você se conhecerá melhor. Se não se sentir capaz de uma avaliação imparcial, peça a ajuda de alguém bem próximo. Você está em busca da verdade. Descubra-a, ainda que se sinta desconfortável temporariamente!

As pessoas, em sua maioria, ao serem perguntadas sobre o que mais temem, respondem: "Nada." É uma resposta incorreta. Poucos são aqueles que percebem quanto são constrangidos, prejudicados e derrotados física e espiritualmente por alguma forma de medo. O medo se instala tão sutil e profundamente que o indivíduo pode carregá-lo a vida toda sem se dar conta. Somente uma análise corajosa é capaz de revelar a presença desse inimigo de todos. Quando começar a se analisar, procure respostas sinceras dentro de você. Faça isso. Eis aqui uma lista de sintomas que deve procurar.

Sintomas do medo da pobreza

INDIFERENÇA. Expressa-se comumente pela falta de ambição; pela tolerância com a pobreza; pela aceitação passiva do que a vida oferece; pela preguiça física e mental; pela falta de iniciativa, de imaginação, de entusiasmo e de autocontrole.

INDECISÃO. Hábito de deixar as decisões nas mãos dos outros, de ficar "em cima do muro".

DÚVIDA. Expressa-se geralmente por desculpas e álibis destinados a disfarçar, explicar ou justificar as próprias falhas e por críticas ao sucesso alheio, motivadas pela inveja.

ANSIEDADE. Expressa-se comumente pelo hábito da pessoa de encontrar defeitos nos outros, pela tendência a gastar mais do que ganha, pelo desleixo com a própria aparência e pelo ar carrancudo; pelo abuso de álcool e drogas; por nervosismo, desequilíbrio, insegurança e constrangimento.

EXCESSO DE PRECAUÇÃO. Expressa-se pelo hábito de ver tudo pelo lado negativo, pensando e falando em possíveis falhas, em vez de concentrar-se nos meios de alcançar o sucesso. A pessoa conhece os motivos do fracasso, mas nada faz para superá-los; espera pela "hora certa" de colocar os planos em ação, e a espera se torna um hábito; só se lembra do que deu errado, esquecendo o que deu certo, sem perceber a situação como um todo. O pessimismo causa má digestão, prisão de ventre, intoxicação, dificuldade em respirar e mal-estar generalizado.

HÁBITO DE DEIXAR TUDO PARA DEPOIS. Expressa-se pelo hábito de deixar para amanhã o que deveria ter sido feito no ano passado, pelo desperdício de tempo na criação de desculpas para o não cumprimento das tarefas e pela fuga às responsabilidades. Esse sintoma está intimamente ligado ao excesso de precaução, à ansiedade e à dúvida. Recusa em aceitar a responsabilidade quando isso pode ser evitado. O indivíduo prefere desistir a lutar pelo que deseja; prefere ceder às dificuldades a utilizá-las como degraus para o sucesso; prefere contentar-se com o pouco que a vida lhe oferece a buscar prosperidade, prazer e felicidade. Ele planeja o que fazer se e quando for vencido pelo fracasso, em vez de afastar qualquer possibilidade de bater em retirada. Falta-lhe autoconfiança, firmeza de propósito, autocontrole, iniciativa, entusiasmo, ambição, bom senso e capacidade de raciocínio. Ele espera a pobreza, em vez de buscar a riqueza. Em geral, une-se a outros que têm atitudes semelhantes.

O DINHEIRO TEM IMPORTÂNCIA

"Por que escreveu um livro sobre dinheiro? Por que medir a riqueza apenas em termos financeiros?" São as perguntas que muitos me fazem.

Acreditam – com razão – haver formas de riqueza mais desejáveis do que o dinheiro. Existem riquezas que não podem ser medidas em termos monetários, é verdade, mas há milhões de pessoas que dizem: "Dê-me o dinheiro de que preciso e farei o resto."

A principal razão que me levou a escrever este livro sobre como ganhar dinheiro é o fato de crises financeiras terem provocado em muitas pessoas o medo da pobreza. Westbrook Pegler, em *The New York World-Telegram*, descreve a situação:

"O dinheiro não passa de discos de metal ou folhas de papel, e existem tesouros do coração e da alma que ele não compra; mas o indivíduo que se vê completamente sem dinheiro não consegue lembrar-se disso nem manter o ânimo. Observe o homem arruinado, sem teto, sem emprego: veja seus ombros caídos, o andar vacilante, o olhar perdido. Ele não consegue escapar a um sentimento de inferioridade em relação aos que têm emprego e uma vida organizada, ainda que se reconheça superior a eles em caráter, inteligência ou capacidade.

Esses outros, por sua vez, ainda que sejam amigos, sentem-se de certa forma superiores – talvez inconscientemente –, considerando aquele que está em dificuldades como uma vítima. Pedir dinheiro emprestado é uma solução apenas temporária e nunca suficiente para manter o padrão de vida anterior. Além disso, é uma experiência que em nada contribui para elevar o ânimo, como acontece quando o dinheiro é conquistado por esforço próprio. Claro que isso não se aplica aos parasitas e inúteis, mas aos indivíduos com ambição normal e respeito próprio."

A mulher esconde o desespero

As mulheres que passam por essa mesma situação desagradável têm uma reação diferente. Elas são raras nas filas de mendigos à espera de comida, dificilmente pedem dinheiro aos passantes e não são reconhecidas na multidão pelos mesmos sinais que os homens. Claro que não me refiro àquelas que, nas grandes cidades, quase igualam o número de moradores de rua do sexo masculino. Falo de mulheres decentes e inteligentes em situação difícil. Devem ser muitas, mas não se mostram. Talvez morram de vergonha.

O homem sem ocupação tem tempo de sobra para pensar. Pode percorrer quilômetros atendendo a um anúncio de emprego e, ao chegar lá, descobrir que a vaga já foi ocupada, ou que se trata de uma daquelas colocações que não oferecem salário, e sim uma comissão sobre a venda de bugigangas inúteis que ninguém compraria, exceto por piedade. De volta ao ponto de partida, ele se vê novamente sozinho e sem rumo. Então, anda e anda... admira as vitrines cheias de objetos luxuosos a que não tem acesso e, sentindo-se inferior, cede o lugar a quem esteja realmente interessado em comprar. Ele vagueia pela estação ferroviária ou entra em uma biblioteca para dar descanso às pernas e enxugar o suor, mas, como não encontra emprego ali, logo retoma a caminhada. Ele não sabe, mas, se seu aspecto não revelasse a dificuldade da situação que atravessa, sua falta de objetivo o faria. Ainda que estivesse bem-vestido, com as roupas que ficaram dos tempos em que tinha emprego fixo, seria denunciado pelo ar abatido.

O dinheiro faz diferença

Ele vê milhares de indivíduos – ferroviários, vendedores, químicos, contadores – ocupados com seus trabalhos e os inveja do fundo da alma. Todos têm sua independência, conservam o respeito próprio e a coragem. Ele, por sua vez, simplesmente não consegue convencer-se de que é uma boa pessoa, embora chegue a um veredicto favorável a respeito de si mesmo.

O dinheiro faz diferença. Com um pouco de dinheiro, voltaria a ser ele mesmo.

Alguns empregadores se aproveitam da situação dos desempregados. Agências de emprego distribuem cartõezinhos coloridos, oferecendo vagas em troca de salários insignificantes, mas nunca boas colocações. Vi um anúncio solicitando um funcionário para atender pedidos por telefone em uma lanchonete, das 23 horas às 2 horas, em troca de um salário baixíssimo. Além de exigir que o candidato escrevesse bem, o anúncio pedia: "Declarar religião." Não é uma afronta oferecer um salário miserável e ainda querer saber a religião do candidato? Pois é o que se oferece aos desempregados.

Medo de críticas

Não se pode afirmar com certeza a origem do medo de críticas, mas uma coisa é certa: ele é bastante desenvolvido. Alguns acreditam que tudo começou quando a política se tornou "profissão". Para outros, o que provocou o aparecimento desse medo foi a preocupação das mulheres com os estilos de vestuário.

O autor, sem ser humorista nem profeta, prefere atribuir o medo de críticas àquela parte da natureza do homem que o predispõe não somente a tomar os bens do próximo como a justificar suas atitudes criticando o caráter do outro. É muito comum o ladrão criticar aquele de quem roubou, bem como o político em campanha tentar desmerecer os oponentes, em vez de demonstrar as próprias virtudes e qualidades.

O medo de críticas assume várias formas, a maior parte delas tola e mesquinha.

Os fabricantes de roupas souberam aproveitar rapidamente o medo de críticas que assola a humanidade. A cada estação, muda o estilo dos artigos

de vestuário. Quem determina os estilos? Certamente não é o comprador, mas o fabricante. E por que os estilos mudam tão amiúde? A resposta é óbvia: para vender mais.

É pelo mesmo motivo que os fabricantes de automóveis (com raras e honrosas exceções) alteram os modelos a cada temporada. Todos querem ter um carro do ano, ainda que o modelo anterior seja melhor.

Até aqui, descrevemos comportamentos sob a influência do medo de críticas acerca de aspectos menos importantes da vida. Vamos agora examinar o comportamento humano quando esse medo afeta os mais importantes aspectos dos relacionamentos. Tomemos por exemplo uma pessoa que tenha alcançado a idade da maturidade mental (entre 35 e 40 anos, em média). Se fosse possível ler seus pensamentos, encontraríamos uma forte descrença na maior parte dos mitos que lhes foram transmitidos por dogmatistas e teólogos, anos antes.

Muito raramente, porém, você encontrará alguém com coragem de expressar sua opinião. Quando pressionadas, as pessoas, em sua maioria, preferem mentir a admitir que não acreditam nas histórias associadas à forma de religião que mantinha presos os fiéis antes da era da informação e das descobertas científicas.

Por que o indivíduo médio, mesmo nestes dias de esclarecimento, esquiva-se a negar sua crença nos mitos que foram a base da maioria das religiões há algumas décadas? A resposta é: por medo das críticas. Homens e mulheres arderam em fogueiras por terem ousado expressar sua descrença em fantasmas. Não admira que tenhamos herdado uma consciência que nos faz temer a crítica. Houve um tempo – nem tão longe assim – em que a crítica acarretava punições severas, o que ainda acontece em alguns países.

O medo de críticas rouba a iniciativa, destrói a capacidade imaginativa, limita a individualidade, mata a autoconfiança e prejudica o ser humano de muitas outras maneiras. Às vezes, os pais causam danos irreparáveis aos filhos ao criticá-los. A mãe de um dos meus companheiros de juventude costumava castigá-lo fisicamente quase todos os dias e sempre completava com um comentário: "Antes dos 20 anos, você vai estar na cadeia!" Aos 17, ele estava na casa de correção.

A crítica é uma forma de serviço que todo mundo tem em estoque e apressa-se a prestar sem cobrar, quer haja ou não uma solicitação. Os parentes mais próximos costumam ser os piores críticos. Deveria ser considerado crime (na verdade, é um crime da pior espécie) pai ou mãe incutirem complexos de inferioridade na mente dos filhos, por meio de censuras desnecessárias. Os patrões que conhecem a natureza humana conseguem o máximo de seus empregados, oferecendo sugestões construtivas em vez de críticas. O mesmo podem fazer os pais. A crítica planta no coração medo e ressentimento, nunca amor e afeto.

Sintomas do medo de críticas

Esse medo é quase tão comum quanto o medo da pobreza e tem os mesmos efeitos prejudiciais para a realização pessoal, principalmente porque destrói a iniciativa e inibe o exercício da imaginação. Seus principais sintomas são:

CONSTRANGIMENTO. Expressa-se geralmente por nervosismo, timidez em conversas e encontros com estranhos, dificuldade em fixar o olhar e movimentos desajeitados de mãos, braços e pernas.

DESEQUILÍBRIO. Expressa-se por instabilidade da voz, nervosismo na presença de outras pessoas, falhas de memória e má postura corporal.

FRAQUEZA DE PERSONALIDADE. Falta de firmeza nas decisões, de encanto pessoal e de capacidade de expressar opiniões com segurança. Hábito de fugir dos problemas em vez de enfrentá-los. Concordância com opiniões alheias sem maiores ponderações.

COMPLEXO DE INFERIORIDADE. O indivíduo expressa por palavras e atos quanto se acha superior, como meio de esconder um sentimento de inferioridade. Usa palavras "difíceis" para impressionar – muitas vezes sem conhecer seu significado. Imita o comportamento, o modo de falar e vestir de outras pessoas. Gaba-se de realizações imaginárias, o que lhe dá um ar de falsa superioridade.

EXTRAVAGÂNCIA. Hábito de ostentar, gastando mais do que ganha.

FALTA DE INICIATIVA. Expressa-se pela dificuldade em aproveitar oportunidades que poderiam contribuir para o crescimento pessoal, pelo medo de expressar opiniões, pela falta de confiança nas próprias idéias, pelas respostas evasivas a perguntas feitas por superiores, pela fala e pelos gestos hesitantes, bem como pela falsidade em palavras e em atitudes.

FALTA DE AMBIÇÃO. Expressa-se por apatia física e mental, pouca assertividade, lentidão na tomada de decisões, facilidade de sofrer influências externas, hábito de elogiar pela frente e criticar pelas costas, aceitação passiva das derrotas, abandono das tarefas ao menor sinal de oposição, suspeitas infundadas, fuga à responsabilidade pelos próprios erros e falta de tato nas palavras e atitudes.

MEDO DE DOENÇAS

O medo de doenças tem origem em nossa herança física e social, assim como os medos da velhice e da morte, pois nos leva à fronteira de "mundos terríveis" e desconhecidos, sobre os quais ouvimos histórias preocupantes. É bastante comum, também, a idéia de que "vendedores de saúde" pouco éticos contribuem para manter vivo o medo de doenças.

O ser humano teme a doença sobretudo por causa das imagens terríveis sobre a morte plantadas em sua mente. Além disso, preocupa-se com o custo do tratamento.

Um médico conceituado avaliou em 75% a incidência de hipocondria (doenças imaginárias) no total de pessoas que vão ao consultório. Já se provou que o medo de estar doente, ainda que sem o menor fundamento, freqüentemente produz os sintomas físicos da doença temida.

Como é poderosa a mente humana! Tanto constrói como destrói.

Distribuidores de medicamentos acumularam fortunas aproveitando-se dessa fraqueza. Há alguns anos, o pessoal da revista *Collier's Weekly Magazine*, descontente com a situação, promoveu uma forte campanha contra alguns elementos antiéticos da indústria farmacêutica.

Durante a Segunda Guerra Mundial, quando houve uma epidemia de gripe em Nova York, o prefeito adotou medidas drásticas para impedir os danos causados pelo medo que os habitantes da cidade tinham de adoecer. Ele convocou os representantes da imprensa escrita e disse:

> Como é poderosa a mente humana! Tanto constrói como destrói.

– Senhores, quero pedir que não publiquem matérias alarmistas sobre a epidemia de gripe. Se não pudermos contar com a sua cooperação, chegaremos a uma situação incontrolável.

Os jornais deixaram de publicar histórias sobre a gripe e, em um mês, a epidemia estava controlada.

Alguns anos atrás, experiências provaram que as pessoas podem adoecer por sugestão. Foi pedido a três pessoas que visitassem separadamente um amigo, que seria a "vítima". A primeira, ao chegar, perguntou:

– O que você tem? Parece doente!

A resposta foi um despreocupado: "Nada, estou bem."

Quando o segundo visitante repetiu o comentário feito pelo primeiro, a resposta foi outra:

– Não sei, mas não me sinto bem.

E, ao terceiro visitante, a "vítima" admitiu francamente que tinha alguma doença.

Se duvida, experimente, mas não exagere. Existe uma seita religiosa cujos membros se vingam dos inimigos pelo método da feitiçaria: lançam uma praga sobre a vítima.

Existem fortes indícios de que a doença às vezes começa sob a forma de um impulso de pensamento negativo, que pode passar de uma mente para outra, por sugestão, ou ser criado pelo próprio indivíduo.

Um homem com mais sabedoria do que poderia fazer supor esse incidente disse certa vez:

– Quando alguém me pergunta como me sinto, tenho vontade de responder com um soco.

O médico aconselha o paciente a "mudar de ares" para curar-se quando há necessidade de que este adote uma nova atitude mental. A semente do medo da doença vive em toda mente humana. Preocupações, medo, desânimo, decepções amorosas e problemas profissionais fazem a semente germinar. As fases conturbadas mantêm os médicos ocupados, pois qualquer tipo de pensamento negativo pode causar doenças.

Desapontamentos no amor e na profissão ocupam o topo da lista de razões para o medo da doença. Uma decepção no amor levou um rapaz ao hospital, onde ficou meses entre a vida e a morte, até que foi convocado um especialista em terapia pela sugestão. Este mudou a equipe de enfermagem, deixando o paciente sob os cuidados de uma enfermeira bela e jovem (tudo arranjado pelo médico), que começou a conquistá-lo a partir do primeiro dia. Em três semanas, o rapaz teve alta, embora sofrendo de uma nova doença: estava apaixonado outra vez. O remédio não passou de uma estratégia, mas o paciente e a enfermeira se casaram mais tarde. E pelo menos até hoje gozam de boa saúde.

SINTOMAS DO MEDO DE DOENÇA

Os sintomas desse medo quase generalizado são:

AUTO-SUGESTÃO. Hábito de usar negativamente a auto-sugestão, procurando e esperando encontrar sintomas de todo tipo de doença. Prazer em doenças imaginárias, falando delas como se fossem reais. Hábito de experimentar todos os remédios e tratamentos sugeridos. Conversas sobre cirurgias, acidentes e outras formas de doença. Experimentação de dietas e exercícios físicos sem orientação médica. Uso indistinto de remédios caseiros, industrializados ou receitados por curandeiros.

HIPOCONDRIA. Hábito de pensar e falar em doenças, esperando descobri-las, até provocar uma crise nervosa. Não existe medicação que cure essa condição. Ela é provocada pelo pensamento negativo e só pode ser curada pelo pensamento positivo. Segundo se diz, a hipocondria (termo médico para doenças imaginárias) causa tanto mal quanto a própria doença. A maioria das chamadas doenças "dos nervos" vem de males imaginários.

FALTA DE EXERCÍCIO. Geralmente, o medo de doenças faz o indivíduo evitar a vida ao ar livre, impede o exercício físico adequado e, assim, provoca aumento de peso.

SUSCETIBILIDADE. O medo de adoecer diminui a resistência física, criando uma condição favorável a toda forma de doença. Com freqüência, o medo de doenças vem associado ao medo da pobreza, em especial no caso dos hipocondríacos, que se preocupam com a conta do hospital, os honorários do médico e o preço dos remédios. Esse tipo de pessoa procura estar preparada para a doença, fala sobre a morte, compra sepultura e economiza para as despesas com o enterro.

PAPEL DE VÍTIMA. Hábito de usar doenças imaginárias para angariar simpatia. (Muitos recorrem e esse artifício para fugir do trabalho.) A simulação de doenças serve para encobrir a preguiça pura e simples ou a falta de ambição.

EXCESSO. Hábito de usar álcool ou drogas para aliviar a dor em vez de eliminar a causa dessa dor. Costume de ler sobre doenças e preocupar-se com a possibilidade de ser atacado por uma delas. Interesse exagerado por anúncios de remédios.

Medo de perder o amor de alguém

A origem do medo da perda de um amor é inerente ao ser humano e não exige muitas explicações; está obviamente no hábito da poligamia, quando o homem costumava roubar ou cortejar as mulheres dos outros.

O ciúme e outras formas semelhantes de demência precoce nasceram do medo que o homem tem de perder o amor de alguém. Dos seis medos básicos, esse é o mais doloroso e talvez o que mais provoque estragos no corpo e na mente, levando muitas vezes à insanidade permanente.

Provavelmente, o medo de perder um amor existe desde a idade da pedra, quando o homem conquistava as mulheres pela força bruta. Eles ainda as conquistam, mas com outras técnicas: em vez de força, usam a persuasão, a promessa de roupas caras, carros e outras iscas muito mais eficazes do que a força física. Os hábitos do homem moderno são os mesmos do início da civilização; ele apenas os expressa de maneira diferente.

Uma observação cuidadosa demonstra que as mulheres são mais suscetíveis a esse medo do que os homens, o que pode ser facilmente explicado:

elas aprenderam, por experiência, que eles são polígamos por natureza, e não se pode confiar nas rivais.

SINTOMAS DO MEDO DE PERDER O AMOR DE ALGUÉM

Os sintomas característicos desse medo são:

CIÚME. Hábito de desconfiar de amigos ou da pessoa amada, sem motivos razoáveis. O ciúme é uma forma de demência precoce que, às vezes, expressa-se com violência, sem qualquer causa. A pessoa ciumenta costuma acusar o marido ou a mulher de infidelidade, embora sem fundamento algum, e não confia em ninguém.

REPREENSÃO. Hábito de repreender amigos, parentes, colegas de trabalho, etc. por motivos insignificantes, ou sem qualquer razão.

JOGO. Hábito de jogar, roubar, enganar e correr riscos com o objetivo de ganhar dinheiro e oferecer bens materiais à pessoa amada, acreditando poder comprar o amor. Costume de gastar mais do que ganha, para impressionar. Insônia, nervosismo, descontrole, insegurança, instabilidade de humor e falta de persistência e de força de vontade.

MEDO DA VELHICE

O medo da velhice tem duas origens principais: a primeira é o medo de que a velhice traga a pobreza – de que os bens materiais sejam tomados por alguém; a segunda, e mais forte, são os falsos e cruéis ensinamentos transmitidos de geração em geração, bem como outros truques habilmente concebidos para manter o ser humano dominado pelo medo.

A possibilidade de doenças – que aumenta com o passar dos anos – e de diminuição da atração sexual também contribuem para esse medo.

Existe uma associação entre velhice e possibilidade de pobreza. "Asilo" não é uma palavra bonita. Qualquer um se arrepia com a idéia de passar os últimos dias de vida em um abrigo para idosos.

E há ainda a possibilidade de perda da independência física e financeira.

Sintomas do medo da velhice

Os sintomas mais comuns desse medo são:

Tendência a diminuir o ritmo de atividade e desenvolver complexo de inferioridade, por volta dos 40 anos, acreditando serem os lapsos que comete motivados pela idade. (Na verdade, os anos mais produtivos da vida do indivíduo, tanto mental quanto espiritualmente, são aqueles entre os 40 e os 60.)

Hábito de desculpar-se pela "velhice", ao chegar aos 40 ou 50 anos, em vez de subverter a regra, demonstrando gratidão por haver alcançado a idade da sabedoria e da compreensão.

Costume de reprimir a iniciativa, a imaginação e a autoconfiança, acreditando falsamente haver passado da idade de exercitar essas qualidades.

Preferência por um vestuário de estilo jovem e adoção de maneirismos típicos da juventude, provocando comentários de conhecidos e desconhecidos.

Medo da morte

Para alguns, o medo da morte é o mais cruel dos medos básicos, por uma razão óbvia. A terrível sensação de medo associada à idéia da morte, na maior parte dos casos, pode ser atribuída diretamente ao fanatismo religioso. Os chamados "pagãos" têm muito menos medo da morte do que os mais "civilizados". Há centenas de milhões de anos, o homem procura as respostas para estas duas perguntas: "De onde venho? Para onde vou?"

Há muitas eras, indivíduos espertos e astuciosos respondiam rapidamente a essas perguntas, mas cobravam um preço por isso. Veja agora a principal razão para o medo da morte.

"Entre em minha tenda, abrace minha fé, aceite meus dogmas, e garantirei a sua entrada imediata no céu após a morte. Se ficar fora da tenda, será levado pelo demônio e arderá no fogo do inferno por toda a eternidade", diz o líder de uma seita.

A eternidade é muito tempo. O fogo é terrível. A idéia do castigo eterno pelo fogo não somente faz o ser humano temer a morte, mas também perder a razão e o interesse pela vida, além de tornar a felicidade impossível.

Durante minha pesquisa, reli o livro *A Catalogue of the Gods*, no qual estão listados os 30 mil deuses adorados pelo homem. Imagine! Deuses com 30 mil representações diferentes, de lagostas a formas humanas! Não admira que o ser humano se assuste tanto com a idéia da morte.

Embora o líder religioso não seja capaz de garantir ao fiel um salvo-conduto para o céu nem tenha o poder de fazer o infeliz descer ao inferno, esta última possibilidade é tão terrível que a simples idéia toma conta da imaginação e parece tão real que elimina a razão e impõe o medo da morte.

Na verdade, ninguém sabe nem nunca soube se céu e inferno existem e como são. Essa falta de conhecimento positivo abre as portas da mente humana ao charlatanismo, que a controla com astúcia, artifícios e mentiras piedosas.

O medo da morte já não é tão comum como no tempo em que não havia instituições de ensino. Os cientistas mostraram a verdade ao mundo, libertando rapidamente a humanidade do terrível medo da morte. Os jovens universitários não se deixam impressionar facilmente pelo fogo e pelo enxofre do inferno. Com a ajuda de ciências como Biologia, Astronomia, Geologia e outras relacionadas a estas, os medos que povoavam as mentes dos seres humanos, destruindo sua razão, foram afastados.

As clínicas para doentes mentais estão cheias de gente que enlouqueceu por medo da morte.

Esse medo de nada adianta. A morte virá, seja qual for a nossa opinião a respeito dela. Aceite-a como uma necessidade e não pense mais no assunto. Se a morte não fosse necessária, não aconteceria. E talvez não seja tão ruim como dizem.

O mundo todo é feito apenas de energia e matéria. Nas aulas de Física, aprendemos que matéria e energia (as duas únicas realidades conhecidas do ser humano) não podem ser criadas nem destruídas – mas podem ser transformadas.

Vida é energia. Se é impossível destruir energia e matéria, também é impossível destruir a vida. Pode haver processos de transição ou mudança, mas não a destruição da vida. Então, a morte é uma simples transição.

E, se a morte não for apenas mudança ou transição, nada haverá depois dela, a não ser um sono eterno e tranqüilo. Como não há motivo para temer o sono, você pode banir de vez o medo da morte.

SINTOMAS DO MEDO DA MORTE

Os sintomas desse medo são:

Hábito de pensar na morte em vez de aproveitar a vida ao máximo – geralmente por falta de objetivo ou de uma ocupação produtiva. Esse medo atinge principalmente os mais idosos, mas às vezes pode afetar também os mais jovens. O remédio mais eficaz contra o medo da morte é um desejo ardente de realização, fundamentado na prestação de um serviço útil aos outros. Pessoas ocupadas raramente têm tempo de pensar na morte; para elas, a vida é interessante demais. Às vezes, o medo da morte está associado ao medo de deixar os entes queridos na pobreza; em outros casos, é conseqüência de alguma doença que tenha minado a resistência física. Assim, podemos resumir dizendo que as causas mais comuns para o medo da morte são: doença, pobreza, falta de ocupação produtiva, decepção amorosa, insanidade e fanatismo religioso.

ANSIEDADE

A ansiedade é um estado de espírito baseado no medo. A ansiedade se instala devagar, mas com persistência. É insidiosa e sutil. Passo a passo, toma a mente, até anular a capacidade de raciocínio, a autoconfiança e a iniciativa. A ansiedade é uma forma de medo continuado causado pela indecisão; portanto, é um estado de espírito que pode ser controlado.

A indecisão desequilibra a mente, e uma mente desequilibrada é impotente. Mesmo sob condições econômicas normais, falta à maioria dos indivíduos a força de vontade para tomar decisões com agilidade e levá-las adiante. Em períodos de instabilidade da economia, a situação fica ainda mais complicada: além de sua natural dificuldade em tomar decisões, eles são influenciados pela indefinição dos que os rodeiam, criando-se assim um estado de "indecisão em massa".

Em 1929, durante a crise econômica que se abateu sobre os Estados Unidos, a atmosfera do mundo todo foi contaminada pela "sinistrose" e pela "ansiosite", duas "doenças mentais" que se espalharam depois da quebra de Wall Street. Só existe um remédio conhecido para tais doenças: o hábito de tomar decisões com rapidez e firmeza. Aliás, é um remédio que se aplica a todas as pessoas.

Quando nos decidimos por uma determinada linha de ação, a ansiedade desaparece.

Certa vez, entrevistei um homem que seria eletrocutado dentro de duas horas. De todos os oito homens que lhe faziam companhia na cela da morte, ele era o mais calmo. Sua calma me fez perguntar-lhe como se sentia, sabendo que em pouco tempo estaria a caminho da eternidade. Com um sorriso confiante, ele respondeu:

– Muito bem. Em breve, não terei mais problemas. E problema foi o que mais tive na vida. Foi duro arranjar roupa e comida. Daqui a pouco, não vou mais precisar disso. Eu me acalmei assim que tive a certeza de que iria morrer. Eu me preparei mentalmente para aceitar meu destino.

Enquanto conversava comigo, ele devorava uma refeição em quantidade suficiente para três pessoas e parecia gostar, como se não estivesse à beira de um desastre. A decisão deu àquele homem resignação. A decisão pode evitar a ocorrência de circunstâncias não desejadas.

Por causa da indecisão, os seis medos básicos se transformam em ansiedade. Se quer livrar-se para sempre do medo da morte, tome a decisão de aceitá-la como um acontecimento inevitável. Afaste o medo da pobreza tomando a decisão de satisfazer-se com a riqueza que puder acumular, sem ansiedade; acabe com o medo de críticas tomando a decisão de não se preocupar com o que os outros pensam, dizem ou fazem; elimine o medo da velhice tomando a decisão de aceitá-la, não como uma desvantagem, mas como uma bênção em forma de sabedoria, autocontrole e compreensão, impossíveis na juventude; abandone o medo da doença tomando a decisão de esquecer os sintomas; domine o medo de perder a pessoa amada tomando a decisão de viver bem sem amor, se for necessário.

QUANDO NOS DECIDIMOS POR UMA DETERMINADA LINHA DE AÇÃO, A ANSIEDADE DESAPARECE.

Evite todas as formas de ansiedade reconhecendo que nada na vida vale um preço tão elevado. A partir de então, terá equilíbrio, paz de espírito e calma, que levam à felicidade.

Aquele que tem a mente tomada pelo medo não somente destrói as próprias chances de agir com inteligência, como transmite vibrações negativas às mentes de todos com quem entra em contato, destruindo assim as chances deles.

Até os cães e os cavalos sabem quando o dono é medroso; eles captam as vibrações emitidas pelo ser humano e agem de acordo. No reino animal, mesmo aqueles cuja inteligência é menos desenvolvida conseguem captar vibrações: por um processo desconhecido, as abelhas atacam mais as pessoas cuja mente registra medo, poupando aquelas que se sentem mais à vontade.

As vibrações de medo passam de uma mente a outra com a mesma rapidez com que o som da voz humana vai da emissora de rádio à estação receptora – e pelo mesmo meio.

A telepatia é uma realidade. Os pensamentos passam de uma mente a outra, com ou sem conhecimento por parte de quem emite e de quem capta.

É praticamente certo que aquele que expressa verbalmente pensamentos negativos ou destrutivos venha a passar pela mesma experiência que desejou ser vivida por outra pessoa. A emissão de impulsos de pensamento destrutivos, sem verbalização, também tem uma espécie de "efeito bumerangue", que pode manifestar-se de diversas formas. A primeira, e talvez a mais importante, é a seguinte: o indivíduo que emite pensamentos de natureza destrutiva tem prejudicada sua faculdade de imaginação criativa. A segunda é que, ao carregar na mente emoções destrutivas, o indivíduo desenvolve uma personalidade negativa que repele as pessoas, freqüentemente convertendo-as em antagonistas. A terceira desvantagem reside em um fato significativo: os impulsos de pensamento negativo, além de fazerem mal aos outros, integram-se ao subconsciente de quem os emite, tornando-se parte do caráter dessa pessoa.

O pensamento não segue um determinado rumo e pronto. Ele se espalha em todas as direções, através do éter, e também integra-se permanentemente ao subconsciente daquele que o emitiu.

Presume-se que o seu objetivo na vida seja alcançar o sucesso. Para isso, você precisa de paz de espírito, do atendimento de suas necessidades básicas e, acima de tudo, de felicidade. Tudo isso começa na forma de impulsos de pensamento.

Você pode controlar a sua mente, alimentando-a com impulsos de pensamento à sua escolha. Tal privilégio é acompanhado da responsabilidade de usá-los construtivamente. Assim como administra os pensamentos, você comanda o seu destino terreno. Você pode influenciar diretamente o ambiente – e até controlá-lo em alguns aspectos –, dando à vida a feição que deseja, ou abrir mão dessa possibilidade, lançando-se ao "oceano das circunstâncias" e vagando para lá e para cá, ao sabor das ondas.

CAPÍTULO 15

A OFICINA DO DIABO

O SÉTIMO MAL BÁSICO
COMO PROTEGER-SE CONTRA INFLUÊNCIAS NEGATIVAS

Além dos seis medos básicos, as pessoas sofrem de mais um mal, que prepara um terreno fértil para receber as sementes do fracasso – um mal tão sutil que sua presença freqüentemente passa despercebida; uma fraqueza mais arraigada e fatal do que todos os outros seis medos. Na falta de uma denominação melhor, vamos chamar de suscetibilidade a influências negativas.

Aqueles que acumulam grandes riquezas sempre se protegem contra esse mal; os pobres, não. Os bem-sucedidos em qualquer profissão devem preparar a mente para resistir a ele. Se a sua intenção ao tomar conhecimento desta filosofia é conquistar riquezas, analise-se cuidadosamente para descobrir se é suscetível a influências negativas. Sem essa auto-análise, você perderá o direito ao objeto dos seus desejos.

Depois de ler as perguntas, responda-as cuidadosamente, como se procurasse um perigo escondido, e trate as suas falhas como trataria um inimigo mais palpável.

Você pode prevenir-se contra roubos com a ajuda da lei, mas o "sétimo mal básico" é de muito mais difícil prevenção, pois ataca a qualquer momento, sem que se perceba sua presença. Além disso, usa uma arma invisível, que consiste meramente em um estado de espírito. A ameaça lançada por esse mal é ainda mais grave, por serem suas formas de ataque tão variadas quanto são as experiências humanas. Às vezes, penetra na mente por meio de palavras bem-intencionadas dos próprios parentes; em outras ocasiões, vem de dentro do próprio indivíduo, provocado por sua atitude mental. É sempre tão mortal quanto veneno, embora de efeito lento.

COMO PROTEGER-SE CONTRA INFLUÊNCIAS NEGATIVAS

Para proteger-se contra influências negativas, sejam elas criadas por você ou resultado das atividades de gente pessimista com quem convive, reconheça e utilize a sua força de vontade, até construir em sua mente um muro de imunidade.

Saiba que todo ser humano é, por natureza, indolente, apático e suscetível a qualquer sugestão que esteja em harmonia com suas fraquezas.

Reconheça ser, por natureza, suscetível aos seis medos básicos e adote hábitos que os neutralizem.

Reconheça que influências negativas são difíceis de identificar e que freqüentemente agem por meio do próprio subconsciente. Portanto, mantenha a mente fechada a todos aqueles que queiram abater ou desestimular você.

Esvazie a caixa de remédios, jogue fora as pílulas e pare de falar em gripes, dores e doenças imaginárias.

Busque a companhia de gente que incentive você a pensar e agir em seu próprio benefício.

Não espere problemas, pois eles costumam atender aos chamados.

Sem dúvida, a fraqueza mais comum do ser humano é o hábito de deixar a mente aberta a influências negativas de outras pessoas. Essa fraqueza é ainda mais perigosa porque a maioria das pessoas não a reconhece em si ou, quando o fazem, não procuram corrigi-la, deixando que se instale, até tornar-se uma parte incontrolável de seu modo de ser.

Para ajudar aqueles que querem ver-se como realmente são, foi elaborada uma lista de perguntas. Leia-as e responda a elas em voz alta, para ouvir o som da própria voz. Assim, vai ser mais fácil dizer a verdade.

PERGUNTAS PARA AUTO-ANÁLISE

1. Você reclama com freqüência de sentir-se mal? Em caso de resposta afirmativa, por quê?

2. Você repreende os outros por qualquer motivo?

3. Você comete enganos freqüentes em seu trabalho? Em caso de resposta positiva, qual é a causa?

4. Você emprega palavras sarcásticas e agressivas?
5. Você evita deliberadamente a companhia de outras pessoas? Em caso de resposta positiva, por quê?
6. Você sofre com freqüência de má digestão? Em caso de resposta positiva, por quê?
7. A vida lhe parece vazia, e o futuro, desanimador? Em caso de resposta positiva, por quê?
8. Você gosta do seu trabalho? Em caso de resposta negativa, por que não?
9. Você sente autopiedade? Em caso de resposta positiva, por quê?
10. Sente inveja de quem é mais bem-sucedido do que você?
11. A qual das situações você dedica mais tempo: ao sucesso ou ao fracasso?
12. Com o passar dos anos, a sua autoconfiança aumenta ou diminui?
13. Você aprende com os próprios erros?
14. Permite que algum parente ou conhecido aborreça você? Em caso de resposta positiva, por quê?
15. Você, às vezes, é só animação e em outros momentos cai em total desânimo?
16. Quem mais influencia você? Por quê?
17. Você tolera influências negativas ou desanimadoras que poderia evitar?
18. Você negligencia a aparência pessoal? Em caso de resposta positiva, por quê?
19. Você consegue afastar os problemas, mantendo uma atividade produtiva, a ponto de não ter tempo para deixar-se atingir por eles?
20. Você se consideraria uma pessoa fraca caso permitisse que outros tomassem decisões em seu lugar?
21. Você procura se alimentar de modo saudável sempre, ou apenas quando sente algum tipo de mal-estar?
22. Quantos aborrecimentos evitáveis incomodam você? Por que os tolera?
23. Você recorre a bebidas, tóxicos ou cigarros para "acalmar os nervos"? Em caso de resposta positiva, por que não exerce a força de vontade?
24. Alguém importuna você constantemente? Em caso de resposta positiva, por quê?

25. Você possui um importante objetivo definido? Qual é? Quais são os seus planos para alcançá-lo?
26. Você sofre de algum dos seis medos básicos? Em caso de resposta positiva, quais são eles?
27. Você adota algum método de proteção contra influências negativas?
28. Você faz uso deliberado da auto-sugestão para desenvolver uma mentalidade positiva?
29. O que você valoriza mais: bens materiais ou o dom de controlar os próprios pensamentos?
30. Você se deixa influenciar com facilidade, mudando de opinião constantemente?
31. Você hoje acrescentou algo de valor aos seus conhecimentos ou ao seu estado de espírito?
32. Você enfrenta as circunstâncias adversas ou foge à responsabilidade?
33. Você analisa os erros e fracassos, tentando tirar deles algum proveito, ou adota a atitude "isso não é problema meu"?
34. Quais são os seus três piores defeitos? O que tem feito para corrigi-los?

35. Você incentiva outras pessoas a lhe contarem os problemas delas, de modo que possa ajudá-las?
36. Você tira, das experiências diárias, lições ou influências que contribuam para o seu crescimento pessoal?
37. A sua presença costuma influenciar negativamente outras pessoas?
38. Que hábitos você considera mais irritantes nos outros?
39. Você tem opinião própria, ou deixa-se influenciar por outras pessoas?
40. Você é capaz de desenvolver um estado mental que sirva de proteção contra influências negativas?
41. O seu trabalho lhe inspira fé e esperança?
42. Você está consciente de possuir forças espirituais capazes de manter a mente livre de qualquer forma de medo?
43. A religião ajuda você a manter uma mentalidade positiva?
44. Você se sente no dever de participar dos problemas alheios? Por quê?
45. Se você acredita no ditado "Dize-me com quem andas e te direi quem és", que conclusões tira a seu respeito ao observar o seu grupo de amigos?

46. Qual é a ligação, se é que existe alguma, entre as pessoas mais próximas a você e alguns aspectos em que se sente infeliz?
47. Seria possível alguém considerado por você como seu melhor amigo ser, na verdade, o pior inimigo, por causa da influência negativa que exerce sobre a sua mente?
48. Quais são as regras empregadas por você para determinar quem lhe faz bem e quem lhe faz mal?
49. Você se cerca de pessoas mentalmente superiores ou inferiores?
50. Das vinte e quatro horas do dia, quanto tempo você dedica a:

- **a)** trabalho?
- **b)** sono?
- **c)** descanso e lazer?
- **d)** aquisição de novas informações?
- **e)** tempo livre?

Entre os seus conhecidos, quem:

- **a)** mais oferece estímulo?
- **b)** mais faz advertências?
- **c)** mais o desestimula?
- **d)** mais o ajuda de várias maneiras?

51. Qual é o seu maior aborrecimento? Por que tolera a situação?
52. Quando alguém lhe dá um conselho sem ser solicitado, você o aceita sem questionar ou procura descobrir os motivos que estão por trás?
53. Qual é o seu maior desejo, acima de tudo? Você pretende realizá-lo? Abriria mão de todos os seus outros desejos em favor desse? Quanto tempo dedica por dia à realização desse desejo?
54. Você muda de idéia com freqüência? Em caso de resposta positiva, por quê?
55. Você costuma terminar as tarefas que inicia?
56. Você se impressiona facilmente com grandes empreendimentos, títulos profissionais, nível de formação ou bens materiais de outras pessoas?
57. Você se deixa influenciar pelo que os outros pensam ou dizem a seu respeito?
58. Você trata as pessoas de acordo com a condição social ou financeira delas?
59. Quem é o ser vivo que você mais admira? Em que essa pessoa é superior a você?

60. De quanto tempo você precisou para estudar essas perguntas e responder a elas? (É necessário pelo menos um dia.)

Se respondeu com sinceridade, você agora conhece mais a seu respeito do que a maioria das pessoas. Estude bem as perguntas e as respostas. Durante vários meses, releia tudo uma vez por semana e vai surpreender-se com a quantidade de informações importantes que terá adquirido por meio de um método tão simples. Se tiver dúvida quanto a algumas respostas, peça ajuda a alguém que conheça você bem e não tenha qualquer motivo para querer agradar. Veja-se pelos olhos do outro. A experiência pode ser interessantíssima.

Se existe alguma coisa sobre a qual você tem controle absoluto são os seus pensamentos. Esse é o fato mais significativo e inspirador, o reflexo da natureza divina do homem. Essa prerrogativa divina é o único meio de controlar o destino. Se você não controlar a própria mente, não terá o controle de coisa alguma.

Se for deixar de lado algum dos aspectos da vida, que sejam os bens materiais. A mente é o seu estado espiritual! Proteja-a e use-a com o cuidado que se dispensa a um bem muito valioso. Para isso você tem força de vontade.

Infelizmente, não existe qualquer proteção legal contra aqueles que, de propósito ou por ignorância, envenenam as mentes alheias com sugestões negativas. A essa forma de destruição, deveriam ser aplicadas penas pesadas, pois as sugestões negativas impedem as chances que o indivíduo teria de adquirir bens materiais protegidos por lei.

Homens de mente negativa tentaram convencer Thomas Edison de que ele não conseguiria criar uma máquina capaz de registrar e reproduzir a voz humana, "porque ninguém jamais inventara tal máquina". Edison não acreditou. Ele sabia que, quando a mente concebe uma idéia e acredita nela, pode concretizá-la. Foi essa sabedoria que fez dele uma pessoa especial.

Homens de mente negativa disseram a F. W. Woolworth que ele quebraria abrindo lojas para vender artigos a 5 e 10 centavos de dólar. Ele não acreditou. Sabia que conseguiria qualquer coisa, dentro do razoável, desde que tivesse fé. Exercendo o direito de manter afastadas de sua mente as sugestões negativas, Woolworth acumulou uma fortuna de mais de 100 milhões de dólares.

Homens de mente negativa disseram a George Washington que ele jamais conseguiria derrotar as forças britânicas, muito superiores. Mas

Washington exerceu o direito divino de acreditar. Assim, este livro foi publicado sob a proteção da bandeira dos Estados Unidos, enquanto o nome do lord Cornwallis está praticamente esquecido.

Céticos ridicularizaram Henry Ford quando o modelo tosco do primeiro automóvel circulou pelas ruas de Detroit. Alguns disseram que aquilo jamais funcionaria direito. Outros duvidaram que alguém pagasse por tal "geringonça". Mas Ford disse: "vou circundar a terra com carros confiáveis!", E ele o fez.

Sua decisão de confiar na própria idéia gerou uma fortuna que nem cinco gerações de seus descendentes seriam capazes de gastar. Para o bem daqueles que pretendem enriquecer, é bom lembrar que existe praticamente apenas uma diferença entre Henry Ford e a maioria dos mais de 100 mil trabalhadores de suas indústrias: Ford controla a própria mente, enquanto os outros nem mesmo tentam controlar as deles.

Henry Ford foi citado repetidamente neste livro porque é um excelente exemplo do que um homem com idéias próprias e controle da mente é capaz de conseguir. Sua história derruba a velha desculpa: "Não tive oportunidade". Ford também não teve, mas a criou e persistiu até ficar rico.

O controle da mente é resultado da autodisciplina e do hábito. Ou você controla a mente, ou ela controla você. Não existe meio-termo. O meio mais prático de controlar a mente é mantê-la ocupada em um propósito definido, apoiado em um bom planejamento. Procure conhecer a história de qualquer pessoa de sucesso e vai perceber que ela controla a mente, direcionando-a para objetivos definidos. Sem esse controle, o sucesso é impossível.

O MEIO MAIS PRÁTICO DE CONTROLAR A MENTE É MANTÊ-LA OCUPADA EM UM PROPÓSITO DEFINIDO, APOIADO EM UM BOM PLANEJAMENTO.

CINQÜENTA E SETE DESCULPAS

Os indivíduos que não alcançam o sucesso apresentam um traço em comum: conhecem todas as razões para o fracasso e têm o que acreditam ser desculpas incontestáveis para explicá-lo.

Algumas são inteligentes; outras, justificáveis. Mas nenhuma atrai dinheiro. O mundo só quer saber de uma coisa: você alcançou o sucesso?

Um estudioso do caráter do ser humano organizou uma lista com as desculpas mais comuns. Leia a lista atentamente e veja se costuma usá-las. Mas não esqueça que a filosofia apresentada neste livro torna todas elas ultrapassadas.

Se eu não tivesse mulher (marido) e filhos...
Se eu tivesse influência...
Se eu tivesse dinheiro...
Se eu tivesse estudo...
Se eu arranjasse um emprego...
Se eu tivesse saúde...
Se eu tivesse tempo...
Se os tempos fossem outros...
Se as pessoas me entendessem...
Se as condições fossem diferentes...
Se eu pudesse voltar no tempo...
Se não fosse o que "os outros" vão dizer...
Se tivessem me dado uma oportunidade no passado...
Se me dessem uma oportunidade agora...
Se outros não tomassem meu lugar...
Se nada me impedisse...
Se eu fosse mais jovem...
Se eu pudesse fazer o que quero...
Se eu tivesse nascido em berço de ouro...
Se eu conhecesse as pessoas certas...
Se eu tivesse o mesmo talento de outras pessoas...
Se eu tivesse coragem de falar...
Se eu tivesse aproveitado as oportunidades...
Se as pessoas não me irritassem...
Se eu não tivesse de cuidar da casa e das crianças...
Se eu conseguisse economizar...
Se o chefe gostasse de mim...
Se alguém me ajudasse...
Se minha família me entendesse...
Se eu morasse em uma cidade grande...
Se eu tivesse coragem de começar...

Se eu fosse livre...
Se eu tivesse a mesma personalidade de alguns...
Se eu emagrecesse...
Se meus talentos fossem reconhecidos...
Se eu pudesse tirar férias...
Se eu conseguisse pagar minhas dívidas...
Se eu não tivesse falhado...
Se eu soubesse como fazer...
Se não estivesse todo mundo contra mim...
Se eu não tivesse tantas preocupações...
Se eu encontrasse a pessoa certa para casar...
Se as pessoas não fossem tão tolas...
Se minha família não fosse tão extravagante...
Se eu sentisse mais segurança...
Se a sorte não estivesse contra mim...
Se eu tivesse nascido sob uma boa estrela...
Se não fosse verdade que "o que tiver de ser será"...
Se eu não tivesse que trabalhar tanto...
Se eu não tivesse ficado sem dinheiro...
Se a minha vizinhança fosse outra...
Se eu não tivesse um "passado"...
Se a empresa fosse minha...
Se as pessoas me escutassem...

Se – e este é o maior de todos – eu tivesse coragem de me ver como sou, descobriria o que há de errado comigo e corrigiria. Então, teria a oportunidade de aprender com os meus erros e com as experiências alheias, pois sei que algo não está certo, ou já teria chegado aonde deveria estar, se dedicasse mais tempo a analisar minhas fraquezas e menos tempo a inventar desculpas para elas.

Inventar desculpas é um passatempo nacional. É um hábito tão antigo quanto a raça humana, mas fatal para o sucesso! Por que as pessoas se agarram a desculpas? A resposta é óbvia: elas defendem a própria criação! A desculpa é filha da imaginação. É da natureza humana defender a cria.

É difícil abandonar um hábito profundamente arraigado, em especial quando serve de justificativa para nossas atitudes. Platão tinha em mente essa verdade quando afirmou: "A primeira e melhor vitória é conquistar a própria natureza. Ser conquistado por ela é a derrota mais vergonhosa e abominável."

Outro filósofo tinha a mesma idéia quando disse: "Com grande surpresa, descobri que boa parte da feiúra que enxergava nos outros era apenas um reflexo da minha própria natureza."

Elbert Hubbard escreveu: "Nunca consegui entender por que as pessoas passam tanto tempo criando desculpas para enganar-se e esconder as próprias fraquezas. Se usassem esse tempo para corrigir-se, não haveria necessidade de inventar desculpas."

Para terminar, gostaria de lembrar que "A vida é um tabuleiro de xadrez, e o seu adversário é o tempo – um jogador que não tolera indecisão!"

Antes, talvez você tivesse uma desculpa lógica para o fato de não forçar a vida a dar-lhe o que você pede. Agora, porém, a desculpa perdeu a função, porque você está de posse da Chave Mestra que abre a porta para as abundantes riquezas da vida.

A Chave Mestra é intangível, mas poderosa! É o dom de criar, *na sua mente*, um desejo ardente de uma forma definida de riqueza. O uso da chave não é cobrado, mas há um preço a pagar se ela não for usada: o fracasso. Sua utilização, ao contrário, traz recompensas de enormes proporções: a satisfação que acompanha quem conquista a natureza e força a vida a dar-lhe o que pediu.

O resultado vale o esforço. Que tal começar e convencer-se?

"Se tivermos afinidade, nos encontraremos", disse o imortal Emmerson. Tomo emprestadas suas palavras e termino dizendo: "Se temos afinidade, já nos encontramos nestas páginas."